Mes tueurs en série

www.quebecloisirs.com

UNE ÉDITION DU CLUB QUÉBEC LOISIRS INC.
© Avec l'autorisation de GROUPE HOMME INC. faisant affaire sous le nom
des Éditions de l'Homme
© 2011, Les Éditions de l'Homme, division du Groupe Sogides inc., filiale du
Groupe Livre Quebecor Media inc. (Montréal, Québec)
Tous droits réservés

Dépôt légal — Bibliothèque et Archives nationales du Québec, 2011
ISBN Q.L. : 978-2-89666-131-2
Publié précédemment sous ISBN : 978-2-7619-2753-6

Imprimé au Canada

NADIA FEZZANI

Mes tueurs en série

PRÉFACE

Nombre d'individus qui ont enfreint la loi n'ont été ni arrêtés ni cités en justice. Ces gens ne se considèrent pas comme des criminels, car la plupart des délits qu'ils ont commis sont relativement mineurs. La majorité des gens ne passent pas leur temps à comploter contre leurs semblables, sauf dans les romans policiers et les séries télévisées. Lire ces livres ou regarder ces émissions, c'est comme visiter un zoo pour observer des créatures vivant dans un monde à part. Nous sommes constamment sidérés par la capacité de certains à infliger la souffrance, mais, ce que nous semblons ignorer, c'est que nous risquons d'entrer en contact avec ces criminels, même les plus violents, au quotidien. Dans les recoins les plus sombres de notre société rôdent des personnages qui ont une double vie : violeurs, abuseurs d'enfants, pédophiles, désaxés et tueurs en série. Il semble impossible de comprendre leurs agissements, car ils rationalisent leurs actes et prétendent à la normalité. Certains se mêlent à nous comme des caméléons et mettent en péril les enfants, femmes, vieillards, adolescents, prostituées, homosexuels, qui, eux, ne se doutent de rien. Beaucoup de ces prédateurs utilisent la violence sexuelle comme moyen d'exprimer leur souffrance, leur colère, leur haine. Et nous voilà plongés dans les mystères les plus obscurs de l'être humain.

Parmi ces criminels, les tueurs en série se singularisent non seulement par leur propension malheureuse à tuer des innocents, mais aussi par leur mode opératoire. Certains éprouvent une grande satisfaction, voire une gratification sexuelle, au spectacle de la souffrance qu'ils causent. D'autres préfèrent supprimer immédiatement leurs victimes pour les mutiler, acte qui leur procure des plaisirs sexuels. D'autres encore espèrent retirer de leurs crimes des avantages pécuniaires. Le profil des tueurs en série varie selon leurs méthodes de prédation, leurs motivations, leur classe sociale, leur sexe et leur race. Cependant, ils ont en commun la recherche du contrôle et du pouvoir. À l'exception d'environ 2 % de psychotiques qui souffrent d'hallucinations, entendent des voix et sont atteints d'une déficience cognitive majeure, les tueurs en série sont des psychopathes. Ayant travaillé pour une institution psychiatrique gouvernementale, j'ai appris à discerner les psychotiques des psychopathes, compétence primordiale, sinon vous risquez d'être blessé ou tué.

Les psychopathes sont des individus dénués de toute émotion – tels la culpabilité, le remords, la tristesse, la compassion et l'empathie. On ne se réveille pas un matin, en décidant de devenir psychopathe, pas plus qu'on décide de devenir un tueur en série. Ces états découlent d'un processus qui commence dans l'enfance, se développe à la puberté et culmine à l'âge adulte. On ne peut ignorer les prédispositions génétiques aux comportements violents, mais il est important de comprendre que ce n'est pas cette prédisposition qui détermine le comportement des tueurs en série. L'environnement social, des parents médiocres, les traumatismes de l'enfance, une éducation particulière ou l'absence d'éducation influencent davantage le développement d'une psychopathie. Les psychopathes sont inaptes à nouer des liens émotionnels sains. La colère, la haine et le besoin d'exercer un contrôle sur d'autres personnes renforcent leurs prédispositions. Ce sont souvent de redoutables manipulateurs, menteurs et exploiteurs, qui utilisent leurs pulsions pour satisfaire leurs désirs et leurs besoins. Les gens sains ne veulent pas contrôler leurs semblables, mais chez les psychopathes ce besoin est impérieux.

Tous les psychopathes ne sont pas des criminels; certains veulent simplement tenir telle personne sous leur domination et en tirent de grandes satisfactions. Par contre, les psychopathes criminels sont les êtres les plus dangereux, car ils commettent des actes délictueux pour contrôler leurs victimes.

Comme les psychopathes, les délinquants sexuels doivent être classés selon une échelle de dangerosité. Certains ont des comportements sexuels inappropriés mineurs, alors que d'autres se transforment en prédateurs impitoyables. Russell Williams, ex-colonel de l'armée canadienne, est passé du voyeurisme au vol de dessous féminins, puis aux viols, vêtu de ces sous-vêtements, et, finalement, aux meurtres en série. Complexe profond ? Sans doute, une facette aussi sombre de la personnalité finit-elle par l'emporter. Peut-on dire que certaines personnes ont une personnalité criminelle ? En fait, la personnalité criminelle peut comporter plusieurs couches. En surface, nous aurions les simples pensées funestes, puis, plus en profondeur, nous atteindrions les psychopathies, les déviances sexuelles, etc. Tout au cœur des personnalités les plus atteintes, il y aurait la part la plus noire de l'humanité. De ces êtres, nous pouvons devenir les proies.

À titre de chercheur universitaire et d'expert en criminologie œuvrant dans le système carcéral, j'ai interviewé un grand nombre de psychopathes : violeurs, abuseurs d'enfants, pyromanes, pervers sexuels et tueurs en série. Je sais comment ils pensent, se comportent, et ce qui les incite à commettre des crimes. En outre, je m'efforce de prodiguer des aperçus sur l'univers de ces prédateurs sexuels violents. Il existe cependant un phénomène subjectif que je ne suis pas en mesure de comprendre, car je n'ai jamais été une victime. Certes, je peux parler des relations victimes/délinquants, des profils de victimes, de l'aide qu'on peut leur apporter, de certains points de droit et autres sujets importants de la victimologie, mais j'ignore ce qu'on ressent lorsqu'on a été violenté, séquestré et qu'on a vécu dans la terreur de perdre la vie. Voilà justement ce dont peuvent témoigner les victimes de crimes violents, lorsqu'elles se sentent suffisamment protégées.

Nadia Fezzani, l'auteur de cet ouvrage, compte parmi les victimes qui ont décidé de dénoncer ces crimes. Cette femme intelligente, dévouée et chaleureuse, journaliste d'investigation, s'intéresse aux comportements humains, en particulier aux individus qui infligent des souffrances à autrui. Le traumatisme de son enfance, catalyseur qui lui a permis de sonder le cerveau et l'âme de certains des plus dangereux prédateurs du monde, l'a entraînée dans un périple surprenant qui a conduit à l'écriture de ce livre éclairant. Les interviews se sont certes déroulées en prison, mais il ne faut pas manquer d'audace et de sang-froid pour accepter de se trouver nez à nez avec des hommes qui ont violé et tué plusieurs fois. Nadia Fezzani a consacré beaucoup de temps et d'efforts à préparer ces rencontres. Elle voulait franchir cet abîme non pas comme une groupie, ni comme une voyeuse, mais comme une personne poussée par le besoin de comprendre et d'approfondir des questions sur la vie et les crimes des tueurs en série.

En raison de leur narcissisme exacerbé, les psychopathes violents peuvent accepter ce genre de rencontre dans le but d'exalter leur intelligence et la fierté qu'ils tirent de ce qu'ils croient être des exploits. Nadia Fezzani savait tout cela avant de pénétrer dans les cellules et de plonger courageusement son regard dans les yeux de ces prédateurs. Grâce à ce travail difficile, le lecteur aura l'impression d'être en tête-à-tête avec des assassins. Cela dit, très peu de personnes ont réussi à interviewer des tueurs en série. Ce ne sont pas des êtres que l'on peut questionner à la légère, comme des délinquants ordinaires, car ils sont souvent enclins à manipuler leur interlocuteur, à l'intimider ou à lui raconter des mensonges éhontés. Je dis toujours aux journalistes et aux chercheurs de se préparer avec soin et de maîtriser à fond leur sujet.

Et, plus important encore, je leur conseille de dissimuler leur peur, sinon le tueur pourrait en éprouver un sentiment de toute-puissance. Les femmes doivent aussi savoir que le tueur en série aime à finasser, surtout lorsqu'il perçoit chez elles de la crainte ou des faiblesses.

Mener à bien de tels entretiens n'est pas une tâche aisée, mais, comme vous le constaterez, Nadia Fezzani n'est pas novice en la matière, et son talent d'investigatrice l'a magnifiquement servie lors de ces fascinantes interviews. Elle a aussi pris le temps de consulter psychologues, psychiatres et criminologues pour étoffer ses analyses psychologiques des différents tueurs, dont certains des plus sinistrement célèbres. En bref, elle s'est acquittée de sa mission sans rien laisser au hasard.

Le plus incroyable, c'est que cette exploration des âmes les plus noires pourrait bien un jour vous sauver la vie. Restez vigilants.

Je vous remercie, Nadia Fezzani, pour ce livre extraordinaire, aux vastes perspectives.

ERIC W. HICKEY, Ph.D.
Directeur du Centre d'études médico-légales de Californie

www.erichickey.com

AVANT-PROPOS

J'ai vécu quatre années d'horreur et de souffrance, pleines d'images d'agressions et de corps mutilés par des tueurs en série. C'est comparable aux narcotiques ou à l'alcool : on sait que c'est nocif, mais on est parfois accro, pour une raison ou pour une autre. On en souffre, on veut s'arrêter, mais on ne le fait pas. Pour ma part, j'ai soif. Soif d'en connaître plus, de découvrir, de comprendre, même si cela me fait parfois mal.

On me demande fréquemment d'où vient mon intérêt pour un sujet si horrible. C'est simple : je ne comprenais pas toute cette violence ! Encore aujourd'hui, je revois les victimes, leur martyre, leurs souffrances, leur effroi, leur combat pour la vie. Comment peut-on commettre des crimes si horribles ? Et… pourquoi ?

J'étais censée écrire un seul article sur le sujet. Mais, plus j'avançais dans mes recherches, plus je voulais comprendre ce qui pouvait pousser des telles personnes à détruire la vie d'autrui. Et, plus j'en apprenais, plus je voulais explorer la profondeur de leurs motivations. J'ignorais à ce moment-là que je cherchais les réponses pour moi-même, pour cicatriser mes propres blessures… Lorsque j'étais enfant, j'ai été attaquée par un récidiviste sans pitié, ce qui a bouleversé ma vie. Je ne croyais pas m'en sortir vivante. Mon agresseur n'était pas un meurtrier, mais il suivait le processus des tueurs en série violents, avant qu'ils commencent à tuer : son but était de contrôler, de faire souffrir et de terroriser ses victimes. Il s'en prenait à des jeunes, des êtres beaucoup plus faibles que lui. Comprendre ce mystère était donc une forme de thérapie pour moi.

Analyser des dossiers complets de tueurs en série exigerait plus que les quelques mois que je consacre à la rédaction de cet ouvrage, mais j'espère que certaines explications apaiseront la douleur des victimes qui ont échappé à ces agresseurs. Elles doivent comprendre qu'elles ne sont pour rien dans ce drame, qu'elles ne sont pas la cause du problème, que tout découle de certaines situations qui ont influencé la vie des prédateurs. Puisque je devais interviewer des criminels qui s'attaquent à d'innocentes personnes, je voulais aussi comprendre la psychologie des individus qui commettent des actes violents à répétition.

Un cas m'avait particulièrement troublée, avant d'étudier ce sujet. Ma mère, aujourd'hui décédée du cancer, vivait autrefois dans le complexe résidentiel Havre-des-Îles, près de l'île Paton, où le tueur en série William Fyfe a poignardé à mort une résidente. Vêtu comme un ouvrier, il prétendait être un plombier venu vérifier les conduites d'eau dans les appartements. Il cognait aux portes, jusqu'à ce qu'une femme seule lui ouvre. Il l'a forcée alors à lui divulguer le code de sa carte bancaire qu'il lui a volée, ensuite il l'a violée et l'a tuée. Il s'est attaqué ainsi à plusieurs femmes de l'ouest de Montréal. Comme nous l'observons dans ce cas, certains tueurs en série peuvent avoir plusieurs motivations. Fyfe voulait de l'argent, mais en il profitait souvent pour agresser sexuellement ses victimes. Imaginez les battements de cœur, lorsque j'ai appris la nouvelle ! Si ma mère avait ouvert à ce type… Le but de mon livre n'est donc nullement de pardonner les faits et gestes des agresseurs.

Néanmoins, si l'on veut un jour enrayer ce genre de violence, il faut découvrir la provenance de toute cette haine. Le phénomène du tueur en série est toujours à l'étude et nous en découvrons de plus en plus chaque jour. Il faut donc que les gens assimilent certaines connaissances, pour éventuellement améliorer la situation. Il s'agit de comprendre et de déceler les signes avant-coureurs de ces comportements, ce qui nous permettra d'aller chercher de l'aide pour les endiguer, comme nous le faisons déjà pour d'autres types de comportements violents. Ainsi, nous pourrons diminuer la fréquence de ces terribles événements qui détruisent des vies et des familles.

Certes, les tueurs en série représentent moins de 1 % de la population, mais leurs victimes sont plus nombreuses qu'on le croit, puisqu'il faut tenir compte des familles de ces victimes, des conjoints, de leurs enfants qui vivront désormais sans mère ou sans père, des amis et des voisins qui vivront dans la peur, etc. De plus, la famille du prédateur souffre aussi de ces drames et en éprouve honte, détresse psychologique, culpabilité. Il faut savoir qu'un tueur en série tue en moyenne 10 personnes. C'est donc dire que la cinquantaine de meurtriers sériels que nous avons connus au Canada ont fait des milliers de victimes. Aux États-Unis, le FBI pense qu'environ 500 tueurs en série sont en liberté ; selon d'autres experts, ils seraient plutôt de 35 à 100. Sans compter les meurtres jamais attribués à ces tueurs.

Et dire que certains ont été libérés après avoir purgé leur sentence, comme « l'infirmier de la mort » condamné pour 10 meurtres, l'Allemand Wolfgang Lange. Ou Loren Herzog, qui aurait tué au moins cinq jeunes femmes en Californie, avec la complicité de Wesley Howard

Shermantine. Ou Pedro Alonso López, un Mexicain qui aurait violé et tué plus de 300 jeunes filles en Équateur et au Pérou et qui s'est juré de ne jamais cesser. Le lieu de résidence de López est inconnu...

Les tueurs en série peuvent paraître tout à fait normaux au premier abord. Souvent mariés et père de famille, ils sont très difficiles à débusquer. Comment une personne d'apparence normale peut-elle commettre des meurtres de sang-froid, torturer et massacrer des êtres innocents?

Les tueurs en série ont-ils déjà lancé des cris de détresse dans leur vie passée? Quelque chose aurait-il pu changer leur vie? Leur volonté de contrôle aurait-elle pu être acquise d'une autre façon? Que ressentent-ils, au plus profond d'eux-mêmes, lors des agressions? Pourquoi agissent-ils différemment avec leurs proches?

Avant d'écrire cet ouvrage, j'ai lu pendant des mois, de 9 h à 23 h, jusqu'à épuisement. J'ai lu des livres sur les tueurs en série en général, sur certains assassins en particulier, sur la manière de les interroger, sur la criminologie, la psychologie, la psychiatrie, la neurologie, l'enfance, la délinquance, la brimade, le profilage et les meurtres sexuels.

À force de lire sur le sujet, j'en faisais des cauchemars la nuit. Lorsque je marchais dans la rue, j'étais toujours sur mes gardes. Il m'était pénible de lire tous ces détails sur les meurtres, de voir les photographies des victimes. Un jour, j'ai même vu la vidéo d'un homme qui se fait tuer et mutiler. Même si je m'étais préparée mentalement, tout cela a été très difficile. Je comprenais maintenant pourquoi les policiers, dans certains films, tombent soudainement malades lorsqu'ils découvrent un cadavre mutilé ou finissent par changer de vie... Autrefois, je pensais que ce devait être à cause des odeurs, comme je l'avais moi-même expérimenté lorsque je prenais des photos avec les pompiers, sur les lieux des incendies. Je devais bien sûr, parfois, photographier des cadavres. Lorsque nous recevions un certain code d'appel, nous nous préparions au pire. De cette façon, nous étions capables d'effectuer le travail. Mais, cette vidéo, c'était autre chose que de voir un cadavre. J'ai été prise de nausées en voyant la victime souffrir le martyr. Le jeune agresseur lui lardait le corps avec un tournevis, jouait avec l'outil sous la peau de l'homme à moitié évanoui.

Mon sommeil était loin d'être réparateur. Je me réveillais souvent en sueur, agitée, après avoir couru en rêve pour fuir quelqu'un ou quelque chose. J'ai eu envie de tout abandonner, de laisser tomber les tueurs en série, mais mon entourage m'encourageait à persévérer, me rappelant les mois d'effort que j'avais déjà consacrés au sujet.

Malgré tous les livres que je lisais tant bien que mal, je ne trouvais pas toutes les réponses à mes questions. J'ai alors compris que ces réponses étaient enfouies dans ces êtres troublés que sont les meurtriers sériels.

Avant de leur écrire, j'ai consulté des experts, des psychiatres, des profileurs, des professeurs, dont plusieurs sont des spécialistes reconnus mondialement pour leur expertise dans le domaine des tueurs en série. Progressivement, j'ai laissé de côté mes livres cauchemardesques. Entre-temps, si j'avais des questions, le Dr Eric Hickey, professeur de criminologie à l'Université de Californie à Fresno et directeur du Centre d'études médico-légales de Californie à l'université Alliant, était toujours disponible pour me répondre. Pourtant, il est très occupé : il aide de nombreux corps de police pour la formation professionnelle et les investigations. Il a aussi été consultant pour la force opérationnelle (*Task Force*) de l'UNABOM*. Spécialiste des tueurs en série, il collabore avec le FBI et dirige des séminaires pour des agences en Europe, en Asie et en Afrique du Nord. Malgré cela, le Dr Hickey prenait le temps de bien m'expliquer les choses, par courrier électronique ou par téléphone. Il a été un excellent mentor. Ensuite, je suis passée à l'action.

J'ai transmis ma première demande d'entrevue à un pénitencier du Québec, dans l'espoir d'interviewer Clifford Olson, originaire de la Colombie-Britannique, qui avait tué 11 enfants. La requête a été refusée. Par ordre de la Cour, le détenu n'avait pas le droit de contacter les médias. Je me suis alors rendu compte que je n'avais jamais lu d'entrevue avec un tueur en série d'ici. Un autre, que j'aurais voulu rencontrer, n'avait jamais accordé d'interview. Il semblait donc beaucoup moins compliqué de contacter les tueurs en série américains. De plus, bien que mon but fût de comprendre le phénomène, j'étais bien consciente que les détenus d'ici peuvent finir par sortir de prison un jour, et je n'avais pas envie de me rapprocher de tels individus. Ce n'est pas comme aux États-Unis, où ces types ne sortent plus jamais de leur forteresse. Pour éviter de me retrouver sans sujet à interviewer, j'ai donc écrit à tous les *serial killers* dont j'ai trouvé l'adresse dans Internet : 64 hommes et 10 femmes. Au final, j'en ai contacté plus de 80.

J'étais quelque peu nerveuse en postant mes premières lettres. Puisque je ne voulais pas laisser planer la moindre ambiguïté quant aux motifs de ma démarche, j'avais inséré l'expression « *serial killers* » à quelques reprises dans mes lettres. Comment réagiraient ces indivi-

---

* University and Airlines Bomber. UNABOM (nommé plus tard Unabomber) a engendré la chasse à l'homme la plus coûteuse de l'histoire du FBI. Ted Kaczynski, dit Unabomber, fut arrêté le 3 avril 1996.

dus ? Allaient-ils être insultés ? Offusqués ? Essaieraient-ils de me faire peur ? Prudente, j'avais loué une boîte postale au bureau de poste et utilisé un pseudonyme à quelques reprises, Nadia Vine, notamment pour contacter les meurtriers les plus féroces. Mais, dans la majorité des cas, j'avais conservé mon vrai nom, puisque certains d'entre eux, je le savais, voudraient des preuves de mon identité et de ma profession, et que j'allais donc devoir leur transmettre des articles signés par moi.

Même si certains tueurs recherchaient l'attention, ce n'était vraisemblablement pas le cas de tous, car je n'ai reçu qu'une trentaine de réponses. Une douzaine d'entre eux ont décliné mon invitation sous prétexte qu'ils n'étaient pas coupables ou qu'ils avaient fait appel d'un jugement et ne pouvaient donc pas parler. Malgré tout, 19 d'entre eux semblaient prêts à collaborer, ce qui donna au bout du compte une quarantaine de pages de magazines et de journaux, et deux documentaires pour la télévision.

À ma surprise, le ton de presque toutes les lettres était amical et témoignait d'une grande ouverture d'esprit. L'écriture pouvait être soignée ou illisible. Certains avaient dessiné de petits bonshommes et d'autres, des animaux compliqués.

Parmi les réponses, seulement quatre m'ont fait mauvaise impression. Le dénommé Joseph Baldi, par exemple, espérait une relation fort éloignée de ce que je recherchais. Il m'avait écrit : « J'aimerais vous aimer pour la vie, O.K. ? » Il avait une écriture lisible, mais quelque peu enfantine, et ses propos étaient primaires. Sur l'enveloppe, il avait dessiné deux visages sommaires, chacun divisé en deux, de couleur jaune et orange. À l'endos de l'enveloppe, un barbouillage difficile à déchiffrer. Je ne lui ai pas répondu.

Les autres réponses étaient beaucoup plus réfléchies. Bobby Joe Long, par exemple, espérait qu'une amitié naîtrait de notre correspondance, mais il ne pouvait se confier à moi, puisqu'il avait interjeté appel. Je lui ai répondu que cette correspondance était pour moi strictement professionnelle, ce qui lui a déplu. Il me l'a dit d'un ton plutôt agressif.

David Bullock, quant à lui, était l'un des rares tueurs en série qui se sont attaqués aux deux sexes. Sa réponse se voulait intimidante. Il soutenait que, mentalement, je n'aurais pas la force d'interviewer un tueur en série. Je ne lui aurais pas répondu s'il ne m'avait jeté ce défi.

Sur ce, j'ai téléphoné à un ami enquêteur pour lui parler de cette dernière lettre. Il voulait la voir, alors je l'ai scannée et la lui ai envoyée par courrier électronique. Après avoir fait analyser cette lettre par un graphologue, mon ami m'a assuré que je ne risquais rien. J'ai donc réécrit à David Bullock, et il m'a de nouveau répondu, d'un ton toujours méprisant, pour refuser l'entrevue que je lui réclamais. Plusieurs mois plus tard, je l'ai relancé, et il m'a envoyé un dessin : une face de loup redoutable, comme sur le point de me dévorer. Son jeu n'était pas le mien et j'ai lâché prise.

Un autre tueur, un infirmier qui empoisonnait ses patients, m'a écrit une lettre qui démontrait qu'il cherchait lui aussi à exercer sa puissance, son intelligence et son désir de tout contrôler. Je lui ai répondu que nous avions des priorités différentes et l'ai remercié. En fait, je recherchais des meurtriers qui étaient prêts à s'ouvrir, qui avaient franchi l'étape où ils désiraient se prouver à eux-mêmes qu'ils pouvaient contrôler autrui.

Un autre, Joe Roy Metheny, m'a écrit à quelques reprises. Sur les enveloppes, il dessinait toujours un individu en train d'avoir des relations sexuelles avec une boule de neige ou une femme, et il accompagnait sa signature d'une tache de sang sur son papier à lettres

Le cas d'Herbert Mullin est intéressant : c'est l'un des rares *serial killers* atteints de schizophrénie paranoïde. Il entendait jadis des voix qui lui ordonnaient de tuer le plus de gens possible, et ce, pour empêcher des tremblements de terre catastrophiques en Californie. Inculpé de 13 meurtres, il n'était pas prêt à se remémorer les événements du passé, croyant que cela pourrait lui nuire, après toutes ses thérapies. Il espère une libération conditionnelle en 2025.

Je l'ai dit, plusieurs individus m'ont répondu pour proclamer leur innocence. Comme Nathanael Bar-Jonah, qui avait son propre papier à lettres à en-tête sur lequel étaient imprimés plusieurs dessins représentant des bandits, l'amour, la famille, des animaux :

> « Vous pouvez trouver Dieu dans le rire de vos enfants ; la douleur d'un ami ; la floraison des forsythias après un long hiver ; la joie bruyante des oiseaux et du vent ; ou dans le témoignage silencieux des fourmis et des toiles d'araignées. L'autel de Dieu est partout, dans tout. »
>
> T. Byram Karasu

Bar-Jonah se disait la victime d'un coup monté d'un policier dont il avait refusé les avances sexuelles.

Un autre homme, Carlton Michael Gary, avouait quelques délits, mais n'avait jamais tué personne, affirmait-il. Bien éduqué, il avait un tempérament artistique. Il traçait de grandes lettres, d'une écriture quelque peu penchée vers l'arrière, et pliait chaque feuille individuellement. Il avait glissé dans l'enveloppe la photocopie d'un article de journal qui proclamait son innocence : « Ses empreintes ne correspondent pas [à celles du meurtrier]. Son sang ne concorde pas. Les morsures étaient celles d'un autre homme. Mais, 26 ans après les meurtres sauvages de 7 femmes âgées à Columbus, en Géorgie, Carlton Gary est toujours menacé de peine capitale. » C'était une enquête menée par David Rose, journaliste et rédacteur en chef, qui se battait pour disculper Gary. Mais, quelques années après notre premier échange, un cas de viol et meurtre aurait été attribué à Carlton Michael Gary, à la suite d'une analyse de son ADN.

Toutefois, les meurtriers que j'ai interviewés n'ont jamais nié leur culpabilité. Ils se sont ouverts pour me décrire leurs motivations, éclaircir les causes psychologiques de leurs faits et gestes, expliquer aux gens comment aider les jeunes, et pour évoquer la sécurité préventive. J'espère que ces témoignages répondront à beaucoup de questions et qu'ils en susciteront d'autres chez les lecteurs.

Voici donc l'occasion d'entrer dans la tête et le cœur de ces personnes, de comprendre leur personnalité, leur passé, leurs traumatismes expliqués dans leurs propres mots.

Après tout, les tueurs en série savent mieux que quiconque ce qui motive profondément les tueurs en série…

PROLOGUE

Guerre du Vietnam

« *Sur une montagne, dans la jungle, j'ai coupé la tête d'une femme qui était en train de cacher un AK-47 dans un arbre pourri. Je l'ai attrapée par derrière et lui ai tranché la tête d'un coup de machette. Ça saignait tellement ! J'ai dû donner deux autres coups pour la décapiter complètement. J'ai attaché ses jambes ensemble et j'ai traîné le corps jusqu'à une hutte. [...] Plus loin, il y avait une autre hutte. Une jeune femme y fabriquait des bombes artisanales en glissant des charges d'explosif dans nos vieilles boîtes de conserve, nos rations militaires, que nos ennemis ramassaient partout. Je me suis emparé d'elle, je lui ai attaché les mains avec une corde et l'ai bâillonnée. Ensuite je l'ai ligotée à un arbre. Quand elle m'a vu revenir avec le corps décapité de sa camarade, elle n'a pas réagi. Mais quand j'ai coupé le cadavre en deux et que j'ai sectionné la cuisse droite à la hanche et au genou, elle en a été bouleversée. Après, j'ai transporté la partie du corps que je ne voulais pas près d'un gros tas de fourmis qui l'ont vite déchiqueté. [...] J'ai ôté la peau, les veines et les nerfs de la cuisse et l'ai mise sur le feu. Ça cuisait comme un rôti. [...] Peu après, j'ai pris la viande, j'ai mordu dedans en arrachant un gros morceau, et je l'ai mâchée.* »

ARTHUR J. SHAWCROSS

Le « Monstre de la rivière Genesee » me faisait face dans une petite pièce d'environ 6 m², dans un pénitencier américain à sécurité maximale. Comme il me l'avait demandé, il n'était pas menotté et nous étions seuls, séparés par une petite table de bois, assis sur des chaises de plastique aux pattes de métal. Les gardiens veillaient au grain, nous observant à travers une grande vitre.

Après m'avoir expliqué comment il avait découpé le vagin d'une de ses victimes pour ensuite le manger, il a planté son regard dans le mien et m'a dit: «Donne-moi ta main…»

CHAPITRE 1

Arthur Shawcross:
Mon premier tueur en série

NOM: Arthur John Shawcross

DATE DE NAISSANCE: 6 juin 1945

ÉTAT CIVIL: Divorcé 5 fois

DURÉE DES MEURTRES: 1972 – 1989

NOMBRE DE MEURTRES: 13: un petit garçon, une petite
fille et 11 prostituées

STATUT: Décédé d'une crise cardiaque le 10 novembre 2008

Par une belle nuit de septembre 2007, je roulais sur l'autoroute à peine éclairée par la lueur de la lune, songeant au défi du lendemain. Dans quelques heures à peine, j'allais mener ma première entrevue avec un tueur en série, le cannibale Arthur Shawcross.

C'est à Watertown (État de New York), une petite ville de 30 535 habitants en 1972, à la frontière ontarienne, qu'on retrouva Karen Ann Hill. La fillette de 8 ans aux cheveux châtains, mi-longs, gisait face contre terre, étranglée, ensanglantée, violée et sodomisée, les organes génitaux déchirés. Quatre jours plus tard, le corps décomposé de Jack Blake, un garçon de 10 ans, était déterré. Il avait été tué quatre mois avant Karen Ann Hill.

Arrêté pour le meurtre de la fillette, Shawcross a bénéficié d'une négociation de peine pour avoir révélé l'endroit où il avait enterré le corps du garçon. Ainsi, il n'a été accusé que du meurtre de la fillette. Sur sa peine de 25 ans, l'homme de 27 ans n'a purgé que 14 ans et demi pour cause de bonne conduite. En prison, il a passé un cours d'horticulture avec la note B.

Connu de tous les habitants de Watertown, il n'est pas surprenant que Shawcross ait eu tant de mal à refaire sa vie à sa sortie du pénitencier. Il a donc déménagé à Rochester (New York). Un an plus tard, les autorités policières retrouvaient les corps de 12 femmes sauvagement battues, étranglées et parfois mutilées. Lorsque Shawcross a arrêté sa voiture près d'une victime pour uriner, les policiers l'ont remarqué et l'ont arrêté. Il a été jugé et condamné à 250 ans de prison pour le meurtre de 10 femmes, majoritairement des prostituées. Il a ensuite avoué un onzième meurtre. Shawcross a piqué ma curiosité, car il est l'un des rares *serial killers* qui changent soudainement de types de victimes. La plupart, en effet, jettent leur dévolu sur des types de personnes qui les attirent singulièrement. Ce peut être des enfants, des femmes, des hommes, des personnes d'une certaine race, d'un certain d'âge, qui exercent une profession particulière, etc. Cela dit, les boucs émissaires sont généralement de la même race que le tueur. Je connais un cas où le meurtrier de race blanche, Larry Bright, n'avait tué que des Afro-Américaines. Pourtant, il ne s'agissait pas de meurtres haineux. Simplement, Bright était fasciné par les femmes de race noire et par la pornographie. Shawcross, lui, avait tué des enfants, puis des prostituées, et sa dernière victime était une Afro-Américaine. Parcours plutôt inhabituel. Il est incarcéré depuis maintenant 17 ans.

À la lecture de son profil, j'ai compris pourquoi on l'avait surnommé le Monstre de la rivière Genesee. Il se réveillait dans sa voiture, aux côtés des victimes qu'il avait étranglées. Un jour, il a matraqué une femme qu'il hébergeait depuis deux mois et qui faisait les travaux ménagers, quand elle a menacé de révéler leur liaison à son épouse. Il a jeté son crâne dans la rivière.

Après l'un de ses derniers meurtres, Shawcross est retourné sur la scène du crime pour découper et dévorer les organes génitaux de sa victime. Cela m'a fait penser au film *Le Silence des agneaux*, qui, rappelons-le, serait fondé sur l'histoire d'un tueur en série des années 1950, Ed Gein, un cas des plus morbides. Son père, alcoolique et chômeur, le battait si violemment que le jeune Ed en entendait des bourdonnements d'oreille. Sa mère l'abusait mentalement, rabaissait les autres femmes, les traitant toutes de prostituées et d'instruments du diable… sauf elle-même, bien sûr. Elle lui inculquait que le sexe était infernal. Il n'est pas surprenant qu'il n'ait jamais eu de petite amie. En plus d'être sous l'emprise de sa mère toujours insatisfaite de ses deux fils, il a été la cible des brutalités des autres écoliers. Un jour, beaucoup plus tard, son frère aîné, qui s'était fait sa propre idée de la vie et qui s'objectait à leur mère, a été retrouvé mort. Les autorités soupçonnaient Ed de l'avoir tué, mais n'en avaient aucune preuve. Ed Gein avait alors 37 ans.

À la mort de sa mère, Ed Gein a perdu sa seule amie. Il a alors condamné la chambre de celle-ci, la laissant intacte. Il a ensuite vécu seul dans la maison familiale, n'utilisant que la cuisine et sa propre chambre. C'est alors qu'il s'est mis à déterrer des cadavres de femmes dans des cimetières, pour les décapiter et analyser leurs corps. Il a ensuite exécuté deux femmes à coups de revolver, pour les examiner de la même façon. On le soupçonnait d'en avoir tué cinq autres. Il pratiquait parfois la nécrophilie. Il utilisait certaines parties du corps des victimes pour en fabriquer divers objets, ceintures, lampes, bijoux, même un saladier avec un crâne, des abat-jour faits de peau. Les meurtriers en série conservent souvent un souvenir de leur victime pour se remémorer l'événement. Ed Gein avait un talent assez particulier et s'est confectionné une veste avec la peau de ses victimes. Il possédait aussi une ceinture faite de mamelons. Cependant, Gein est un cas spécial, un exemple qui démontre que la « folie » peut se développer, qu'elle n'est pas nécessairement innée.

Plus récemment, le cas de Robert Pickton a évoqué un peu celui d'Arthur Shawcross. Le fermier de Vancouver tuait des prostituées et on le soupçonne d'avoir mélangé de la chair humaine avec de la viande de porc, pour en faire des saucisses qu'il aurait offertes à des parents et à des amis. Shawcross se serait lui aussi adonné au cannibalisme.

Voilà les « détails » qui m'avaient poussée à vouloir prendre contact avec Arthur Shawcross. Aujourd'hui âgé de 62 ans, ce dernier a accepté de me parler des meurtres des deux enfants, à la condition que nous fussions seuls dans une pièce fermée, sans qu'il fût menotté. Je voulais tellement qu'il me parle de ces événements que j'ai accepté sa proposition. Je réalisais bien qu'il n'avait rien à perdre, puisque, quoi qu'il advînt, il serait emprisonné jusqu'à sa mort. Certes, il avait des privilèges, par exemple un gagne-pain, et il risquait d'être confiné dans son cachot 23 heures sur 24 s'il agissait de mauvaise foi. Mais la chair fraîche n'en valait-elle pas la peine ? Pouvoir toucher, ou simplement effrayer une femme, après toutes ces années… D'ailleurs, depuis combien de temps n'avait-il pas été seul avec une femme ? Bien qu'il y eût parfois jusqu'à cinq gardiens derrière la vitre à nous observer, il ne lui aurait fallu que quelques secondes pour m'attaquer. Pourrait-il jouir émotionnellement d'un tel événement ? C'était possible. Comme il était cannibale, je me demandais combien il lui faudrait de temps pour m'arracher une oreille d'un coup de dents. Cela dit, j'étais prête à toute éventualité. Par précaution, j'avais renoncé ce jour-là à porter des bijoux, boucles d'oreilles ou collier, sur lesquels il aurait pu tirer violemment.

Arrivée dans la petite ville de Liberty (New York), où se trouvait l'hôtel le plus près du pénitencier, je me suis sentie soudain très nerveuse. J'avais l'impression d'être seule au milieu de nulle part, dans un quartier déserté. L'hôtel se trouvait dans une des plus grandes rues de la petite ville de 4000 habitants, qui équivaut à une rue moyenne chez nous. Autour de moi, je voyais un Pizza Hut, un café, un Wendy's. Les bâtiments étaient couleur brique terne, comme dans un western, d'autres étaient peints de couleurs typiques des années 1980 — rose bonbon, vert lime. Les larges fondations étaient souvent mal entretenues, comme celles des vieux garages. Brrr! Je n'aimais pas les sensations que m'inspirait cette ville.

Comme c'était le relationniste du pénitencier qui m'avait recommandé cet hôtel, et que les possibilités d'hébergement étaient rares dans le coin, j'ai pensé que Shawcross savait peut-être lui aussi où je dormirais ce soir-là. Et s'il avait des alliés dans la ville…?

J'ai donc dû me résoudre à descendre dans cet hôtel. Suivant les conseils du réceptionniste, je suis allée garer mon auto plus loin et suis rentrée par la porte arrière de l'hôtel. Évidemment, comme cette porte n'était pas verrouillée et qu'elle se trouvait à côté de ma chambre, je me rappelais sans cesse les histoires de tueurs en série qui entraient la nuit chez les gens pour les massacrer. J'en avais lu plus qu'il ne le fallait! L'un de ces assassins, Richard Ramirez, martyrisait ses victimes, leur arrachait parfois les yeux, les violait, les tuait, mais il laissait souvent la vie sauve à un membre de la famille, terrorisé. Ramirez tuait «au nom de Satan», à coups de marteau, de couteau, de fusil. Tommy Lynn Sells, Rex Allen Krebs, Timothy Wayne Krajcir et Anthony Allen Shore pénétraient eux aussi par effraction dans les demeures de leurs victimes…

Habituellement, la nuit avant mes interviews, que ce soit avec des athlètes professionnels, des musiciens célèbres ou des tueurs en série, je me réveille constamment pour noter des questions ou certaines informations qui troublent mon sommeil. Mais, cette nuit-là, c'est la fameuse porte arrière de l'hôtel qui m'empêchait de dormir. Et j'entendais constamment toutes sortes de bruits. Bref, je n'arrivais pas à fermer l'œil.

Quittant ma chambre tôt le matin, j'ai roulé jusqu'à la petite ville de Fallsburg, où j'ai enfilé une étroite route isolée qui mène au Sullivan Correctional Facility, le pénitencier à sécurité maximale. David «Son of Sam» Berkowitz, autre meurtrier sériel notoire, s'y trouvait lui aussi. Se disant membre d'un culte satanique, c'était l'un des rares qui tuaient à coups de revolver. Ce faisant, il n'éprouvait pas le sentiment d'intimité avec les victimes que la majorité de ces agresseurs recherchent en tuant de leurs propres mains. Il trouvait néanmoins sa jouissance sexuelle en se masturbant près de ses victimes déjà mortes ou blessées. De plus, Berkowitz tuait des individus des deux sexes. Comme me l'avait déjà expliqué le Dr Pierre Gagné, chef du service de psychiatrie légale du Centre hospitalier universitaire de Sherbrooke, les meurtres à caractère sexuel sont commis par des hommes qui pratiquent la masturbation en fantasmant sur la violence et sur la souffrance humaine. Ils éprouvent alors un besoin de vengeance et croient contrôler totalement leurs victimes. On est évidemment très loin des désirs ou des fantasmes reliés à la sexualité. Berkowitz et moi avions déjà, à cette époque, échangé quelques lettres, mais il ne s'intéressait qu'à ses idées religieuses et ne voulait pas creuser le passé, alors j'ai laissé tomber.

C'était la première fois que je visitais un tel établissement, à l'exception d'un voyage touristique à Alcatraz. Le Sullivan Correctional Facility comporte plusieurs blocs bruns accolés. N'étaient les nombreux bâtiments formant une cour fermée, les barbelés et les tours de garde, on pourrait croire à une gigantesque école. Je me suis garée dans le vaste parking aux autos clairsemées. Plusieurs détenus déambulaient librement devant l'entrée de la prison, vêtus d'une combinaison orange, balayant et nettoyant les abords de leur forteresse. Leur libération était imminente, ai-je appris par la suite. En les faisant travailler ainsi, on les préparait à retourner à la vie extérieure. Ce qui m'étonnait, c'est qu'il aurait été facile pour eux de ramasser des objets laissés là par des complices, comme de la drogue dissimulée dans les feuillages. J'imaginais les caméras, qu'on pouvait peut-être éviter la nuit. Mais, bon, je me disais aussi que les autorités avaient sans doute déjà pensé à tout cela… Et pourtant il y a de la drogue dans les prisons. Quoi qu'il en soit, je marchais en évitant les regards.

À mon entrée dans le pénitencier, j'ai tout de suite vu des gardiens vêtus de leur uniforme aux pantalons bleu foncé et à la chemise bleu pâle, arborant un écusson représentant la forme géographique de l'État de New York sur l'épaule gauche et ses armoiries sur l'épaule droite. On savait déjà qui j'étais. « Nadia Fezzani, c'est ça ? », m'a demandé un blondinet souriant qui dépassait amplement mes 1,75 m. Les femmes vêtues d'un tailleur devaient être rares en ces lieux. Un autre agent se trouvait à un bureau, derrière une vitre qui faisait un peu penser à un guichet de cinéma. Les agents étaient très accueillants.

Après leur avoir montré mes cartes d'identité, je suis passée sous le détecteur de métaux. Ensuite, j'ai rangé mes cartes dans un casier à cadenas et j'ai suivi le gardien chargé de m'accompagner durant mon séjour, le blondinet qui m'avait accueillie à l'entrée.

Deux des prisonniers que j'avais croisés devant le pénitencier nous ont alors rejoints en vitesse, puis nous nous sommes arrêtés peu après avoir franchi une porte blindée qui séparait l'entrée de la prison de la zone réservée aux prisonniers. Nous étions alors coincés entre deux portes, une qui se refermait lentement derrière nous dans un bourdonnement électrique, et l'autre, devant, qui restait close. Un gros « clang ! » a retenti lorsque la porte blindée s'est verrouillée. Pendant quelques secondes, je suis restée sans bouger dans cet espace exigu, avec le gardien et les détenus. J'étais toujours étonnée de voir ces prisonniers circuler ainsi, sans escorte. Je savais bien qu'on voulait les réhabiliter, mais néanmoins j'imaginais combien il serait facile pour eux de prendre quelqu'un en otage et de déclencher une émeute. Finalement, la porte devant nous s'est mise à pivoter sur ses gonds.

Il fallait gravir un escalier avant d'atteindre la salle des visites. Il y avait des tables et des chaises en quantité, comme dans les films d'Hollywood. Au fond de la pièce, un banc de parc avait été placé devant un mur peint d'un superbe paysage, un lac en pleine forêt, où j'imaginais les détenus en train de faire de belles photographies de famille. Près du banc, des distributeurs automatiques de cafés et de sandwichs. Contre le mur de droite, des jeux de société et des jouets pour les enfants étaient bien empilés sur des étagères de bois. Près de la porte principale, il y avait la table de travail des gardiens. Ils avaient la tâche facile pour l'instant : la pièce était vide. À gauche, plus loin, se trouvaient les espaces réservés aux visites, où les prisonniers[1] se tiennent derrière une vitre et communiquent avec les visiteurs par téléphone.

Plus près de l'entrée, se trouvaient les deux salles fermées où les détenus rencontrent leurs avocats. C'est à cet endroit que devait avoir lieu l'entrevue.

Les minutes passaient et je suis devenue quelque peu inquiète. J'avais la permission de m'entretenir avec Arthur Shawcross pendant six heures, soit de 9 h à 15 h, et il était déjà 9 h 20.

« Que se passe-t-il ? ai-je demandé au gardien.

— Aucune idée, vraiment. D'habitude, les détenus sont ici à 9 h. Peut-être est-il occupé à autre chose ? »

---

1. Ceux accusés de possession de drogue ou d'armes dangereuses en prison, ou simplement les détenus à risques. (*Toutes les notes sont de l'auteur.*)

Shawcross m'avait pourtant demandé d'être là à 9 h tapantes, sauf que les détenus ne sont jamais prévenus à l'avance des visites. J'étais gagnée par la nervosité. Le délai qui nous était alloué pour l'entrevue peut sembler long, mais, quand il s'agit de récapituler la vie entière d'un sexagénaire très actif, six heures, c'est peu.

Pour pouvoir garder Shawcross à mes côtés toute la journée, je devais aussi lui payer son repas de midi. S'il quittait la salle de visite pour aller manger, il ne pouvait plus revenir. J'aurais aimé lui apporter un bon café de l'extérieur pour l'amadouer, étant donné qu'il avait pris soin de m'indiquer comment il l'aimait, mais je devais me contenter de ce que je pouvais trouver sur les lieux. Ce sont les règles, très logiques d'ailleurs.

Le gardien me faisait la conversation, puis il a abordé le sujet de l'entrevue.

« Je vous tiendrai compagnie dans la pièce, je resterai dans un coin.

— Non, non, non ! S.V.P. J'avais bien dit que je voulais rester seule avec lui ! »

Je protestais, mais d'un ton aimable. Si Shawcross voulait être seul avec moi pour me parler des enfants, je n'allais certainement pas lui mettre de bâtons dans les roues.

« Vous êtes certaine de ne pas vouloir un agent avec vous ? m'a-t-il demandé, surpris.

— Certaine.

— Alors, nous laisserons la porte ouverte. »

J'ai objecté au gardien que, si la porte restait ouverte, le prisonnier ne se sentirait pas protégé des oreilles indiscrètes. Il fallait donc la fermer, cette porte.

« Si c'est ce que vous désirez…, a-t-il dit d'un ton hésitant. Nous vous observerons donc de l'autre côté de la vitre, face à Shawcross. De cette façon, nous saurons si quelque chose ne tourne pas rond. S'il y a quoi que ce soit, vous n'avez qu'à lever le petit doigt et nous apparaîtrons immédiatement.

— Merci. »

J'aimais bien leur sens de l'accommodement, autant que leur vigilance.

Peu après, le surveillant principal de la salle des visites m'a dit :

« Madame Fezzani, Arthur Shawcross sera là dans quelques minutes. »

Enfin ! Je trépignais d'impatience, quand soudain la porte à l'autre bout de la pièce s'est ouverte. Un gardien est entré, suivi de… Non, cela ne pouvait pas être Shawcross… Oh ! Bon sang ! C'était… lui ???

L'approche

Pour convaincre Arthur Shawcross, j'avais dû lui écrire une lettre qui ne ressemblait pas aux demandes des autres journalistes, sans pour autant être extravagante. J'avais demandé conseil au Dr Jean-Roch Laurence, professeur agrégé de psychologie à l'université Concordia, qui m'avait fortement suggéré une approche assez personnelle. Il croyait important de parler un peu de moi, pour mettre ces tueurs en confiance. Sans rien exiger, je devais plutôt demander la permission de les rencontrer. Ainsi, ils auraient le sentiment d'avoir le dernier mot et de maîtriser la situation. Par exemple, écrire : « j'aimerais beaucoup que vous m'écriviez » au lieu de : « j'attends de vos nouvelles ».

À cette époque, tout le monde parlait de Robert Pickton, ce fermier de la région de Vancouver qui tuait des prostituées et les démembrait. Il aurait nourri ensuite ses animaux avec les restes des victimes. En outre, il aurait dit à certains de ses amis qu'il injectait de l'antigel de lave-glace à des héroïnomanes et qu'il étranglait des femmes menottées. Une victime avait réussi à s'échapper, nue et poignardée à plusieurs reprises, les menottes à un poignet. Il aurait avoué avoir tué 49 femmes. J'avais alors décidé d'évoquer Robert Pickton dans ma première lettre à Shawcross.

Cher Arthur Shawcross (puis-je vous appeler Arthur ?),

Je suis une journaliste canadienne et je rédige un article pour une édition spéciale sur les tueurs en série qui paraîtra dans la revue francophone #1 pour hommes, au Québec.

Le procès médiatisé de Robert Pickton soulève plusieurs questions et je crois personnellement que vous êtes la personne la mieux placée pour y répondre, étant donné qu'il y a là des similarités avec votre cas. Vos explications comptent beaucoup. Nous aimerions tous en connaître plus sur votre philosophie, votre vie passée et les histoires derrière ces crimes. Seriez-vous prêt à nous éclairer sur le sujet des tueurs en série ?

Après avoir lu sur votre cas, je vous vois comme un espoir. L'espoir de comprendre. Je me pose beaucoup de questions et vous êtes l'une des rares personnes capables d'y répondre. Je sais qu'il peut être difficile d'explorer un tel sujet, mais nous y arriverons si nous travaillons ensemble.

Je ne suis pas intéressée par les meurtres, mais plutôt par vos motivations et vos pensées profondes, qui expliquent qui vous êtes et d'où vous venez.

En m'accordant cette entrevue, vous contribueriez à la compréhension du public, partageriez votre philosophie et transmettriez votre message à la population. Mon but premier est que vous nous fassiez comprendre certains faits et gestes. Je suis d'avis que chaque personne a ses motifs. Accepteriez-vous d'expliquer les vôtres ?

À mon sujet : je suis journaliste, spécialisée dans les entrevues de personnalités, des athlètes aux groupes de rock, pour divers magazines et journaux. J'ai étudié quelque peu en droit et je m'intéresse beaucoup à la criminologie.

J'adore écrire et j'espère que vous aussi. Nous pourrions discuter de beaucoup de sujets. Je suis une personne très ouverte et je ne vous jugerai point. Vous pouvez m'écrire librement.

Voici déjà ma première question : avez-vous accès à Internet ?

Je sais que certaines prisons ne permettent pas aux détenus de recevoir des timbres. Si vous y êtes autorisé, dites-le-moi et je vous en enverrai pour couvrir vos frais.

J'espère avoir de vos nouvelles très bientôt, si vous le voulez bien.

Sincèrement,
Nadia Fezzani

Impatiente de recevoir sa réponse, j'ai été agréablement surprise de sa promptitude. Seulement deux semaines après lui avoir posté ma lettre, je recevais la sienne, un délai très court pour le courrier en provenance des États-Unis. Il s'était servi d'une ancienne machine à écrire, ce que je n'avais pas vu depuis longtemps dans mon monde informatisé. J'ai été étonnée d'apprendre qu'il ignorait l'existence de Robert Pickton, étant donné que celui-ci inondait littéralement les bulletins de nouvelles !

Chère Madame Fezzani,

Oui, vous pouvez m'appeler Arthur, ou Art, comme vous voulez. Je vois que vous désirez collecter des informations à mon sujet pour vos gens du nord. J'allais au Canada chaque week-end quand j'étais plus jeune. J'habitais à Clayton, New York. J'ai visité quelques villes de l'autre côté du fleuve Saint-Laurent. Je connais les environs comme le dos de ma main. Je reçois des lettres de partout au Canada, certaines de Montréal.

Puis-je vous demander qui est Robert Pickton ? Je n'ai jamais entendu parler de cet homme !

Je taperai mes idées philosophiques et vous laisserai décider, vous et vos lecteurs, de ce que vous en pensez.

Essayons quelque chose. Faites dépister le Y supplémentaire dans la génétique de vos enfants. Je suis un 47 XYY. Un humain dominant. Une mutation. Plus fort que la moyenne. J'ai la kryptopyrroluria élevée quand je suis en colère. Cela me donne une force qu'un homme normal n'a pas. Un homme a habituellement entre .005 et .007 s'il est chanceux. La dernière fois qu'on m'a examiné, j'en avais 122.177 ! Pensez à ça, chères gens du Canada.

Vous apprenez au fur et à mesure. Vous aurez beau étudier la criminologie jusqu'à votre mort, des événements nouveaux viendront toujours semer la pagaille. Au moins, vous avez le désir d'apprendre, ce qui est rare chez les journalistes !

Je comprenais bien qu'il essayait de se montrer fort à travers sa lettre, en évoquant, entre autres choses, sa force physique surnaturelle due à son chromosome supplémentaire. J'ai décidé de poursuivre la correspondance avec lui, pour plus tard juger si le jeu en valait la chandelle.

Shawcross parlait plus loin d'un homme qui lui écrivait de Montréal et qui lui avait rendu visite avec sa compagne. Il me transmettait les coordonnées de cet individu et m'encourageait à entrer en contact avec lui. Il m'indiquait aussi comment me rendre au pénitencier, puis il énumérait quelques problèmes de santé. Et il a ajouté qu'il lui était interdit de recevoir des timbres.

Cela dit, il me fallait maintenant vérifier la véracité de certains points abordés par Shawcross. Pour ce faire, j'ai pris contact avec le Dʳ Georges-Franck Pinard, psychiatre à l'hôpital Maisonneuve-Rosemont et professeur agrégé de clinique au Département de psychiatrie de l'Université de Montréal. Le Dʳ Pinard est auteur de plusieurs chapitres sur les délinquants sexuels, sur les paraphilies (pratiques sexuelles déviantes), sur les risques de récidive chez les agresseurs sexuels et coauteur d'un ouvrage sur la dangerosité. De plus, le Dʳ Pinard a beaucoup d'expérience dans l'évaluation et le traitement des agresseurs sexuels. Il connaît amplement le sujet des *serial killers* et a même donné un cours au Service de police de la Ville de Montréal, où l'on mettait en place une unité d'enquête sur les crimes sexuels.

Sans entrer dans les détails, j'ai lu dans Internet que la constitution chromosomique d'un homme est normalement 46 XY. Le chromosome X est femelle et le Y, mâle. À l'hôpital, le Dr Pinard m'a expliqué le cas du XYY, qu'on appelle syndrome du « super homme » ou du « super mâle », parce qu'on y observe la présence anormale d'un chromosome Y surnuméraire. Ce sont habituellement des individus de grande taille, avec un physique assez imposant, qui peuvent avoir un peu de retard intellectuel. En effet, les photos de Shawcross dans Internet montrent un homme imposant, mesurant 1,80 m. Enfant, il aurait eu un quotient intellectuel inférieur à la moyenne, puis à peine dans la moyenne à l'âge adulte.

Des études ont été menées sur le sujet, surtout dans les années 1960, et les spécialistes se sont rendu compte que ces gens-là étaient relativement nombreux dans la population carcérale. Était-ce le « chromosome du crime » ?

Le Dr Pinard m'a répondu : « Peut-être que ces gens ont hérité de certaines caractéristiques qui font qu'il leur a été plus facile de tomber dans la délinquance, la criminalité, du côté des antisociaux. On peut penser que, quand quelqu'un est plus grand, il peut vouloir s'imposer ou se battre plus souvent. Un individu qui fait preuve d'une limitation intellectuelle dans un gang se fera probablement exploiter plus facilement. Alors, l'interprétation de l'ensemble est qu'il est possible que ces gens aient des caractéristiques qui les prédisposent à être plus présents dans la population incarcérée, mais que, s'ils avaient été plus futés intellectuellement, ils auraient pu connaître d'autres solutions alternatives plus honorables et ne seraient peut-être pas en prison. »

Le Dr Pinard m'a ensuite expliqué que, dans les sciences, il y a souvent des modes dans les champs d'intérêt ; tout comme cette théorie du « chromosome du crime » qui était en vogue durant les années 1960, puis qui est tombée en désuétude lorsqu'on a mis l'emphase sur les hormones.

« Par exemple, poursuit le Dr Pinard, les chercheurs ont émis l'hypothèse que les agresseurs sexuels avaient peut-être plus de testostérone, l'hormone mâle, que les sujets normaux.

— Est-ce le cas ? ai-je demandé.

— Disons que, pour un très petit nombre d'agresseurs, ça peut être le cas, mais ce n'est pas la majorité. Même qu'on observe chez certains agresseurs un hypogonadisme qui engendre une déficience en testostérone. Aussi, il y a eu l'intérêt pour les facteurs neurologiques. Comme les manifestations du comportement viennent du cerveau, on s'est dit que l'on devait étudier l'interaction complexe des différents centres nerveux du cerveau de ces mêmes personnes. À l'occasion, effectivement, on a fait des trouvailles fortuites chez certains criminels.

Cependant, à l'heure actuelle, il n'y a pas de marqueur biologique qui permette d'identifier un meurtrier potentiel. »

En bref, on est encore loin de bien connaître l'être humain.

Sur la recommandation de l'Université de Montréal, j'avais rencontré un autre spécialiste des délinquants sexuels, le Dr Benoît Dassylva, psychiatre à l'institut Philippe-Pinel de Montréal et professeur adjoint de clinique au Département de psychiatrie de l'Université de Montréal. Le Dr Dassylva m'avait donné un bon exemple de l'évolution de nos connaissances sur l'être humain en me parlant du *Diagnostic and Statistical Manual of Mental Disorders* (DSM), un important ouvrage de référence pour les médecins, qui en est à sa quatrième édition. Le Dr Dassylva se souvenait que, dans les premières éditions du DSM, l'homosexualité était une maladie. «Cela évolue selon la société et la politique», disait-il.

En parlant du chromosome Y avec le Dr Pinard, je repensais à Bobby Joe Long qui a un chromosome X supplémentaire, anomalie appelée syndrome de Klinefelter. Les hommes aux chromosomes XXY sont habituellement grands, mais ont des testicules ou un pénis plus petits que la moyenne et sont potentiellement infertiles. Ils montrent des côtés plus féminins, comme un caractère plus doux, des hanches plus fortes, un corps un peu rond, un développement des seins, une faible pilosité. Ils peuvent éprouver des troubles intellectuels. Bobby Joe Long avait, en plus de cela, subi des traumatismes crâniens, comme Arthur Shawcross. À la suite d'un accident de motocyclette, il s'était mis à avoir besoin de sexe plusieurs fois par jour. Comme sa femme n'était plus en mesure de le satisfaire, il a commencé à prendre contact avec des dames qui annonçaient des articles à vendre dans les journaux. Quand il se présentait à leur domicile, il les violait. Il violait aussi les filles de ces femmes, si elles étaient présentes. Lorsqu'il a été arrêté, après avoir été reconnu par une femme, il s'est promis de ne plus jamais laisser la vie sauve à ses victimes. Après avoir purgé sa peine, il a violé et tué 10 prostituées. En plus de ses accidents à la tête, Long avait dormi avec sa mère jusqu'à l'adolescence, ce qui n'avait pas favorisé sa croissance. On le ridiculisait à l'école à cause de sa forte poitrine, de laquelle on lui enleva un jour 3 kilos de chair. Il détestait les amis de sa mère dominatrice. Il a rencontré sa future femme à l'âge de 13 ans, quand il a cessé de dormir avec sa mère.

Selon le Dr Pinard, un certain nombre des sujets XXY ont aussi été incarcérés. On a aussi pensé qu'il y avait peut-être des biais de sélections dans les études, par exemple une certaine déficience intellectuelle qui faisait que ces individus étaient plus souvent arrêtés. Un homme qui a des caractéristiques féminines peut aussi avoir des problèmes sur le plan de l'identité sexuelle et de l'insertion sociale.

«Leurs camarades se moquaient-ils d'eux à l'école? a demandé le Dr Pinard. Ont-ils développé d'autres caractéristiques physiques plus féminines qui les ont marginalisés? Est-ce qu'on les insultait, les traitait d'homosexuels? Sur le plan de l'estime de soi, ces facteurs ont pu pousser certains d'entre eux à se marginaliser ou à entretenir de la colère et un désir de vengeance. Ce sont des explications parmi tant d'autres.»

Assurément, se faire ridiculiser ou se sentir différent peut nuire à la confiance, à l'estime personnelle, particulièrement à l'adolescence, lorsqu'on bâtit son identité sexuelle et l'image de soi. Évidemment, tous ces individus ne deviendront pas des agresseurs ou des meurtriers. Certains composeront plus ou moins bien avec ces caractéristiques. Tout dépend, entre autres, de la manière dont l'entourage les traitera.

«Le chromosome féminin additionnel peut-il rendre ces hommes plus émotifs que les autres? ai-je demandé au Dr Pinard.

— C'est une possibilité. Cela a un certain sens, sur le plan biologique en tout cas.

— Quand vous parlez d'identité sexuelle, faites-vous référence à l'orientation ou à la personnalité?

— Ce peut être les deux. Certains peuvent avoir des rapports homosexuels, hétérosexuels, ou les deux. Certains auront moins envie de sexualité, d'autres développeront des comportements anormaux, des paraphilies telles que l'exhibitionnisme, le travestisme, la pédophilie, la zoophilie, le voyeurisme, le fétichisme, le sadisme, etc. D'après les études de l'époque, on observerait davantage ces comportements déviants chez les hommes atteints du syndrome de Klinefelter.»

Revenons à Bobby Joe Long, qui a subi autrefois deux chocs à la tête, dont ce fameux accident de moto qui avait fait de lui un homme insatiable sexuellement. Rappelons qu'il aurait violé une cinquantaine de femmes. Comment ce genre d'accident pourrait-il avoir de telles conséquences?

Selon le Dr Pinard, on peut d'abord chercher à savoir si la personne avait déjà eu des fantasmes de cette nature avant ces traumatismes. Quant aux conséquences sexuelles des traumatismes crâniens, il faut savoir que les lobes frontaux exercent un effet inhibiteur sur les pulsions sexuelles provenant du système limbique dans les lobes temporaux. Ainsi, quelqu'un qui a subi un traumatisme frontal pourrait ne plus avoir la même rétroaction inhibitrice. De ce fait, il pourrait avoir plus de mal à contrôler ses pulsions sexuelles.

« Dans le cas dont vous me parlez, a ajouté le Dr Pinard, j'ignore s'il y a eu un traumatisme frontal, mais une fracture du crâne n'est pas nécessaire pour causer des problèmes. Ce peut être un hématome frontal, qui se produit quand le cerveau antérieur percute l'intérieur de la boîte crânienne. Il peut se former de l'œdème ou un caillot de sang qui exerce une pression sur le lobe frontal qui n'est alors plus en mesure de contrôler les pulsions qui proviennent des lobes temporaux. À l'occasion, on a rapporté dans la littérature des anomalies au niveau des lobes temporaux et frontaux chez les meurtriers et les agresseurs sexuels. »

Pour mon article, j'en comprenais assez pour le moment, mais j'ai profité de la présence du Dr Pinard pour le questionner sur la « théorie de la triade MacDonald », selon laquelle l'énurésie (le fait d'uriner au lit jusqu'à un âge tardif) serait un des symptômes qui pourraient nous aider à reconnaître un tueur en série potentiel, si l'énurésie est accompagnée de la pyromanie et du désir de martyriser des animaux. J'avais déjà lu quelque part que Shawcross avait uriné au lit jusqu'à l'adolescence, comme Bobby Joe Long. Puis j'ai appris que, à un moment du développement, les sphincters deviennent plus matures et l'enfant peut alors apprendre à retenir ses urines. Il y a parfois une certaine incidence familiale dans l'énurésie et il arrive que certains parents négligent de montrer leurs enfants à un médecin, parce qu'ils ont réussi à se débarrasser du problème eux-mêmes, avec le temps, et ils croient que les enfants en feront autant. Pourtant, l'énurésie indiquerait un problème sérieux chez 20 % des enfants atteints. Ce trouble peut généralement se traiter par des méthodes de conditionnement ou par des médicaments qui, par leurs effets secondaires, provoquent la rétention urinaire.

Selon le Dr Pinard, la théorie de la triade MacDonald a pu se révéler juste pour un certain nombre de délinquants, mais pas dans tous les cas. C'est donc une théorie contestée. Cette « triade », marqueur relatif et probablement incomplet, pourrait tout de même indiquer une maturation incomplète du système nerveux.

« Évidemment, dit le Dr Pinard, il ne faut pas oublier que la plupart des énurétiques vivent à peu près normalement. Certaines données contestent aussi cette triade, car, pour certains, l'énurésie serait moins déterminante que la pyromanie et la cruauté envers les animaux. Il y a quelques années, j'ai lu un article qui semblait infirmer cette théorie. »

L'énurésie peut également engendrer la honte, par exemple quand un enfant fait pipi dans ses culottes à l'école. Le Dr Pinard m'a aussi cité l'exemple des jeunes qui ont les oreilles très décollées : « On essaie de régler ce problème avant que l'enfant commence l'école, pour lui éviter d'être le souffre-douleur des autres. Car cela a des effets néfastes sur l'estime de soi et peut vous marquer profondément. »

Quoi qu'il en soit, je cherchais depuis longtemps à savoir d'où provenait l'idée que l'énurésie avait un lien avec les tueurs en série. J'en avais discuté avec plusieurs psychiatres, qui étaient tous du même avis : la théorie avait jadis semblé plausible, mais elle est aujourd'hui déconsidérée, puisque plusieurs meurtriers sériels n'ont jamais souffert d'énurésie. Cela dit, la cruauté envers les animaux est probablement un indice plus important, sans être absolu.

Le Dr Dassylva m'avait aussi parlé de pyromanie : « On a longtemps cru que la pyromanie avait quelque chose de sexuel, proche de la masturbation, mais on a délaissé cette théorie. Cependant, il y a des gens qui peuvent érotiser certaines choses, comme le feu. C'est arrivé chez *certains* individus, et on a pensé que *tous* les pyromanes étaient excités sexuellement par le feu, mais c'est faux. Néanmoins, ceux qui en ressentent de l'excitation sexuelle veulent souvent contrôler les autres ou provoquer des événements qu'ils voient comme leur création. C'est comme un sentiment de puissance. Se sentir puissant, fort et imposant peut être érotique pour certains. D'autres érotisent la violence. C'est pathologique, bien sûr. La plupart des hommes n'auront pas une érection en voyant une femme ensanglantée, suppliante, qui leur demande grâce. Mais, certains hommes, oui. »

La pyromanie est l'un des nombreux troubles du contrôle des impulsions. Certains pyromanes sentent un relâchement des tensions ; d'autres sont simplement fascinés par le feu ; d'autres encore éprouveront de l'excitation sexuelle dans le fait d'allumer des incendies. Parfois, certains pompiers volontaires, qui sont aussi pyromanes, vont eux-mêmes aider à éteindre l'incendie qu'ils ont provoqué. En général, ces personnes tirent beaucoup de satisfaction à contempler un immeuble qui brûle et à voir tout le monde s'évertuer à éteindre le feu. La vérité, c'est que l'excitation éprouvée par certains individus pour certaines choses peut nous être absolument inconcevable. Par exemple, certains sont excités par le sexe opposé, mais ont aussi besoin de toutes sortes d'artifices au moment des rapports sexuels. Autre exemple qui frappe l'imagination : des personnes sont excitées par des amputés ; d'autres, par des statues au musée. Des hommes aiment à porter des sous-vêtements féminins. Nous connaissons une centaine de paraphilies, et celles-ci sont assez fréquentes chez les meurtriers sexuels. Certains ont des goûts assez diversifiés et aiment tenter des expériences sexuelles bizarres, avec des animaux par exemple. Adeptes des sensations fortes, ils essaient souvent des choses auxquelles le commun des mortels ne pense pas. Parfois, une expérience les excitera particulièrement, et ils seront tentés de la reproduire pour atteindre le même plaisir.

Pour ce qui est du dernier élément de la triade, la cruauté envers les animaux, je peux facilement comprendre qu'elle révèle un sadisme qui pourrait éventuellement s'exercer contre une victime humaine. Après tout, si quelqu'un est capable de martyriser un chat, de jouir de sa souffrance et de sa mort, il pourrait fort bien un jour, pour augmenter ses sensations, s'en prendre à un être humain. Des études récentes semblent indiquer un lien entre cette cruauté et la présence de violence dans le milieu familial.

Toutes ces explications m'en disaient beaucoup sur le développement anormal chez l'enfant et sur le cas de Shawcross.

En ce qui concerne la kryptopyrrolurie, c'est un problème qui ne semble pas très connu. Cependant, sur le site diagnose-me.com, suggéré par le Dr Pinard, j'ai trouvé l'explication qui corrobore les faits que j'avais lus sur d'autres sites. Appelée en fait pyrolurie, c'est une « condition dont la cause initiale est une erreur génétique qui entraîne une production excessive de kryptopyrrole dans le sang. Les niveaux élevés de kryptopyrrole résultent d'une anomalie dans l'hémoglobine, la protéine qui retient le fer dans les globules rouges. Le kryptopyrrole n'a pas de fonction connue dans le corps, mais il est excrété dans l'urine. La pyrolurie est une caractéristique de beaucoup de désordres comportementaux et émotifs. Sa cause est une erreur innée dans la chimie du pyrrole, résultant d'une carence en zinc et en vitamine B$_6$. Les niveaux élevés de kryptopyrrole engendrent de nombreux symptômes : irritabilité, accès de colère, troubles de la mémoire, fonction intellectuelle réduite, immunodépression, intolérance au stress. Les malades ne bronzent pas au soleil, se souviennent difficilement de leurs rêves, sont sensibles à la lumière et aux sons, et leurs tissus adipeux sont anormalement répartis ».

Le Dr Eric Hickey explique aussi, dans son livre *Serial Murderers and Their Victims*, que la kryptopyrrolurie « affecterait la mémoire à court terme, le tempérament et la résistance au stress ».

Ces descriptions pourraient caractériser Arthur Shawcross… bien que j'ignore s'il bronze ou non au soleil !

Il ne me restait plus qu'à comprendre le cannibalisme. Selon mes recherches, ce phénomène est lié au sadisme et à la domination chez les tueurs en série. Imaginez par exemple que vous vouliez dominer totalement quelqu'un. Il y a la séquestration, l'agression, le meurtre. Maintenant, imaginez que vous en voulez davantage. Vous découpez un morceau de cette personne et le mangez. Cette personne est maintenant en vous et ne peut s'échapper. Elle est incorporée. Peut-on posséder davantage quelqu'un ?

Bien qu'il y ait plusieurs types de cannibalisme – spirituel, rituel, ou de survie, comme dans le film *Alive*, basé sur une histoire vraie, où les survivants d'une catastrophe aérienne en sont réduits à dévorer des cadavres –, je m'en suis tenue aux agressions et aux crimes sexuels des tueurs en série.

Mes recherches m'ont appris que le cannibalisme peut être une source de jouissance pour le prédateur, comme le Dr Pinard me l'avait expliqué avec la pyromanie et les plaisirs sexuels bizarres. Comme ce comportement n'est pas encore bien compris, plusieurs questions restent sans réponse. Cependant, l'envie de domination extrême semble être l'explication la plus acceptée et la plus plausible.

J'ai fini un jour par envoyer un courriel à l'homme de Montréal qui rendait parfois visite à Shawcross au pénitencier de Fallsburg. Il m'a invitée dans un café où nous pourrions discuter tranquillement. Comme le café était situé près d'une station de métro et dans un quartier fréquenté, j'ai accepté son invitation. J'étais toutefois sur mes gardes, car je ne connaissais pas cet homme qui, après tout, m'avait été recommandé par un tueur en série…

À mon arrivée dans le café, un petit jeune homme m'a reconnue grâce à une photo qu'il avait vue sur mon site Internet. Nous nous sommes présentés et avons discuté pendant près de deux heures. Amical et souriant, aucunement menaçant, il m'a appris des choses sur Shawcross et sur d'autres meurtriers en série avec lesquels il correspondait. Quand je lui ai demandé pourquoi il recherchait ces contacts, il m'a répondu qu'il adorait «les histoires de crimes et de psychologie derrière chaque individu». Sa copine, diplômée en psychologie, comprenait bien son intérêt. Au moment de nous quitter, il m'a invitée à communiquer de nouveau avec lui si j'avais des questions.

Peu après, je réécrivais à Shawcross :

Cher Arthur,

Merci beaucoup pour votre réponse. Il m'a fait plaisir de vous lire.

Je voulais vous dire que, bien que je ne me sois jamais retrouvée dans vos chaussures, j'ai tout de même fait face à des réalités choquantes lorsque j'exerçais le métier de photographe avec les pompiers et les ambulanciers. Je suis certaine que ce que j'ai vu ne peut nul-

lement se comparer au fait de voir quelqu'un se faire tuer, mais l'expérience m'a tout de même donné la force d'affronter des situations que bien des gens auraient de la difficulté à supporter. Pour cette raison, et parce que je suis une personne ouverte, je suis capable d'écouter sans juger. Je crois que tout arrive à cause d'une raison, qu'elle soit bonne ou mauvaise, justifiée ou non. Rien n'arrive pour rien, sentiments, pensées ou actions. Tout cela pour vous dire que j'espère que vous ne vous empêcherez pas de m'expliquer comment vous vous sentiez lors des crimes, ou même aujourd'hui, et que vous partagerez honnêtement vos pensées et croyances.

Pour répondre à votre question, Robert Pickton vit en Colombie-Britannique et aurait avoué à un agent infiltré qu'il avait tué 49 prostituées. Vivant sur une ferme, il aurait mélangé la chair de certaines victimes à de la viande de porc pour en fabriquer des saucisses qu'il offrait à ses proches qui, bien sûr, n'en savaient rien. À cause du procès, les journalistes ne peuvent l'interroger.

En ce qui concerne le 47 XYY, il est vrai que cela peut faire de vous une personne plus grande et plus forte.

Je dois avouer que j'aimerais beaucoup vous interviewer en personne. Cependant, je devrai soumettre une requête officielle de journaliste, étant donné que j'ai énormément de questions à vous poser et que j'ai donc besoin de mon magnétophone pour pouvoir me souvenir de tout.

Je vais régulièrement à New York en voiture. J'adore conduire, sauf l'hiver. La longue route est une bonne évasion. Donc, conduire quelques heures ne me cause aucun problème.

J'espère que vous vous sentirez à l'aise de répondre à mes questions. Mais je ne crois pas que vous soyez gêné. De la façon dont vous écrivez, vous semblez avoir l'audace qu'il faut pour répondre franchement. Mais, s'il y a une question que vous n'aimez pas, nous passerons à la suivante. Et, si quoi que ce soit vous irrite dans la façon dont je pose les questions, dites-le-moi pour que je puisse m'ajuster.

— Comme vous me l'avez écrit dans un poème, croyez-vous sincèrement que nous avons tous la même fascination pour le mal et le meurtre ?

— Avez-vous de la considération pour autrui ?

— Avez-vous déjà ressenti de la culpabilité ? Si oui, envers quoi précisément ?

— D'après vous, y a-t-il quelque chose que les gens peuvent faire pour éviter ce genre de violence ? Que ce soit dans l'enfance, l'adolescence ou la vie adulte ?

— Croyez-vous que les tueurs en série sont nés ainsi, à cause de particularités génétiques, ou pensez-vous que d'autres raisons expliquent leurs agissements ?

— Et, pour vous, comment est-ce que tout a commencé ?

C'est tout pour le moment. Merci beaucoup de prendre le temps de me lire et de me répondre. Vos efforts sont grandement appréciés.

Dites-moi si vous avez des préférences pour la date et l'heure de notre rendez-vous. J'ignore combien de temps cela prendra pour que ma visite soit approuvée, mais je ferai mon possible pour que les choses ne traînent pas.

À la prochaine,
Nadia

Comme les détenus avec lesquels je corresponds n'ont pas accès à Internet, je m'étais procuré des timbres lors d'un précédent voyage aux États-Unis, pour les tueurs en série qui avaient le droit d'en recevoir. À Shawcross, j'ai plutôt envoyé un mandat-poste de 10 $ pour couvrir ses frais — timbres, enveloppes, stylos et papier —, ce qui n'était tout de même pas suffisant pour qu'il profite autrement de l'argent. J'espérais que mes questions ne le contrarieraient pas, mais je devais les poser si je voulais des réponses.

En tête de sa lettre suivante, Shawcross avait scotché un trèfle à quatre feuilles.

Chère Madame Fezzani,
Merci de me réécrire et merci pour le mandat-poste. C'est la première fois que quelqu'un me lit. Sourire.

Croyez-moi, Nadia, vous ne voulez pas voir de près quelqu'un qu'on vient de tuer. Vous risquez de ne pas pouvoir encaisser le choc. Je n'en étais pas capable au début, lorsque je faisais la guerre au Vietnam en 1967 et 1968. Quand j'ai tué pour la première fois, j'ai pleuré comme un sacré bébé. J'étais sonné jusqu'au plus profond de mon être ! Après le quatrième ou le cinquième meurtre, ç'a arrêté de me déranger et j'en suis même venu à désirer la chose. J'étais devenu hardcore ! J'ai tiré sur plusieurs personnes pour les tuer, tranché deux têtes. J'ai même fait exploser une maison avec un 106 Howitzer monté sur une jeep. Tuer quelqu'un nez à nez est un événement terrifiant, c'est certain. Ça devient personnel.

[…]

Je crois que je me souviens de Robert Pickton et de la ferme de porcs. Je dois dire que la chair humaine goûte comme le porc! Pourquoi sommes-nous si près par les organes? Des cœurs de porc ont été greffés à des humains qui ont survécu. À travers l'histoire, les gens ont capturé et mangé d'autres personnes.

Madame Fezzani, en 1988, je ne croyais pas vivre très longtemps. Pour répondre à votre question, non, je n'avais de considération pour personne à cette époque. Après presque 18 ans de prison, j'ai eu largement le temps de réfléchir à mon passé ainsi qu'aux choses terribles que j'ai faites aux autres. Oui, je peux dire que je me sens coupable pour tout ce dont j'ai été accusé, et pour les autres choses que j'ai faites sans être pris. Oui, je me sens coupable. Mais ça m'a pris beaucoup d'années pour en arriver là, car je peux réprimer les événements pour les faire disparaître et ne plus y penser. C'est toujours ce que j'ai fait depuis mon enfance, à cause de ce que ma mère me faisait subir.

J'ai essayé autant que je le pouvais de faire la paix avec ma famille, mais c'était hors de question pour eux. J'ai révélé des secrets de famille et je suis maintenant sur leur liste noire.

Personne ne naît tueur en série. Ils sont créés par le système et par ce qui se passe autour d'eux lorsqu'ils grandissent.

Faites que les gens sachent reconnaître les signes de violence chez les enfants. Traitez-les à un jeune âge et peut-être que les choses changeront.

Les tueurs en série n'ont pas tous torturé des animaux lorsqu'ils étaient enfants. Ça aussi, c'est de la foutaise. Je ne l'ai pas fait! J'ai capturé des rats musqués et des visons pour leur peau, lorsque j'étais adolescent. J'ai tué des lapins et d'autres animaux pour la nourriture, mais je ne les ai jamais torturés.

[…]

L'heure idéale pour une visite est 9 h pile. Sourire. Apportez du café. Noir, S.V.P. Il y a plusieurs machines dans la salle des visites pour des collations, de la nourriture et des boissons de toutes sortes. De tout pour tous. Des micro-ondes, aussi. Des changeurs de monnaie. Réécrivez si vous le désirez.

Merci encore,
Arthur

Il semble que les experts soient d'accord avec Shawcross sur un point: le tueur en série ne naît pas ainsi. Il acquiert en bas âge une frustration très forte, une honte, une faible estime de soi, ou il subit un traumatisme qui ne guérira jamais.

En lisant cette lettre, j'ai été surprise par l'aveu de l'ex-soldat qui disait avoir pleuré comme un bébé lors de ses premiers assassinats. Qui a dit que les tueurs en série n'éprouvaient aucun sentiment ? Le Dr Hickey m'avait un jour écrit ceci : « Les psychopathes sont des individus froids, qui calculent tout, pensent clairement et logiquement. À l'opposé, il y a ceux qui sont considérés comme fous [*insane*] et certains psychotiques. Ceux-ci entendent des voix, hallucinent, ont des pensées délirantes. Les schizophrènes paranoïaques tombent souvent dans cette catégorie. La majorité des tueurs en série sont des psychopathes, puisqu'ils veulent dominer les autres. D'autres ne sont pas aussi intelligents, manquent de compétences sociales, et leur développement émotionnel est moindre. On les dit sociopathes. Dans son évolution [*continuum*], un individu peut passer d'un comportement normal (y compris une "déviance normale") à un comportement sociopathologique s'il rejette la société, est souvent impulsif, ne peut contrôler sa colère et n'apprend pas de ses erreurs. À ce stade, l'individu montre tout de même encore une certaine sensibilité émotionnelle. Mais, au fil du temps, si cette sensibilité disparaît, nous sommes en présence d'un psychopathe primaire. Les tueurs en série font partie d'une de ces catégories : sociopathes coléreux, psychopathes primaires, psychopathes. Tout dépend de leurs aptitudes, de leur intelligence et de leur versatilité. »

Un psychotique qui perd contact avec la réalité se reconnaît par au moins deux symptômes : délire et hallucinations auditives ou visuelles. On peut aussi observer une altération de son comportement. Mais c'est temporaire, le temps que la psychose se résorbe.

Plusieurs outils servent à évaluer la psychopathie. Le plus connu est l'échelle de psychopathie de Hare, souvent utilisée au service correctionnel et au service des libérations conditionnelles, pour savoir à qui on a affaire. Cela permet de déterminer si tel individu doit être emprisonné, libéré plus tôt ou non, etc. Le psychopathe est comme un fin renard. S'il veut violer une femme, il essaiera d'abord de la séduire. S'il veut obtenir une faveur de quelqu'un, il se montrera enjôleur. Il est calculateur, perfide, persévérant. Il recherche la satisfaction de ses désirs sans éprouver de culpabilité. D'ailleurs, le Dr Pinard me disait qu'il y a certaines similarités entre le psychopathe et le narcissique :

« Le narcissique, comme le psychopathe, croit que tout lui est dû, d'une certaine façon. Et, pour le psychopathe, tous les moyens sont bons pour l'obtenir.

— Je crois savoir que le psychopathe ne fait pas la différence entre manger des spaghettis et manger un être humain. Est-ce vrai ?

— C'est plutôt extrême, parce qu'il y a plusieurs degrés dans la psychopathie. Certains ont des intentions malfaisantes et d'autres sont beaucoup plus dangereux, pouvant être violents pour arriver à leurs fins. »

Néanmoins, les émotions des psychopathes sont différentes des nôtres. Ils ne trouvent pas leur satisfaction dans les mêmes choses. Sur le plan neurophysiologique, certains ont parfois besoin d'une stimulation plus intense pour ressentir les mêmes émotions que nous. On a mené d'intéressantes expériences sur les capacités sensorielles des psychopathes. Par exemple, soumis au test de la réaction cutanée galvanique, les psychopathes auraient une réponse moins forte (hyporéactivité électrodermique) que les gens normaux à certains stimuli. Ces expériences tendent à accréditer l'idée que ces individus ont une neurophysiologie particulière. Cela dit, ils peuvent tout de même ressentir la déception et la joie, mais avec peut-être un peu moins d'intensité. Ou, inversement, ils peuvent se sentir profondément blessés par quelque chose d'anodin. Bien sûr, tout le monde aime rire et tout le monde peut être susceptible, mais tout est dans l'intensité de ces réactions. Vous pouvez bousculer accidentellement quelqu'un dans une soirée, et cette personne, malgré vos sincères excuses, peut se mettre en colère. Une autre personne, dans la même situation, vous pardonnera avec le sourire. Les gens réagissent en fonction de ce qu'ils sont. Le psychopathe peut se montrer charmant, sympathique, sociable, mais il fera n'importe quoi pour arriver à ses fins. Certains psychopathes ont même développé la capacité de mentir sans avoir l'air inconfortable. Comme le dit si bien le Dr Hickey : « Ils utilisent les gens pour leur gratification personnelle et pour se faire valoir. Ils sont très charmeurs et persuasifs, mais n'hésiteraient pas à vous tuer s'ils le pouvaient. Cela dit, le psychopathe criminel, bon menteur, commet plus souvent des crimes non violents. S'il est narcissique agressif, il se sentira tout-puissant, sera un menteur pathologique, manquera de remords et de compassion, refusera les conséquences de sa conduite. Quant au déviant, il aura besoin de stimulation, contrôlera peu ses actes, sera impulsif, irresponsable, délinquant. Il traînera probablement des problèmes de comportement depuis l'enfance. » Les psychiatres que j'ai interviewés soutiennent que les psychopathes ne sont pas nés ainsi, qu'ils sont les fruits des traitements qu'on leur a infligés, tout comme les sociopathes. Mais ce domaine reste peu exploré. Selon une étude américaine, les psychopathes auraient l'amygdale cérébelleuse plus petite que la normale. Située dans le cerveau, l'amygdale cérébelleuse est un noyau du système limbique associé aux émotions.

L'antisocial, que l'on appelle souvent sociopathe (terme ancien) ou asocial, est un individu qui s'intègre mal à la société. Il y a plusieurs types d'asociaux et ils n'agissent pas tous pareillement. L'antisocial est un marginal. Il se tient à l'écart des gens et des foules. Il est souvent introverti, mais éprouve moins de remords que la majorité des gens. Ils éprouvent des sentiments profondément troublants, mais se défoulent sans aucune pitié. Malgré cela, il faut savoir que les psychopathes et les sociopathes ne sont pas nécessairement des meurtriers. Selon la même étude américaine, les antisociaux montrent aussi un déficit au lobe frontal, lié à l'incapacité de contrôler leurs pulsions agressives.

Lors d'une autre rencontre avec le Dr Dassylva, je lui ai fait part d'une réflexion de Shawcross : « Chaque humain a quelque part en lui le désir de tuer. C'est dans ses gènes. Pas tout le monde passe à l'acte, dieu soit loué ! » J'ai demandé au Dr Dassylva ce qu'il en pensait. « Je ne suis pas de cet avis, m'a-t-il répondu. Je pense que c'est aller trop loin. Beaucoup de gens ont des pulsions homicides, c'est vrai, mais pas tout le monde. C'est la même chose avec la pédophilie : beaucoup d'hommes éprouvent du désir pour un enfant ou une adolescente à un moment de leur vie, mais tous ne commettront pas d'agressions sexuelles. Et cela ne veut pas dire que tous les hommes sont attirés sexuellement par les mineurs. Si je demande à un patient s'il a déjà ressenti du désir pour une adolescente et qu'il me répond : "Non, jamais !", je vais considérer sa réponse comme étant peu fiable. Cela dit, les pulsions homicides ne sont pas si courantes. Certes, dans un moment de colère, il peut nous arriver de penser : "Ah, lui, je le tuerais !" Mais cela ne fait pas de nous des meurtriers. Certaines personnes vont aller plus loin, se demandant par exemple : "Qu'est-ce que je pourrais bien faire pour le tuer ? Contacter un tueur à gages ? Est-ce que je pourrais le faire moi-même ?" Mais, même à ce stade, la majorité ne passe pas à l'acte. Finalement, ceux qui commettront réellement un meurtre sont très peu nombreux. »

Je sais aussi que certains écrivains soutiennent que tout être humain aime la violence, jusqu'à un certain point. Ce besoin de sang s'expliquerait par la haine, la vengeance, la frustration léguée d'une génération à l'autre, le racisme, la guerre, etc. La chaîne finira-t-elle par se rompre ?

Un jour, j'ai reçu une nouvelle lettre d'Arthur Shawcross. Il était furieux parce que, disait-il, le jeune homme que j'avais rencontré dans ce café de Montréal essayait de vendre dans Internet une photo de lui, Shawcross, et de sa femme pour la somme de 3 500 dollars américains. Il ne le lui pardonnerait jamais, prétendait-il. Je n'en revenais pas ! Et pourtant, il existe bel et bien des sites où les gens échangent les lettres, dessins et photographies des *serial killers* pour de fortes sommes d'argent. La valeur des documents dépend de la notoriété du meurtrier, s'il est toujours vivant ou non, etc.

Shawcross et moi avons ensuite échangé quelques lettres qui contenaient peu d'informations importantes. Je l'avais remercié pour son trèfle à quatre feuilles, et après cela il en remplissait ses lettres ! J'étais quand même capable de détacher mes émotions de mon sujet. J'avais appris cela au fil des années. Si j'avais rencontré Shawcross dans la rue, je ne serais pas restée en contact avec lui. Mais, dans un contexte professionnel, je restais impassible et respectais mon sujet.

C'est ainsi que j'ai un jour télécopié ma demande d'entrevue aux responsables des relations-médias du Service correctionnel de l'État de New York.

Le grand jour

Vêtu de pantalons vert foncé et d'une chemise blanche assortie à ses cheveux gris peignés vers l'arrière, Shawcross portait des bottes noires qui ressemblaient à celles des policiers, à embout d'acier. Des poils de poitrine sortaient du col de sa camisole. Seuls les sourcils révélaient encore un peu la chevelure brune de sa jeunesse. Ses lèvres minces formaient un sourire prononcé dans son visage doux et amical au nez volumineux. Il avait les dents mal alignées, jaunies par les années. Son langage corporel exprimait clairement la joie de me voir.

« Bonjour, Nadia.
— Bonjour, Arthur. Enchantée d'enfin vous rencontrer !
— Moi de même ! »

Nous nous sommes serré la main.

À cause des films sur les tueurs en série, où leur physique reflète souvent la monstruosité de leurs crimes, je m'imaginais un homme aux yeux maléfiques. Mais Shawcross avait l'air doux comme un agneau. Bien sûr, j'avais vu des photographies de son visage, mais je le croyais plus robuste, avec des traits plus féroces. Cet homme mesurait 1,80 m, mais, chaussée de mes souliers, je le dépassais un peu. Et son corps, qui paraissait plus ferme sur les photos, est aujourd'hui très ramolli. Sur le coup, j'en ai relâché un peu ma vigilance…, jusqu'à ce que je me souvienne que, derrière ce sexagénaire au ventre rebondi, se cachait le meurtrier de plus d'une douzaine d'innocentes victimes.

Après nous être procuré notre précieux café au distributeur automatique, nous avons pénétré dans la petite pièce aveugle aux murs de briques blanches, au plancher gris comme la porte blindée. Après avoir fermé cette porte, nous nous sommes assis face à face, séparés par une petite table de bois d'à peine 75 cm.

Pour débuter en douceur, je lui ai demandé comment allait sa santé. Décontracté, il m'a parlé de quelques soucis récents, pour conclure qu'il allait maintenant bien. Il m'a ensuite confié qu'il cherchait une nouvelle femme, et pour cela il avait fait concevoir une page Web. Je me suis alors souvenue d'avoir lu un article sur ce sujet.

«Art, pourquoi les gens de l'extérieur vous approchent-ils ?

— Quelques-uns m'écrivent par curiosité, d'autres pour leurs travaux de psychologie ou des dissertations. Ils me posent leurs questions.

— Est-ce que des gens vous demandent simplement de correspondre avec eux ?

— Oui, il y a eu un jour une fille de 19 ans, du Mississippi, qui voulait devenir ma femme. Elle tenait à ce que je lui raconte absolument toute ma vie. Je lui ai dit : "Jeune fille, je suis incarcéré. Tu veux t'acheter une maison de cinquante mille dollars en écrivant un livre sur moi, c'est ça ?" »

Même si des femmes lui écrivaient de partout dans le monde, sa notoriété ne l'avait pas aidé dans ses affaires de cœur. Son site Internet fonctionnait depuis quelques mois, mais il n'avait eu que six visiteuses. C'était assez surprenant, quand on songe à toutes les demoiselles désireuses d'épouser des meurtriers. Je repensais au cas de Richard Ramirez. Bien qu'il fût assez bel homme, le sadisme de ses meurtres aurait dû repousser les filles. Pourtant, il a eu plusieurs admiratrices, dont une éditrice qu'il a épousée. Le *Night Stalker*, condamné à mort, attend son exécution, et sa femme affirme qu'elle se suicidera le jour où son mari sera supprimé. Alors, tout est possible.

«Une seule femme m'a écrit sur mon site, m'a avoué Shawcross. Elle a beaucoup de problèmes dans la vie. Elle se déplace en fauteuil roulant et a peur du sexe. Elle m'a envoyé sa photo.

— Mais, Arthur, pourquoi une femme voudrait-elle vous épouser, dans votre condition ?

— Hum… Voyons voir… Elle pourrait devenir célèbre ! a-t-il dit en riant. Si jamais j'ai un jour une autre femme, on devra établir un contrat. Elle devra habiter à moins de 240 km d'ici, me visiter souvent et me procurer certains trucs. Elle pourra passer sur les plateaux de télé et faire ce qu'elle veut pour gagner de l'argent. Si elle veut avoir des relations avec un autre homme, qu'elle le fasse, mais assez loin d'ici ou de chez elle pour que je n'en entende jamais parler. Si elle accepte, je ferai tout ce que je peux pour l'aider.

— Et que pourriez-vous faire ?

— Je fais de la peinture, je dessine, et mes œuvres se vendent pour trois cents ou quatre cents dollars. Mais je ne peux les donner qu'à des membres de ma famille, à des amis et à ma femme.

— Pouvez-vous me parler de vos femmes ?

— Laissez-moi regarder le tableau ! » Et il a ri de nouveau.

Arthur Shawcross s'est marié cinq fois, mais n'était pas très fidèle. Poli avec moi, il ne s'empêchait pas de faire des blagues dès qu'il en avait l'occasion. Il avait une voix grave, posée, mais il devenait parfois très démonstratif. Il m'a dit qu'il avait épousé une certaine Sarah en 1964. Il avait 19 ans et elle, 20. Ils n'ont eu des relations sexuelles que plusieurs semaines après leur mariage. Un an plus tard, elle accouchait d'un garçon. En 1967, alors que Shawcross s'entraînait dans l'armée, Sarah se serait présentée sur la base militaire accompagnée d'un autre homme, son amant, dans une Volvo tractant une remorque de déménagement. Furieux, Shawcross aurait signé immédiatement les papiers du divorce, en échange de mille dollars. Peu après, son fils a été adopté par le nouveau mari de Sarah, et Shawcross aurait rencontré une certaine Linda avant de partir pour le Vietnam. Comme il ne croyait pas en revenir vivant, il a proposé à Linda de l'épouser, deux semaines après leur rencontre, pour qu'elle puisse bénéficier du capital-décès de l'assurance-vie. Ils n'auraient pas consommé le mariage. Deux ans après son retour du Vietnam, ils ont divorcé. En 1972, Shawcross a épousé Penny qui était enceinte, une Algonquine qui avait déjà deux enfants. Elle aurait demandé le divorce en 1983, alors qu'il était incarcéré pour avoir assassiné Karen Ann Hill, 8 ans, et Jack Blake, 10 ans.

« Quand Penny a voulu divorcer, m'a raconté Shawcross en riant, le juge m'a dit que les raisons qu'elle avait invoquées ne suffisaient pas. J'ai alors demandé à Penny de m'envoyer une photo d'elle avec un homme dans son lit. Elle m'a bien envoyé une photo d'elle, mais avec deux hommes dans son lit ! Le juge a signé sur-le-champ ! »

Le rire d'Arthur Shawcross était fort, profond et sincère. Comme le rire d'un homme qui aurait eu la vie facile. Il n'y a rien d'étonnant à ce que les gens qui ignoraient tout de son passé le trouvent sympathique et charmeur. C'est le leurre de la majorité des tueurs en série. Ce sont d'excellents manipulateurs, ils ont belle apparence et savent vous intéresser. Les gens ne se méfient donc pas. Pour tout dire, Shawcross ressemblait à n'importe quel grand-père affectueux. D'ailleurs, il avait des petits-enfants. Il envoyait des cartes d'anniversaire à sa femme et à sa mère, sans jamais oublier les événements importants. Il est à noter que les femmes de ces tueurs, en général, doutent de leur culpabilité, car l'homme qu'elles connaissent est doux et attentionné. Cela dit, Shawcross n'avait pas d'amis, sauf autrefois, dans l'armée, quand il fréquentait les Afro-Américains dont il appréciait l'humour, le bon sens et la joie de vivre. Vu de loin, c'était un individu agréable, enjôleur et charmant avec les femmes, comme il l'avait été avec ses cinq épouses, mais néanmoins il pouvait avoir des sautes d'humeur et devenir agressif.

Shawcross a ensuite poursuivi son histoire et m'a appris que Penny s'était tuée dans un accident de motocyclette. Plus tard, après avoir recouvré la liberté, il s'est marié avec une certaine Rose en 1989[2], qui est décédée huit ans plus tard, alors que Shawcross se trouvait encore une fois en prison. Il prétendait que, à cette époque, il avait reçu une lettre de la famille de Rose, lui expliquant qu'elle était morte sur le plancher de la cuisine en accouchant. Le père de l'enfant aurait été un homme beaucoup plus jeune que Shawcross. Incarcéré de nouveau, pour la condamnation qu'il purge actuellement, il a épousé une certaine Clara en 1997, de laquelle il a divorcé en 2008, sous prétexte qu'elle s'était fait surprendre plusieurs fois en flagrant délit d'adultère avec d'autres hommes. Pourtant, Shawcross lui-même n'avait jamais été fidèle. Il avait de la difficulté à éjaculer et fréquentait souvent les prostituées. Mais, ce qui était important pour lui, c'était le secret. D'ailleurs, un jour il aurait tué une prostituée qui l'aurait menacé de révéler qu'ils couchaient ensemble.

Au bout du compte, Arthur Shawcross était le père de trois enfants, un garçon et deux filles. « Et j'ai neuf petits-enfants, m'a-t-il dit. Neuf dont je connais l'existence. J'en ai peut-être d'autres au Vietnam et au Canada, qui sait ? »

Je lui ai demandé s'il était venu souvent au Canada.

« J'allais à Kingston, à Gananoque et à Ivy Lea tous les week-ends ! Je vivais de l'autre côté de la frontière. »

---

2. Certains documents portent des dates différentes. Je me fonde ici sur les propos de Shawcross lui-même et sur ceux du Dr Michael G. Aamodt.

Ouf… l'Ontario. Et dire que j'ai étudié dans cette province pendant quelques années !

« Êtes-vous resté en contact avec vos enfants ?

— Non.

— Et avec les enfants de vos conjointes ?

— Pas davantage. Vous savez, mon fils s'est fait castrer pour éviter d'avoir des enfants qui me ressembleraient ou qui agiraient comme moi. Le FBI lui a ensuite appris qu'il avait une demi-sœur à Syracuse, qui est mariée et a deux enfants. Elle ne m'a jamais contacté. Et puis, il y a environ deux ans, une autre femme m'a écrit de Brooklyn, comme tombée du ciel. Elle me parlait de sa mère qui m'avait rencontré à Hawaï en 1968. Je lui ai répondu que j'avais fréquenté là-bas une femme à moitié chinoise et à moitié blanche. La demoiselle m'a envoyé une photo de sa mère et c'était bien elle. Elle m'a alors dit qu'elle était le fruit des quelques heures que j'avais passées avec sa mère.

— Comment se sent-elle relativement à vos crimes ?

— Elle n'y pense pas. C'est le passé.

— Dans vos lettres, vous me parlez de tous les membres de votre famille, à l'exception de votre père.

— On ne se parlait jamais, mon père et moi. Il ne parlait pas à ses enfants. Quand j'essayais de lui dire ce que ma mère me faisait, il me repoussait et disait ne rien vouloir entendre. Quand j'ai appris son décès, il était déjà mort depuis un certain temps. »

À ce moment de notre conversation, je croyais avoir passé assez de temps à discuter de généralités pour mettre Shawcross à l'aise. J'étais maintenant prête à aborder le sujet pour lequel je m'étais déplacée.

« Je voudrais vous poser des questions sur votre vie de *serial killer*.

— Ç'a débuté avec un bol de céréales[3] ! »

À ces mots, il a de nouveau éclaté de rire.

Avant tout, je lui ai expliqué que je n'étais pas avide de sensationnalisme. Je voulais simplement connaître la vérité, même au risque d'entendre les récits les plus ennuyeux. Il était d'accord. Alors nous avons fait une pause pour aller nous chercher un second café et pour nous dégourdir un peu.

Peu après, de retour dans notre petite pièce, je lui ai dit : « Vous ressemblez à un gros nounours.

— Mais *je suis* un gros nounours !

— Est-ce vrai que vos femmes n'ont pas cru ce qui passait quand vous vous êtes fait arrêter ?

---

3. « Céréales » *killer*.

— Un jour, ma femme Penny et ses enfants m'ont dit que parfois ils ne reconnaissaient pas l'homme qui rentrait à la maison. J'avais changé, je changeais, ou j'avais des dissociations.

— D'après vous, d'où venaient ces dissociations mentales ?

— Ç'a commencé quand j'étais enfant. Je brisais les trucs de ma mère ou je cachais toutes sortes d'objets dans les garde-robes ou ailleurs, et ensuite je n'y pensais plus, je les oubliais. À 4 ans, déjà, j'étais comme dédoublé. C'était encore pire à 7, 8, 9 ans. J'avais l'impression d'être un autre que moi-même. Ma mère a commencé à abuser de moi à 4 ans. Quand j'avais 7 ans, elle me menaçait constamment avec un couteau de boucher. Elle me prenait le pénis et me disait de n'en parler à personne. À 8 ans, j'ai commencé à avoir des rapports sexuels oraux avec ma sœur Jeannie. Elle l'a dit à ma mère qui m'a fouetté les fesses avec une ceinture de cuir pourvue d'une boucle de métal. J'en ai encore des marques. »

Sa sœur ne lui aurait jamais rendu la « faveur », mais elle se laissait faire. Il aurait ensuite répété ces actes avec son autre sœur et une cousine.

« C'est ainsi que j'ai développé une compulsion, m'a-t-il avoué. Je n'ai jamais pu avoir des rapports sexuels avec une femme sans cunnilingus. »

Je me suis alors souvenu que ses femmes et les prostituées avaient toutes parlé d'une certaine impuissance sexuelle chez Arthur Shawcross.

« Était-ce un problème pour vous ? Avez-vous commencé à voir cet acte de façon négative ?

— Non, pas à ce moment-là, puisqu'il n'y avait pas de violence. »

Puisqu'il n'y avait pas de violence. Ces mots me sont restés dans la tête. Je trouvais que c'était un bon exemple d'actes commis par ou sur des enfants qui n'en comprennent pas la portée.

« À 9 ans, j'étais tellement dérangé à cause de ce que ma mère me faisait subir que je me suis retrouvé à l'hôpital, paralysé de la taille jusqu'aux pieds. Je pouvais m'asseoir, mais je ne pouvais pas me tenir debout. Le médecin me plantait des aiguilles dans les jambes et, même si j'étais conscient, rien ne bougeait. Il ne savait pas ce que j'avais. Quand j'ai recommencé à marcher, à la maison, ma mère a repris ses agressions. Elle me forçait à la manger[4] quand j'avais 14 ans. J'ai fini par quitter la maison. »

---

4. Pratiquer le cunnilingus.

Le jeune Arthur aurait dit à sa mère qu'il partait pour Syracuse, dans l'État de New York, alors qu'il voulait fuir au Canada en auto-stop. Mais, à cause de son âge, il n'a jamais pu traverser la frontière.

« Les gendarmes se tenaient devant moi, vêtus de rouge, avec leurs grands chapeaux. J'ai regardé une femme et lui ai dit : "Vous ne pouvez pas comprendre !" Elle m'a donné un chocolat chaud et des biscuits, puis ils ont appelé la police d'État qui m'a ramené à la maison. J'ai reçu une volée de ma mère, de mon père et de ma grand-mère qui n'habitait pas loin. »

En fait, le jeune Arthur Shawcross avait tenté de fuguer à plusieurs reprises, et ce, dès l'âge de 6 ans. Il prétendait que sa mère lui accordait moins d'attention qu'aux autres, que ses parents ne l'aimaient pas autant que ses frères et sœurs. À la vérité, il croyait que sa mère ne l'avait jamais aimé. À 6 ans, il aurait eu de bonnes notes à l'école, des A et des B. À 7 ans, il aurait eu un ami imaginaire. Les gens aurait surnommé Arthur « Oddie[5] », parce qu'il ne s'intégrait pas. Il n'aurait pas eu d'amis en chair et en os. À 9 ans, ses résultats scolaires auraient commencé à décliner. Puis sa mère aurait découvert que son père avait une autre femme et un fils en Australie. La vie à la maison aurait changé à jamais, la mère dominant toujours son mari. C'est à cet âge que Shawcross aurait eu sa première expérience sexuelle avec une de ses tantes. À 10 et à 11 ans, il aurait redoublé sa classe à deux reprises. Il pleurait et parlait toujours d'une voix de bébé quand il était brutalisé par les autres élèves. Il se battait constamment et a appris à brimer les autres. Il fuguait, faisait des cauchemars, et s'est mis à voler dans les magasins. Il prétend avoir eu sa première expérience homosexuelle à 11 ans, avec un garçon de son âge. Ce que Shawcross ne m'a pas dit, c'est qu'il avait déjà affirmé avoir été violé par un homme à l'âge de 14 ans. Et qu'il avait eu ensuite des relations sexuelles avec des animaux. Sa mère aurait cessé de l'agresser sexuellement à 15 ans, mais elle aurait toujours rabaissé ses copines, lui disant qu'il pouvait trouver mieux, qu'elles n'étaient pas assez bien pour lui. Il finissait donc par les laisser tomber, puisqu'il vivait constamment dans le doute. Encore à cet âge, il parlait comme un bébé et mouillait son lit. Il n'avait pas le droit de pleurer à la maison, même lorsqu'il se faisait fouetter par son père. Shawcross devenait de plus en plus violent, aurait torturé des animaux et aurait été plutôt solitaire. À 17 ans, il a quitté l'école pour se faire voleur. À 20 ans, il aurait été condamné à six mois de probation pour avoir frappé un garçon de 13 ans qui aurait

---

5. *Oddie* : « Bizarre », en français.

lancé une boule de neige sur son auto. Les psychologues le considéraient comme une «personnalité émotionnellement instable».

«La violence ne m'a pas frappé avant le Vietnam, m'a-t-il dit. Même si je suis allé à l'école de tir, c'est au Vietnam que j'ai vu tous les types de fusils et les autres trucs. Ils nous disaient: "Ne tirez pas, sauf si vous vous faites tirer dessus." J'ai demandé à mon commandant: "Si un Vietnamien me braque, je dois attendre qu'il me tire dessus pour le descendre?" Puis j'ai dit: "Non, monsieur! Je ne fonctionnerai pas comme ça. Si je vois qui que ce soit dans la zone de guerre avec une arme dans les mains, homme, femme ou enfant, je le tue!" Une fois, là-bas, on s'est fait tirer dessus et j'ai entendu un seul coup de feu. La balle est entrée dans la nuque d'un camarade, est ressortie par sa bouche et a frappé le lieutenant à la tête. L'ennemi a réussi à tuer deux hommes d'une seule balle. On a tiré comme des fous sur ce cochon et il s'est vidé de son sang.»

Ses histoires du Vietnam, il les aurait écrites à sa femme pendant la guerre.

«Les hommes ont coupé un arbre pour voir qui se cachait à l'intérieur. C'était un homme pas plus gros qu'un adolescent de 12 ans. Enchaîné dans le creux de l'arbre, il ne pouvait en sortir. C'est l'ennemi qui l'avait mis là. Ils avaient pris sa famille en otage pour l'obliger à tirer sur les Américains. Là-bas, il y avait un Américain pour quatre Vietnamiens. Quand j'ai vu ça, j'ai pleuré comme un bébé. Je tenais une mitrailleuse M16 et je me suis mis à tirer comme un malade sur cet arbre, jusqu'à ce que je manque de munitions. J'ai tiré cent balles. Les gars m'ont renvoyé à la base par hélicoptère pour que je me calme. C'est là que j'ai commencé à fumer.»

Une autre histoire:

«À un moment donné, un de nos hommes nous a dit d'arrêter de marcher. Il a franchi des buissons et on a entendu un cri. J'ai couru jusque-là et j'ai vu deux femmes dans l'eau, jusqu'à la taille. L'une brandissait un couteau de 35 cm de long qui ressemblait à un serpent. Elle avait frappé mon camarade à l'aine. J'ai tiré avec mon 60. J'en ai tué une et j'ai atteint l'autre à la cuisse. Les gars ont accouru et j'ai crié d'aller chercher ces salopes. Un soldat a ramené celle qui était toujours vivante. Il la traînait dans l'eau par les cheveux. Une fois sur la rive, il s'est mis à appuyer sur le trou de balle pour faire hurler la fille. Un sergent pointait un 45 contre sa tête pour la faire parler. Aussitôt qu'il a eu son information, pow! Il lui a fait exploser la tête et l'a jetée à l'eau. Ensuite, j'ai suivi les traces de pas dans la boue et j'ai découvert des paquets et des ceintures pleines d'argent, la solde des combattants. Les filles étaient donc des messagères. Un soldat vietnamien pouvait gagner 2 $ par mois. Moi, 6, 8 ou 10 $. J'ai caché l'argent dans mon treillis et je me suis emparé des AK-47. J'ai remis les paquets au lieutenant et les documents à l'agent responsable de l'intelligence. J'ai donné un AK-47 à mon commandant et l'autre à mon lieutenant.

— Avez-vous aimé tuer des gens ?

— Après cinq ou six, j'ai commencé à aimer ça. Je cherchais n'importe qui avec une arme. Je me portais volontaire pour aller en reconnaissance. Je prenais des 25, un M16, des grenades et des ceintures de balles. J'étais prêt pour la guerre.

— Qu'est-ce qui vous poussait à tuer ?

— Juste la colère. Quand on était prêt à aller dans certains lieux, les Vietnamiens qui travaillaient là nous disaient : "Vous ne pouvez pas aller dans la vallée aujourd'hui. Peut-être dans quelques jours." Pourquoi ? Qu'est-ce qu'il y avait dans la vallée qu'on ne devait pas voir ? On savait pourtant que l'ennemi y était. Mais les civils ne voulaient pas qu'on y aille, parce que nos ennemis étaient leurs amis. Une fois, j'ai vu trois de nos hommes ligotés à des arbres. Ils n'avaient plus de peau sur le corps, du menton jusqu'aux chevilles. J'ignore comment ils s'y prenaient pour écorcher un homme sans couper les muscles. Je ne sais pas comment décrire ça. Les hommes étaient couverts de moustiques et l'un d'eux était encore vivant, mais il ne pouvait pas parler. On lui avait tranché les paupières et la langue. Les deux autres avaient leurs organes génitaux enfoncés dans la gorge. Le soldat vivant a été achevé par le commandant, qui voulait abréger ses souffrances. À voir tout ce qui se passait là-bas avec nos hommes, c'était difficile de ne pas éprouver de la colère.

— Avez-vous tué des enfants à la guerre ?

— Un jour, je conduisais une jeep et j'ai vu une petite fille qui pouvait avoir 6 ou 7 ans. Toute bien habillée, elle marchait sac au dos, comme si elle allait à l'école. Elle s'approchait d'un groupe de nos hommes. L'un d'eux a voulu la prendre dans ses bras, et boom ! Sept morts et plusieurs blessés. Un garçon d'à peu près le même âge s'est mis à courir après l'explosion. Il portait lui aussi un sac à dos et il a trouvé refuge dans une maison, puis la maison a explosé. On a découvert qu'il y avait un tunnel sous cette maison, mais il n'y avait aucun corps. Le garçon avait dû s'échapper par ce tunnel. »

Shawcross semblait revivre ces épisodes de la guerre. Il était sérieux, absorbé dans ses souvenirs.

« Pourquoi les Vietnamiens voulaient-ils tuer leurs enfants ?

— Ils étaient comme ça. Ils demandaient à leurs enfants de transporter les sacs, mais les enfants ne se doutaient de rien. C'est bizarre. Ils ramassaient nos vieilles conserves et en faisaient des bombes qu'ils déposaient au bord des routes. Vous donniez un coup de pied là-dedans et vous perdiez une jambe. »

Il m'a parlé de pièges tendus. D'hommes qui explosaient sous ses yeux. De sirènes assourdissantes. D'armes. De morts. Et de mille atrocités. Ensuite il m'a raconté son retour en Amérique. Son voyage en avion dans ses vêtements sales. Ses correspondances d'un vol à l'autre avant d'arriver enfin chez lui. Un jour qu'il attendait son avion dans une certaine ville américaine, il a vu une femme assise par terre, dans la rue. Il lui a demandé si elle avait faim et l'a invitée au restaurant.

« J'ai donné mes coupons à la serveuse qui m'a demandé : "Savez-vous combien de fois cette femme vient manger ici ?" Je m'en foutais. Elle avait l'air tellement affamée. Moi, tout ce que je voulais, c'était du vin rouge. »

Dès son retour à Watertown, Arthur Shawcross est allé voir sa mère, ses sœurs, ses cousines et ses tantes qui travaillaient dans une manufacture de cintres.

« Après m'être garé dans la rue, j'ai enfilé sur le parcomètre une espèce de gaine qui portait le mot MILITAIRE. Puis je suis entré dans la manufacture et j'ai expliqué à la secrétaire que je revenais du Vietnam et que je voulais voir ma famille. Elle m'a dit que je devais attendre jusqu'à la fin de la journée. Alors je suis allé parler au gérant dans son bureau. À un moment donné, il s'est levé et a ouvert une porte dérobée. Je l'ai suivi et nous nous sommes retrouvés dans un couloir d'où il observait les employés par une vitre. Il m'a ensuite fait pénétrer dans la salle, je voyais les membres de ma famille de dos. Je me suis penché pour embrasser ma mère qui travaillait assise. Elle s'est retournée et m'a foutu une gifle. Elle ne savait pas que c'était moi ! L'homme leur a donné congé pour le reste de la journée. »

Je constatais bien que Shawcross n'était pas complètement diabolique. Malgré les sévices qu'il avait infligés à autrui, il aimait lui aussi être entouré d'attention, d'amour et d'affection.

De retour à la vie civile, il s'est installé avec sa femme dans une maison que son beau-père leur louait pour 50 $ par mois. Il m'a parlé un peu de cette nouvelle vie à la maison, ensuite nous sommes allés nous dégourdir les jambes dans la salle des visites. Il y avait maintenant un couple à une table.

À notre retour dans la petite pièce, nous avons parlé un peu des animaux. Shawcross m'avait écrit dans une lettre qu'il les tuait seulement pour la nourriture et la peau. Pourtant, je l'ai lu à plusieurs reprises, il avait déjà déclaré qu'il en avait torturé. Parfois, les hommes comme Shawcross peuvent mentir pour impressionner les gens ou pour attirer l'attention, comme il l'avait fait après son arrestation. Depuis des années, par contre, j'avais remarqué que ses réponses étaient toujours les mêmes, et que, comme dans ses lettres, il en diminuait l'aspect sensationnel. Généralement, les tueurs en série ont tendance à se calmer au fil du temps, à s'expliquer avec un certain recul. Fort heureusement, le langage corporel de Shawcross rendait lisibles les réponses que je cherchais.

« Avez-vous allumé des incendies, autrefois ?

— Un jour, j'ai fait brûler une grange, mais c'est parce qu'un homme m'avait demandé de le faire pour lui permettre de toucher l'argent des assurances. Il m'avait donné la moitié de ma récompense avant l'incendie. Quand je suis retourné le voir pour avoir l'autre moitié, il m'a dit : "Dégage, ou j'appelle les flics." Alors, j'ai attendu qu'il ait construit sa nouvelle grange. Un jour qu'il était absent et que la météo annonçait des orages, je suis allé couper ses paratonnerres. La foudre est tombée sur la grange et tout a brûlé à nouveau. Une autre fois, j'étais vraiment frustré. Avant d'aller au Vietnam, j'étais contremaître, et quand je suis parti un autre type a pris ma place. À mon retour, j'étais censé reprendre mon poste, mais ils m'ont dit non. J'ai foutu le feu à l'usine. Je les ai fait payer. »

D'après la version de Shawcross, il aurait agi par désir de vengeance, et non pas par pyromanie. Mais cela démontrerait tout de même le côté antisocial de cet homme.

Il m'a ensuite parlé de ses emplois successifs. Dans le bâtiment, il a coulé du ciment. Il a été caissier et vendeur de soutiens-gorge, brosses, produits de toilette. Il a été boucher, ce qui lui permettait de tuer des vaches. Il a passé des années dans des usines. Pour s'être battu au Vietnam, il a été gratifié d'un diplôme d'études secondaires. En prison, il a étudié l'horticulture. Il m'a d'ailleurs donné des conseils pour faire pousser de belles plantes et de belles fleurs.

Par la suite, j'ai abordé la question des prostituées, ses victimes principales. Je voulais savoir dans quelles circonstances il avait commencé à les fréquenter.

« La première fois qu'une prostituée est venue me voir, j'étais en train de pêcher. Elle m'a demandé si je voulais sortir avec elle. Je ne comprenais pas. Je lui ai demandé pourquoi je voudrais faire ça. Elle est partie à rire, puis elle m'a expliqué ce qu'elle faisait. J'ai ri et j'ai dit non. Elle m'a demandé pourquoi, je lui ai répondu que j'étais marié. Plus tard, une autre m'a dit qu'elle cherchait sa direction. J'ai commencé à lui expliquer le chemin et… j'ai dit : "Attends, je m'en viens." J'ai oublié la pêche. C'est à ce moment que ç'a commencé. Un jour, des années plus tard, une femme m'a dit qu'une des filles que je fréquentais avait le VIH. J'en ai été tellement assommé qu'elle a dû me demander si j'allais bien. Je lui ai demandé qui était cette fille, mais elle n'a pas voulu me répondre. J'ai conduit au hasard dans les alentours et j'ai commencé à halluciner et à suer. »

Son comportement s'est alors mis à changer, il avait de plus en plus de mal à accomplir ses tâches quotidiennes. À la maison, sa femme ne le reconnaissait plus.

« C'est à ce moment que j'ai entrepris de tuer toutes celles que j'avais fréquentées dans cette partie de la ville. J'ignorais que cinq d'entre elles avaient le VIH.

— Êtes-vous séropositif ?

— Non.

— Avez-vous déjà violé une prostituée ?

— Non.

— Les prostituées acceptaient toutes d'avoir des relations sexuelles avec vous ?

— Oui.

— J'ai lu que vos victimes n'étaient pas toutes des prostituées.

— Elles étaient toutes des prostituées.

— Doris aussi ?

— Doris était une prostituée.

— Et June ?

— June était une prostituée. Elle n'était juste pas très active. C'était une amie. Elle est restée chez nous durant l'hiver, quand ma femme n'était pas là, et on faisait nos trucs. Je lui ai dit de nettoyer l'appartement et que je la payerais 4,25 $/heure. Elle m'a dit : "Non, donne-moi juste un 20 $ ici et là, parce que, si j'ai plus, je vais me saouler et je ne saurai pas comment revenir ici et quelqu'un pourrait profiter de moi." Un jour, je me suis rendu compte qu'elle volait des choses dans la maison.

— Vous avez tué la mère de trois enfants. Pensez-vous à eux, parfois ?

— Quand j'ai su qu'elle avait trois enfants, ça m'a ébranlé. Je me suis toujours demandé pourquoi ces femmes deviennent des prostituées et que tout ce qu'elles veulent, c'est leur prochaine injection. Une fois, je passais devant une maison et une femme m'a invité à entrer. Elle m'a demandé si je voulais du sexe et j'ai répondu : "Certain." Elle m'a dit qu'elle devait d'abord s'injecter de l'insuline et elle s'est planté une seringue entre les orteils. Ensuite elle est allée dans la salle de bains et j'en ai profité pour lui chiper une bouteille. (Rires) »

Shawcross changeait vite de sujet quand je lui posais des questions difficiles. Cependant, compte tenu du lectorat du magazine pour lequel j'écrivais, je n'avais pas besoin d'aller plus en profondeur, alors je n'insistais pas.

« Est-il vrai que vous avez eu des relations sexuelles avec une victime après sa mort ?

— Non. Je me suis juste endormi avec le corps.

— Vous tuiez habituellement des femmes blanches, mais vous avez aussi tué une Afro-Américaine.

— La même journée que j'ai tué une Blanche.

— Pourquoi ?

— La Noire aussi était une prostituée. C'était juste pour brouiller les pistes.

— Comment est-ce arrivé ?

— J'étais arrêté à un feu rouge quand cette femme a passé la tête par une portière en criant : "Ouvrez ! Ouvrez !" J'ai enfoncé le bouton pour remonter la vitre et sa tête est restée coincée. Puis j'ai appuyé sur l'accélérateur, parce que je voyais des gars courir vers moi. La fille a perdu pied et elle est morte, la tête prise dans la fenêtre. »

Il racontait ce drame comme si de rien n'était. Il aurait tout aussi bien pu me parler de la tarte qu'il avait mangée au dessert, mais cela ne signifiait pas pour autant qu'il ne ressentait rien. Le Dr Pinard me l'avait dit : ce n'est pas parce qu'un individu n'extériorise aucune émotion qu'il n'en ressent pas. Une personne sous interrogatoire sera plus sujette à pleurer si elle est très sensible et émotive, mais elle montrera moins d'émotion si elle est capable de mieux se contrôler. Donc, un criminel peut être extrêmement énervé par l'interrogatoire, mais montrer néanmoins une façade impassible. Et puis, à force de raconter la même histoire, il en acquerra l'habitude.

« Aviez-vous souvent tendance à exploser de colère ?

— Autrefois, je m'emportais pour un rien. J'ai suivi des thérapies pendant quelques années et je me suis considérablement calmé. Mais je me fâche encore parfois.

— Lorsque vous vous êtes retrouvé en prison, pourquoi étiez-vous en colère ?

— À cause de ce que j'avais fait. Ça a commencé avec l'histoire du sida. Ensuite, ça a été ma famille. J'avais demandé à mes parents de venir me voir. Ils rendaient visite à ma sœur en Caroline du Nord, mais ne venaient jamais à Rochester, qui n'était pourtant pas loin de chez eux. Ça m'a foutu en rogne. Parfois, je peux voir chacune de mes victimes, si je me concentre. Parfois, je vois ma mère au milieu d'elles, comme si je voulais la tuer.

— Vouliez-vous vraiment tuer votre mère ?

— Non.

— Combien de personnes avez-vous tuées, en tout ?

— La police me soupçonne d'en avoir tué 19. C'est tout ce que je peux dire. Je sais que j'en ai tué 53.

— Comptez-vous les tués du Vietnam ?

— Oui. »

Autrefois, il prétendait avoir tué 39 personnes au Vietnam. Il aurait donc tué 2 enfants et 12 prostituées, ce qui pourrait être juste. D'ailleurs, 12 prostituées avaient été trouvées mortes dans la région où il avait été inculpé de 11 meurtres. J'imagine que les enquêteurs avaient des raisons de croire qu'il n'était pas coupable du douzième meurtre, sinon ils l'auraient accusé. Cela dit, les autorités n'auraient jamais trouvé un seul document qui prouverait ses histoires du Vietnam. Il semble que personne dans l'armée ne se souvienne de lui, bien qu'il se fût bel et bien engagé. Mais rien n'indique que Shawcross n'y aurait fait autre chose que de classer des papiers. Pourtant, selon certaines sources, sa femme de l'époque, Linda Neary, aurait affirmé qu'elle et la mère de Shawcross recevaient de lui des lettres assez troublantes, dans lesquelles il racontait ses terribles épreuves. Ces histoires étaient les mêmes que celles qu'il me racontait. De plus, dès son retour de l'armée, Linda avait affirmé qu'il n'était plus le même homme. Il était resté bon mari et toujours très gentil, disait-elle, mais son tempérament était devenu instable. Il pleurait, avait un besoin maladif d'attention et d'affection. Il a même essayé de se suicider en ingurgitant des médicaments. Sa femme l'a retrouvé inconscient dans la salle de bains, impeccablement vêtu de son uniforme militaire. Par la suite, il a consulté un psychiatre de l'armée qui a cru ses histoires et a voulu l'interner, mais cela ne s'est jamais produit. Puis Shawcross est tombé dans l'alcool et est devenu encore plus instable. Alors que Linda était enceinte de quatre mois, il l'a frappée et elle a perdu le bébé. Il pleurait et s'excusait, mais il était trop tard. Le mal était fait. Linda a demandé le divorce et Shawcross a tenté encore une fois de se suicider en se lacérant les poignets. J'ai appris ces faits bien après l'entrevue, sinon je l'aurais évidemment questionné sur ces points.

Les années de Shawcross à l'armée auraient eu une immense influence sur sa vie. C'est à cette époque qu'aurait eu lieu sa première expérience de cannibalisme.

« La partie la plus tendre du corps, c'est le haut de la cuisse d'une personne de 14 à 26 ans. »

Shawcross m'a alors raconté une promenade en solitaire, en montagne, dans la jungle. Il y aurait décapité une femme qui dissimulait des armes dans le tronc d'un arbre mort. Il aurait ensuite traîné le corps par les jambes, jusqu'à une hutte où se trouvait des sacs de riz provenant des États-Unis. Il aurait uriné sur le riz, y aurait répandu les intestins de la morte, puis il y aurait caché deux grenades reliées à des cordes, un piège pour le Vietcong. Plus loin, il aurait aperçu une autre hutte.

« Une jeune femme y fabriquait des bombes artisanales en glissant des charges d'explosif dans nos vieilles boîtes de conserve, nos rations militaires, que nos ennemis ramassaient partout. Je me suis emparé d'elle, je lui ai attaché les mains avec une corde et l'ai bâillonnée. Ensuite je l'ai ligotée à un arbre. Quand elle m'a vu revenir avec le corps décapité de sa camarade, elle n'a pas réagi. Mais quand j'ai coupé le cadavre en deux et que j'ai sectionné la cuisse droite à la hanche et au genou, elle en a été bouleversée. Après, j'ai transporté la partie du corps que je ne voulais pas près d'un gros tas de fourmis qui l'ont vite déchiqueté. Puis j'ai creusé un trou dans le sol et j'ai fait du feu. Ça brûlait comme un petit soleil, très chaud et lumineux. J'ai rajouté du bois et j'ai assemblé avec du bambou un trépied pour y suspendre la viande. Tout était prêt. J'ai ôté la peau, les veines et les nerfs de la cuisse et l'ai mise sur le feu. Ça cuisait comme un rôti. J'en ai profité pour interroger l'autre fille qui épiait tous mes gestes. Elle me comprenait, je le devinais dans son regard, mais elle restait muette. Peu après, j'ai pris la viande, j'ai mordu dedans en arrachant un gros morceau, et je l'ai mâchée. C'est là que la fille ligotée s'est pissée dessus et qu'elle a perdu connaissance. Quand elle est revenue à elle, je lui ai posé des questions en anglais et elle m'a répondu. Elle parlait aussi bien l'anglais que moi. Après lui avoir soutiré les renseignements dont j'avais besoin, je lui ai demandé si elle voulait que je lui bande les yeux. Elle m'a répondu non. J'ai soudainement regardé vers le nord et lui ai dit que quelqu'un approchait. Elle a tourné la tête et je la lui ai coupée. J'ai ensuite enfoncé un pieu dans le sol et j'ai piqué la tête dessus, tournée vers les huttes. J'ai traîné le cadavre jusqu'aux fourmis et je suis allé installer un piège dans la seconde hutte. Et je suis reparti vers le sud. »

Le lendemain, après avoir eu vent de ce qui s'était passé dans la montagne, son supérieur hiérarchique l'aurait convoqué pour lui faire boire une bonne rasade d'alcool. Il l'aurait serré dans ses bras et lui aurait dit, très impressionné, qu'il était « malade ». C'était un compliment. Dès qu'il avait entendu parler de cette histoire, il avait su que c'était l'œuvre de Shawcross.

J'étais assise seule face à Arthur Shawcross, dans cette pièce où l'on aurait pu entendre une mouche voler. Pourtant, je n'avais pas peur de ce type et n'étais pas dégoûtée par ses propos. Je présume que je maîtrise parfaitement la faculté de me détacher du sujet, indispensable pour mener à bien ce genre d'interview. Faculté propre aux pompiers, policiers, médecins et… journalistes.

Shawcross m'a ensuite raconté une autre séance de cannibalisme avec une prostituée. Il était retourné voir le corps enfoui sous la neige et il en avait découpé le vagin. Revenu dans sa voiture, il aurait réchauffé la chair sous la chaufferette et en aurait dégusté une partie avant de jeter les restes par la fenêtre.

« Pourquoi avez-vous fait cela ?

— Je ne sais pas. C'est comme si j'avais été une autre personne. Comme si j'étais assis sur la banquette arrière et que j'observais un autre homme faire ça. »

Il me regardait à travers ses grandes lunettes, et alors il m'a dit : « Donne-moi ta main… »

Ma main ? Pourquoi voulait-il ma main ? Ce moment d'hésitation m'a paru une éternité. Si je ne lui obéissais pas, il se dirait que je n'avais pas confiance en lui, alors pourquoi aurait-il confiance en moi ? Ah ! Et puis, tant pis ! Je lui ai tendu la main. Il l'a prise de ses deux mains et l'a retournée pour lire dans la paume.

« Vous allez vivre longtemps, Nadia.

— Oui, c'est ce qu'une diseuse de bonne aventure m'a déjà dit. »

Il a pris le temps de décrire la ligne de vie et celle du cœur. J'avais passé le test.

« Arthur, vous sentiez-vous plus intelligent que les autres ?

— Si j'avais été plus intelligent, je ne me serais pas fait arrêter.

— Mouilliez-vous votre lit quand vous étiez enfant ?

— Moi ? Non. Mon frère, oui ! Ça traversait le matelas ! »

On croit qu'environ 60 % des tueurs en série ont souffert d'énurésie nocturne, mais nombreux sont ceux qui n'osent l'avouer. Je ne me suis donc pas étendue sur le sujet.

« Puisque nous parlons de l'enfance, Arthur, pourquoi avez-vous tué Jack Blake en 1972 ? »

Soudain, son regard a changé. Pour lui, nous n'étions plus dans les sujets légers. Jack Blake était sa première victime, un garçon de 10 ans. Shawcross ne souriait plus. Il avait maintenant du mal à me regarder dans les yeux et s'est redressé sur sa chaise.

« Je l'ai rencontré avec son frère à l'endroit où je pêchais souvent, juste au nord de Watertown. Un jour, il est venu cogner chez nous. Je lui ai dit : "Écoute, je ne peux pas aller pêcher aujourd'hui, je vais à une fête d'anniversaire." J'ai fermé la porte et suis sorti par-derrière. J'ai marché jusqu'au centre commercial, que j'ai traversé, puis j'ai poursuivi mon chemin à travers les champs. Soudain, j'ai entendu quelqu'un courir derrière moi. C'était Jack, et je lui ai dit : "Il faut que tu retournes chez toi. Tu ne peux pas venir avec moi." Il m'a répondu : "J'y vais si je veux et personne ne va m'en empêcher." Plus loin, il s'est embourbé dans un marécage et j'ai dû le tirer d'affaire. Plus loin encore, après le chemin de fer, il s'est pris dans une clôture électrifiée. Il a fallu que je l'aide de nouveau. Je lui répétais : "Jack, va-t'en chez toi !" Je commençais à en avoir assez. C'est alors qu'il m'a crié des bêtises, alors je me suis retourné et je l'ai frappé, comme ça… »

Il me montrait son poing, avec le majeur en saillie, comme pour frapper quelqu'un à la pomme d'Adam.

« Ne frappe jamais un homme avec le poing complètement fermé. Frappe-le avec le majeur comme ça[6]. Jack est tombé. Je croyais juste l'avoir un peu étourdi, alors j'ai continué mon chemin. Le lendemain, des gens sont venus chez moi pour me demander si j'avais vu Jack. J'ai dit non. J'ai pensé qu'il était peut-être encore là où je l'avais laissé la veille, mais je n'avais pas le temps de m'occuper de cette affaire. Je suis parti pour le travail à pied et j'ai senti que quelqu'un me suivait. J'ai travaillé toute la journée et, le soir venu, sur le chemin du retour, on m'a encore suivi jusque chez moi. J'ai attendu la nuit et je suis reparti à travers champs. Jack était bien là-bas, par terre. Il y avait plein d'insectes autour de lui. Je l'ai déshabillé et l'ai couvert de feuilles.

— Pourquoi l'avez-vous déshabillé ? L'avez-vous agressé sexuellement ?

— Non. J'ai pensé que son corps se détériorerait plus vite comme ça. Ensuite, je suis parti.

— Et pourquoi avez-vous tué Karen Ann Hill, quatre mois plus tard ? »

Il a eu un autre moment d'hésitation. Il avait détourné les yeux et baissé légèrement la tête. Le corps raidi, le regard impénétrable, il semblait très inconfortable.

« J'étais sous un pont, assis, faisant mes trucs, quand la petite fille s'est pointée. »

Silence.

« Continuez », dis-je.

Cela lui semblait très difficile.

---

6. La jointure des deux premières phalanges proéminente.

« Elle s'est approchée, descendant sur la berge. À ce moment-là, j'ai pensé qu'elle avait à peu près l'âge de moi et ma sœur Jeannie, dans le temps… Je l'ai prise de force et l'ai violée. Après avoir vu ce que j'avais fait, je l'ai tuée, puis j'ai paniqué et je suis parti. J'ai sauté sur mon vélo et suis rentré en ville. Les policiers sont venus m'arrêter le lendemain. J'ai tout avoué.

— Pourquoi l'avez-vous violée ?

— Je ne sais pas.

— Vous ne savez pas ? »

Il avait le visage crispé, les yeux ronds. Sa respiration s'était accélérée. Je ne savais pas ce qu'il allait faire, mais à l'évidence je devais cesser de le questionner à ce sujet. Shawcross avait un « comportement explosif intermittent », et ce n'était pas le moment de le pousser à bout.

« Je repensais à ma sœur ce jour-là. Il y a beaucoup de choses que j'ai faites sans y penser. Comme les cambriolages. Un homme, un soir, m'avait ramassé sur le bord de la route. J'avais 15 ans. Il roulait dans une décapotable rouge. À un moment donné, il a dit qu'il devait s'arrêter pour pisser. J'ai dit que moi aussi et nous sommes sortis de l'auto. Après avoir pissé, comme j'allais refermer ma braguette, il m'a dit : "Laisse, je vais le faire pour toi." J'ai eu peur. Dans l'auto, il se masturbait. Je lui ai frappé la tête contre le tableau de bord et il est tombé dans les pommes. Quand j'ai pris son portefeuille, j'ai constaté que sa tête était craquée. Alors je me suis assis sur lui et j'ai appuyé sur l'accélérateur. Arrivé chez moi, j'ai klaxonné. Mon père est sorti et je lui ai tout raconté. Il m'a dit d'entrer dans la maison, puis il est allé jeter un coup d'œil dans l'auto où le gars revenait lentement à lui. Mon père l'a transporté sur la banquette arrière et il a démarré l'auto. Ma mère l'a suivi. Je ne sais pas où ils sont allés, mais je n'ai jamais plus entendu parler de cette histoire. Quelques jours plus tard, j'ai trouvé l'adresse du gars dans son portefeuille et je suis allé le cambrioler. »

Encore une fois, Shawcross avait changé de sujet. Mais, sagement, je n'ai pas insisté.

« Comment vous sentiez-vous lorsque vous commettiez des meurtres ?

— Je suais beaucoup et tous mes sens devenaient cent pour cent plus aiguisés, la vue, l'ouïe, tout. J'avais conscience du moindre détail autour de moi.

— Et après ?

— Après avoir reconnu que j'avais bel et bien commis ces meurtres, j'ai dû passer beaucoup de temps à réfléchir pour expliquer mes faits et gestes. J'ai consulté un psychiatre, ici, au pénitencier. Au bout de neuf ans, il a fini par réclamer la collaboration d'une femme psychiatre : il n'était plus capable de m'analyser. (Rires)

— Quand votre dissociation mentale a-t-elle commencé à se résorber ?

— Quand j'ai commis mon dernier meurtre. J'étais conscient de tout ce qui se passait et je me suis dit : "Il faut que ça s'arrête !" J'en avais tué deux autres en une journée ! »

Au cours d'une discussion avec le Dr Dassylva, je lui avais demandé ce qu'il pensait du diagnostic de dissociation établi par la D^{re} Dorothy Lewis. Celle-ci avait interrogé Shawcross avant son procès pour les meurtres des prostituées. Si Shawcross tuait pendant une période de dissociation, retournerait-il ensuite voir ses victimes ?

« L'amnésie a normalement un début et une fin, m'a expliqué le Dr Dassylva. Si les personnes décrivent les événements de façon confuse, mais qu'elles se souviennent de certains détails, ce n'est pas de la dissociation. La dissociation, c'est quand la lumière s'éteint et se rallume plus tard. Il y a une frontière nette entre les deux états. Est-ce qu'il s'est réveillé sur place, se demandant ce qu'il faisait là ? »

C'était effectivement ce que la D^{re} Lewis croyait. Shawcross se serait réveillé aux côtés de ses victimes, se demandant ce qui s'était passé. Ensuite, consciemment, il les enterrait.

« Aujourd'hui, croyez-vous que la vie des gens est précieuse ?

— Toutes les vies sont précieuses !

— Pourtant, vous avez tué des filles pour la simple raison qu'elles vous avaient insulté.

— Hein ? Non. La police a écrit les scénarios et c'était rempli de merde. Je ne me souvenais pas de ce qui était arrivé. Quand ils couchaient tout sur papier, ils me disaient : "Peut-être que c'est arrivé comme ça. Ou bien comme ça…" Je ne le savais pas ! Alors, j'ai dit : "Allez-y ! Écrivez !"

— Mais vous en souvenez-vous, aujourd'hui ?

— Je me souviens juste de ce que je vous ai dit : j'avais peur du sida.

Pourtant, il venait de m'énumérer les sensations qu'il ressentait lors des meurtres.

— Art, si vous étiez libéré demain, tueriez-vous encore ?

— Si je sortais demain, je sauterais d'un avion en parachute, tomberais quelque part et personne n'entendrait plus jamais parler de moi. Mais il ne faudrait pas que vous m'approchiez ! (Rires) »

Il avait retrouvé son sens de l'humour et il souriait jusqu'aux oreilles.

« Mais, si vous étiez libre au sein de la société, tueriez-vous encore ?

— Je pourrais être votre voisin !

— C'est exact.

— Je peux dire qu'en ce moment je ne ferais de mal à personne. J'ai trop appris de choses.

— Grâce aux thérapies ?

— Oui. J'ai passé à travers tous les types de thérapies que les autorités avaient à m'offrir. »

Il était presque 15 h. J'aurais aimé lui poser d'autres questions sur l'agression des enfants, mais il était trop tard. J'ai donc décidé de m'arrêter là et de poursuivre l'entrevue par correspondance. En outre, ce serait plus facile pour lui par écrit.

« Pourrai-je vous poser d'autres questions dans mes prochaines lettres ?

— Certainement, ça me ferait plaisir. Demandez-moi ce que vous voulez.

— Merci, Arthur. De quoi d'autre auriez-vous aimé parler ?

— Hum… De vous et moi ? (Rires) »

J'ai ri de façon sarcastique et lui ai lancé : « Bien essayé ! » N'ayant plus que quelques minutes à passer avec lui, j'ai sorti mon appareil photo de mon sac et j'ai fait des portraits de Shawcross qui affichait toujours son grand sourire et lançait des blagues. J'ai ensuite remis mon appareil dans mon sac et quand je me suis retournée pour faire mes adieux à l'interviewé…, il avait disparu. Puis j'ai entendu la porte des détenus se refermer plus loin. Il ne m'avait même pas dit au revoir ! Le gardien m'a ensuite escortée jusqu'aux casiers à cadenas où j'ai repris possession de mes effets personnels.

Au sortir du pénitencier, j'étais très contente et satisfaite. La rencontre s'était vraiment bien déroulée, beaucoup plus facilement que je ne l'aurais cru. L'adrénaline se dissipait, je me suis sentie calme en prenant le volant, prête pour six heures de route.

Plus tard, à la maison, je me suis demandé si tout ce que Shawcross m'avait raconté était véridique. Qu'est-ce qui était réel et qu'est-ce qui ne l'était pas ? Je n'avais surtout pas voulu le contrarier durant l'entrevue. Je préférais avoir un bon contact avec lui, quitte à l'interviewer à nouveau et à consulter des experts par la suite.

Je lui ai récrit pour approfondir le sujet des agressions des enfants. Dans sa réponse, il a écrit :

« J'ai du mal à me rappeler ces événements, Nadia. Tellement d'années ont passé. Je ne suis même pas certain de savoir ce qui m'est arrivé exactement. Karen Hill ressemblait tant à ma sœur Jeannie. J'étais amoureux de ma propre sœur et ma mère me cassait la tête à me répéter que c'était mal. Mais ce que ma mère m'avait fait pendant des années n'était pas mal ! J'ai honte de ce que j'ai fait à Karen. Je ne sais pas comment vous expliquer ce que j'avais dans la tête, comment je perdais le sens de la réalité à cette époque. »

Quand je lui avais demandé, au pénitencier, si ses agissements pouvaient avoir été provoqués par les agressions sexuelles de sa mère, il m'avait répondu :

« C'est possible. D'ailleurs, je pratiquais le sexe oral assez souvent avec ma sœur Jeannie, et je l'ai fait quelques fois avec mon autre sœur et ma cousine Sandra. Un peu plus tard, j'ai fait la même chose avec des voisines.

— Comment ont commencé ces relations avec vos sœurs ?

— C'est à cause de ce que ma mère me faisait. J'ai alors pensé le faire avec mes sœurs. Elles ne semblaient pas être si embarrassées par l'acte. Mais je n'ai jamais été plus loin avec elles. »

Certaines histoires de Shawcross semblaient abracadabrantes et je croyais possible qu'il en eût inventé plusieurs. En outre, la mémoire n'est pas infaillible et nous joue fréquemment des tours. Au fil du temps, on peut oublier certains faits, ce qui altère la vérité. Il est donc difficile d'évaluer l'exactitude de certains événements lointains en se fondant sur les souvenirs d'une seule personne. Cependant, les sévices sexuels infligés par sa mère, ses relations incestueuses et les horreurs de la guerre expliqueraient bien des choses.

Par la suite, j'ai effectué des recherches sur le Web pour dénicher un expert qui avait connu et examiné le cannibale. Plusieurs psychiatres récusent certaines histoires de Shawcross, mais la D[re] Dorothy Lewis, elle, y croit. C'est d'ailleurs une des rares personnes qui cherchent réellement à découvrir les motifs de Shawcross. J'ai donc écrit au D[re] Lewis pour lui demander son avis sur la véracité des histoires de Shawcross sur la guerre, le cannibalisme et l'abus sexuel. Elle a eu la gentillesse de me répondre pour me renvoyer à son livre *Guilty by Reason of Insanity*, particulièrement aux chapitres consacrés à Shawcross. Elle a ajouté :

« La preuve la plus évidente nous vient de deux hospitalisations, alors qu'il avait 8 ou 9 ans, quand, après un traumatisme sévère (il se rappelle sa mère lui enfonçant un manche à balai dans le rectum ensanglanté et lui insérant ensuite un doigt enduit de vaseline pour essayer d'"arrêter le saignement"), il a été frappé de paralysie de la taille jusqu'aux pieds. Il ne pouvait plus marcher. D'abord, les médecins ont diagnostiqué une encéphalite, mais les encéphalites ne causent pas ce genre de paralysie et ne se résolvent pas en une journée.

Ce genre de paralysie, apparemment hystérique, est une caractéristique des enfants sévèrement abusés, généralement sur le plan sexuel. Il avait aussi des cicatrices à la tête et ailleurs sur le corps. La cause de ces blessures est inconnue. En outre, Shawcross souffre d'épilepsie frontotemporale, ce que j'avais mentionné à ses avocats avant son procès, mais ils ont refusé de lui faire passer l'électroencéphalogramme que Mark Vernon et moi recommandions.

« Avant son procès, Shawcross avait manifesté tous les signes et symptômes de crises d'épilepsie du lobe temporal (auras suivies de comportements automatiques, puis d'un sommeil profond). On savait aussi qu'il avait fait de nombreuses chutes, qui s'étaient produites quand il était seul et qu'il n'avait aucune raison de feindre. Ce sont là des signes évidents d'abus sévère, de dissociation mentale, d'hystérie, de crises et de dommages au cerveau. Des dossiers scolaires confirment aussi ces comportements particuliers. »

Comment des parents peuvent-ils commettre des atrocités sur un enfant ? Pourtant, beaucoup de tueurs en série ont été abusés de cette façon quand ils étaient jeunes. Les parents Shawcross ne serraient jamais leurs enfants dans leurs bras.

J'ai ensuite demandé à la D^{re} Lewis si, selon elle, Shawcross avait tué pour les motifs qu'il avait invoqués en ma présence. Ne croyait-elle pas plutôt la version des autorités ? Rappelons que, selon Shawcross, il aurait eu des relations sexuelles avec une prostituée séropositive et qu'il aurait voulu la tuer quand il avait appris la vérité. Mais, comme il fréquentait alors plusieurs prostituées, et qu'il ne savait pas laquelle avait le VIH, il en aurait tué plusieurs.

La D^{re} Lewis m'a expliqué que, en raison de troubles compulsifs et dissociatifs, la mémoire de Shawcross est sévèrement affectée.

« Or ces individus échafaudent souvent toutes sortes d'explications quand ils ne se souviennent pas de leurs actes ou quand ils ignorent pourquoi ils ont agi. Les actes de Shawcross n'étaient pas planifiés, mais certaines paroles ou certains événements pourraient nous porter à croire le contraire. »

Shawcross s'endormait souvent après un meurtre et se réveillait surpris d'être à côté d'un cadavre.

« Pour ce qui est de la guerre, curieusement, plusieurs dossiers de Shawcross semblent avoir disparu ou sont inaccessibles. Nous savons cependant que plusieurs atrocités ont été commises au Vietnam. Ne repoussez donc pas trop vite les histoires de Shawcross. D'autant qu'elles n'ont jamais changé au fil des ans. Et nous ne savons rien de l'entraînement qu'il a subi dans l'armée. Par contre, nous savons que, après la Seconde Guerre mondiale, les militaires étaient déterminés à faire de leurs hommes des soldats insensibles et prompts à tuer. »

J'ai ensuite avoué à la D^re Lewis que Shawcross semblait beaucoup m'aimer (ce qu'il a clairement exprimé dans une lettre, à la suite de notre rencontre). Pour cette raison, peut-être essayait-il de me dire certaines choses qui me feraient comprendre ses actes. Ma préoccupation avait cependant été amoindrie lorsque, pendant une formation sur les entrevues d'enquêtes, un enquêteur m'avait rappelée que peu importe notre titre et notre sexe (homme, femme, ami, membre de la famille, journaliste, enquêteur, psychiatre, criminologue, etc.), un criminel peut mentir et nous utiliser pour ses fins personnelles s'il le désire. Pour ce qui est de Shawcross, la D^re Lewis m'a dit de ne pas confondre confabulation[7] et mensonge.

« Il ne ment probablement pas consciemment, mais il remplit ses trous de mémoire. Il a été très mal défendu par ses avocats qui ont refusé de recourir à l'IRM et qui, après avoir appris la sévérité de ses anomalies EEG, lui ont recommandé de plaider coupable. Et n'oubliez jamais qu'un individu peut, pour certaines raisons légitimes, modifier ses dépositions. Dans un article publié dans *The American Journal of Psychiatry*, on peut lire que les individus condamnés à la peine de mort peuvent prétendre qu'ils n'ont jamais été abusés. Certains ne s'en souviennent pas, d'autres disent qu'ils l'ont mérité, d'autres préfèrent protéger leurs parents plutôt que d'avouer les tortures qu'ils ont endurées. La majorité de nos renseignements proviennent d'autres sources, comme des dossiers des services sociaux, d'autres membres de la famille ou des amis. »

Malheureusement, la D^re Lewis ne pouvait me révéler davantage de détails à propos de Shawcross, pas avant que les chercheurs de son université n'aient publié certains travaux.

Quoi qu'il en soit, je me suis fait un devoir de lire *Guilty by Reason of Insanity*. La D^re Lewis, qui se fonde sur les électroencéphalographies cognitive et dynamique, soutient que les dommages physiques au cerveau de Shawcross seraient responsables de certains comportements bizarres et même zoophiles. Cela dit, puisque les termes employés par la D^re Lewis étaient trop spécialisés pour moi, j'ai fait appel encore une fois au Dr Pinard, qui m'a résumé les passages pertinents.

L'examen par résonance magnétique avait révélé la présence d'un kyste rempli de liquide dans la région temporale droite de Shawcross.

---

7. « La confabulation est la confusion d'un malade quant au temps, à l'endroit et aux situations des histoires ou anecdotes plus ou moins réalistes qu'il raconte. » (*Le grand dictionnaire terminologique de l'Office québécois de la langue française.*)

Certains kystes sont congénitaux, résultant d'une anomalie du développement embryonnaire dans le système nerveux, mais d'autres peuvent apparaître dans le cerveau à la suite d'une infection parasitaire, par exemple. Si on a mangé de la viande contaminée, des parasites peuvent s'installer et se développer dans différentes parties du cerveau. Dans le cas de Shawcross, le kyste, isolé, est probablement congénital.

Cela dit, le cerveau est un organe sensible. Plus une lésion est grande, plus on s'attend à observer des conséquences fonctionnelles importantes. Toutefois, même de petites lésions peuvent causer bien des problèmes, selon les régions du cerveau qui sont touchées. Ainsi, une cicatrice, une tumeur ou un kyste peuvent, dans certaines circonstances, déclencher une activité électrique anormale et provoquer des convulsions ou des crises d'épilepsie.

Le cerveau est composé de neurones qui communiquent entre eux. L'électro-encéphalogramme enregistre l'activité électrique corticale du cerveau, en fonction des endroits où l'on place les électrodes. Quand on connaît les patterns d'activité normale du cerveau, on est en mesure de déceler les activités anormales. Les activités cérébrales sont traduites par des ondes de différentes natures et longueurs (exprimées en hertz [Hz]), qui apparaissent sur un tracé. Cela dit, on ne peut affirmer à coup sûr que le kyste d'Arthur Shawcross est la cause de son épilepsie ou de ses convulsions, mais c'est une possibilité. Il pourrait y avoir autre chose.

Le Dr Pinard m'a ensuite expliqué qu'il y a plusieurs types de crises d'épilepsie et il m'a montré trois photos tirées d'un livre. La première montre une adolescente souriante. Sur la deuxième photo, la même fille est de mauvaise humeur. Sur la troisième, elle donne des coups de poing contre un mur. Dans le contexte de la stimulation de sa crise épileptique, elle était entrée dans une rage folle. Cependant, il s'agit d'un cas assez extrême, car toutes les crises d'épilepsie sont loin de se manifester par des comportements violents.

« Dans le domaine des sciences, m'a dit le Dr Pinard, la coexistence de deux phénomènes n'implique pas un lien de causalité. La causalité et la corrélation sont deux concepts différents. Je m'explique avec un exemple farfelu. Disons qu'un individu aux cheveux roux commet un crime. Va-t-on dire que le fait d'avoir les cheveux roux lui a fait perpétrer ce crime ? C'est le problème, en recherche biologique, des causes de l'agression et de la violence. Parfois, on trouve des choses à l'imagerie cérébrale ou par d'autres techniques, et la question est de savoir si ce que l'on a trouvé explique tel phénomène. En est-ce vraiment la cause ou n'y a-t-il qu'une corrélation entre les faits ? Par corrélation, j'entends : la coexistence de deux phénomènes où chacun n'explique pas forcément l'autre. Autrement dit, ce kyste est peut-être situé dans une région propice au déclenchement d'une épilepsie, mais on ne sait pas s'il en est la seule cause. Il ne faut pas oublier que les résultats de l'imagerie cérébrale de plusieurs criminels sont tout à fait normaux. Pour d'autres, une anomalie sera mise en évidence, qui pourrait avoir un lien avec les crimes, mais pas nécessairement. »

Cette remarque m'a rappelé que certains schizophrènes seront blanchis de leurs crimes pour cause de maladie mentale, mais que tous les schizophrènes ne bénéficieront pas de l'irresponsabilité pénale. D'ailleurs, j'ai demandé au Dr Dassylva de m'expliquer la notion de responsabilité criminelle à l'égard de la santé mentale. Le cas le plus éclairant est celui d'Herbert Mullin, un schizophrène qui a tué 13 personnes au début des années 1970, pour « protéger la Californie des tremblements de terre ». Voilà le message que lui dictaient les voix qu'il entendait.

« Un malade mental n'est pas nécessairement non responsable criminellement, m'a expliqué le Dr Dassylva. On peut être schizophrène, entendre des voix, commettre un meurtre, mais être tout à fait responsable de ses actes. Par contre, un autre schizophrène peut entendre des voix qui le persuadent que sa mère est le diable, et qu'il doit tuer le diable pour sauver le monde. Celui-là est non responsable criminellement. C'est aux experts que la tâche incombe de confirmer la schizophrénie d'un tel individu, de vérifier le diagnostic, d'étudier les dossiers médicaux, les examens psychiatriques, etc. Dans un contexte légal, on ne peut pas se contenter de la simple parole d'un individu, mais on doit étayer la preuve. Par exemple, le fait que l'accusé se soit déjà rendu aux urgences, parce qu'il entendait des voix qui le poussaient à commettre certains actes, pourrait plaider en faveur d'une non-responsabilité.

— Qu'est-ce qui nous autorise à invoquer l'irresponsabilité pénale pour cause de trouble mental du schizophrène ?

— On doit se demander si son trouble a aboli son discernement. L'individu fait-il la différence entre le bien et le mal ? Ses agissements peuvent-ils avoir été motivés par un délire ou par des voix intérieures ? Si oui, la personne est considérée comme non criminellement responsable. Disons par exemple que nous avons affaire à un schizophrène. Il entend des voix, est souvent hospitalisé, prend de la drogue comme beaucoup de schizophrènes. Il demande à son père de l'argent pour s'acheter d'autres drogues, mais son père refuse. Alors le schizophrène se fâche et tue son père. Dans ce cas, le meurtre n'est nullement relié à la maladie mentale, n'a aucun rapport avec les voix que le schizophrène entend périodiquement. »

Quant au Dr Pinard, il m'a dit : « Que ce soit avec le XYY, avec la question de la testostérone, des neurotransmetteurs ou autres facteurs biologiques, on cherche toujours à comprendre d'où vient le comportement humain sous toutes ses formes. Certaines fois, on trouve des choses, mais peuvent-elles disculper un accusé ? Prenons un individu qui fait quelque chose d'assez troublant, de bizarre et d'inhabituel, qui s'exhibe nu en public, par exemple, alors qu'il n'a jamais fait ça de sa vie. Si par la suite les médecins lui découvrent une immense tumeur au cerveau, dans une zone où les lobes frontaux sont responsables des fonctions cognitives (audition, langage, mémoire, vision), il y a bien lieu de croire que le comportement était dû à cette tumeur. Cependant, si on ne trouve que des traumatismes crâniens, est-ce suffisant pour expliquer un tel comportement ? Est-ce une trouvaille fortuite ? Y a-t-il une corrélation ou un lien de causalité ? Dans le rapport de l'examen de Shawcross, on conclut que l'électroencéphalographie cognitive et dynamique est anormale. Habituellement, lorsqu'un "pattern d'activité irritative" n'est pas bien localisable sur le plan anatomique, c'est que quelque chose interfère avec le fonctionnement ou fait pression sur le cerveau et perturbe la conduction électrique. Voilà pourquoi nous disons que c'est irritatif. Au niveau des lobes frontaux de Shawcross, on observe une activité électrique anormale, particulièrement du côté droit où le kyste semble se trouver. »

Précisons que beaucoup de connexions relient les lobes frontaux au système limbique, et que ce dernier joue un rôle important dans diverses émotions « primitives », par exemple la faim, l'agression, la peur ; ou dans les comportements de défense et de fuite, ou d'attaques pour se nourrir.

« C'est ce qui a permis aux mammifères de survivre au cours de leur évolution, a poursuivi le Dr Pinard. Ces comportements ont des bases neurologiques dans le système limbique. En évoluant, le cerveau s'est complexifié, les zones corticales se sont développées, la surface de la matière grise a augmenté. Il en a résulté que les lobes frontaux, entre autres, jouent un rôle régulateur sur ces pulsions primitives. Une bonne partie du circuit limbique est incluse dans les lobes temporaux. Le système limbique, très complexe, comporte plusieurs structures dont certaines sont assez mal délimitées anatomiquement. Chaque région est responsable d'un type de comportement. Si, par exemple, une région est lésée par un traumatisme crânien, par un processus dégénératif ou autre chose, un certain équilibre est rompu. Si la zone touchée exerçait une inhibition sur certains comportements, ceux-ci seront exacerbés. Si, au contraire, il s'agit d'une zone facilitatrice, le comportement qu'elle favorisait, qu'elle régulait, sera interrompu. »

Un bon exemple souvent cité dans les manuels de neurologie est celui de Phineas Gage (1823-1860), un contremaître des chemins de fer qui vécut aux États-Unis. Son travail consistait à faire exploser des rochers à la dynamite. Et puis, un jour de septembre 1848, il a mis accidentellement le feu aux poudres et l'explosion a projeté une barre de métal qui lui a traversé le crâne, causant des lésions aux lobes frontaux. Gage a survécu, mais son comportement émotif, social et personnel s'est beaucoup dégradé. Il est devenu irritable, grossier et asocial.

« Quant au lobe frontal situé en avant du système limbique, a dit le Dr Pinard, il est le siège de l'attention, de la concentration, de la mémoire, de la planification, de l'adaptation. Par exemple, si un type qui a une atteinte frontale mange un sandwich et qu'il voit un lion se diriger vers lui, il continuera peut-être à manger son sandwich, parce qu'il a faim. Un homme normal, lui, aura le réflexe de jeter son sandwich et de se sauver ! Quant à Shawcross, il présentait plusieurs problèmes sur le plan neurologique. Il avait une épilepsie temporale avec une atteinte au niveau frontal qui pouvait peut-être interférer avec son comportement au quotidien. Ça peut contribuer à des circonstances atténuantes, mais je ne pense pas que ça puisse le disculper complètement, surtout si l'on considère l'ensemble des éléments de son cas. »

De l'avis de la D^{re} Lewis, les abus de la mère de Shawcross pourraient avoir tout déclenché. Ces agressions sexuelles auraient été découvertes alors que ce dernier était sous hypnose. De plus, des dossiers scolaires mentionneraient que la mère de Shawcross lui infligeait de mauvais traitements.

En poursuivant ma lecture de *Guilty by Reason of Insanity*, j'ai appris que les archives carcérales conserveraient les preuves que Shawcross avait souvent perdu conscience en prison. La Dr Lewis explique que, même si des facteurs physiques ont pu contribuer à certaines tendances agressives de Shawcross, ils n'ont pas fait de lui un tueur en série. Elle soutient que les tueurs en série ne le sont pas de naissance, mais qu'ils le deviennent, à cause des mauvais traitements qu'on leur inflige. Tous les experts auxquels j'ai parlé sont du même avis.

La D^{re} Lewis dit aussi avoir interviewé quelques tueurs en série qui avaient fait la guerre. Je me suis alors demandé si la guerre pouvait déclencher l'envie de tuer dans la vie civile.

Sur cette question, le Dr Dassylva m'a dit : « C'est possible. La guerre engendre souvent des massacres, et beaucoup de soldats commettent des agressions sexuelles, quand ils dominent d'une certaine façon la population. Ces phénomènes existent. Cette violence pourrait-elle aller jusqu'au meurtre ? C'est théoriquement possible, puisque c'est le même phénomène qui est poussé plus loin. »

Un bon exemple de ce phénomène est encore Bobby Joe Long. Son but ultime était de commettre des agressions sexuelles. Après sa première condamnation, il s'était juré de tuer toutes ses victimes et était alors devenu tueur en série. Un autre tueur en série, Richard Cottingham, m'a avoué que, dans la majorité des cas, ses meurtres avaient pour but de lui éviter des inculpations par le témoignage des survivantes.

La D^{re} Lewis récapitule sa première entrevue avec Shawcross, au cours de laquelle il lui avait raconté le déroulement des événements qui mènent aux meurtres, sans pouvoir se rappeler les meurtres eux-mêmes. Il se serait simplement réveillé aux côtés de ses victimes, pensant : « Oh-oh, je l'ai encore fait ! » Ensuite il voulait éliminer les preuves, sans même comprendre ce qui s'était passé, de peur de se faire accuser de meurtre. Cela, je peux le comprendre. Mais pourquoi retournait-il voir les cadavres ? Le Dr Pinard partage ma perplexité : « Il se réveillait à côté des victimes et n'avait pas l'idée d'appeler à l'aide. En plus, il retournait sur les lieux du crime pour mutiler les corps ! »

D'autres questions me tracassaient à propos de la frontière ténue entre l'aliénation mentale et la normalité, comme dans le cas de Shaw-cross, où les interprétations des psychiatres divergent. J'en ai parlé au Dr Pinard.

« Dans les expertises psychiatriques de ces grands procès, m'a-t-il expliqué, on se demande toujours si l'individu est *mad* ou *bad*. L'accusé est-il foncièrement mauvais (*bad*), conscient de la cruauté de ses actes ? Ou n'agit-il pas plutôt sous l'influence d'une maladie mentale (*mad*) ? Il est parfois très difficile de trancher la question, puisqu'il peut y avoir un certain chevauchement, notamment avec certains diagnostics de troubles de la personnalité, par exemple les états-limites, ou person-nalité *borderline*. En situation de stress ou de crise, ces sujets peuvent devenir psychotiques, transitoirement, et commettre des gestes graves qu'ils n'auraient peut-être pas commis dans leur état habituel. Il faut savoir aussi qu'un crime qui a l'air insensé n'est pas nécessairement l'œuvre d'un « fou ». C'est une notion importante. Un crime peut être monstrueux, sans avoir été commis par un malade mental. Les experts débattent toutes ces questions en fonction de leurs formations profes-sionnelles, mais aussi de leurs expériences personnelles. Donc, cer-tains ont tendance à voir davantage le *bad*, et d'autres, le *mad*. De plus, l'avocat et le procureur peuvent convoquer des experts dont les opi-nions supporteront leur argumentation. Voilà pourquoi, au cours d'un procès, un psychiatre peut dire blanc et l'autre peut dire noir. Parce que, justement, des sujets peuvent être blancs, d'autres peuvent être noirs, mais d'autres aussi sont gris. Toutes les particularités et les variables individuelles font que l'étude de l'histoire personnelle de l'accusé est importante. Si la personne commet un délit grave, mais qu'à ce moment-là son état mental ne lui permet pas de distinguer le bien et le mal, comme en cas de psychose, la personne sera acquittée pour cause d'aliénation mentale. Par exemple, si un fils tue son père au cours d'un épisode psychotique, alors qu'il croit qu'il a le démon devant lui, on comprendra qu'il n'était pas en mesure de discerner le bien du mal, car son contact avec la réalité était perturbé. À ses yeux d'alors, tuer pourrait être une question de survie. Cela ne veut pas dire qu'il sera libéré, mais qu'il ira plutôt dans un hôpital psychiatrique pour recevoir un traitement au lieu d'aller en prison. »

Pour ce qui est de Shawcross, je pouvais comprendre pourquoi les avis étaient partagés. Néanmoins, ses années de détention semblaient avoir porté leurs fruits. Il avait suivi des cours d'horticulture et fait l'objet de bons commentaires de ses enseignants. Quand je l'avais rencontré, le sexagénaire enseignait à ses codétenus les mathématiques, le jardinage, la réparation de petites machines et la conduite de la laveuse à plancher Zamboni. Il aidait aussi ceux qui ne savaient ni lire ni écrire. Il voulait leur inculquer des connaissances qui les aideraient après leur libération. Le Monstre de la rivière Genesee était-il devenu inoffensif pour autant ?

Dans sa correspondance, Shawcross m'entretenait des autres personnes qui lui écrivaient, de ses dessins, de sa fille de Brooklyn. Il a même dessiné mon portrait à partir d'une photographie que je lui avais envoyée. Puis, comme à cette époque j'étais très occupée à écrire de nombreux articles, nos lettres se sont espacées. Néanmoins, Shawcross m'a toujours répondu sans tarder. Il se plaignait souvent de douleurs anormales et des gardiens qui ne répondaient pas toujours très rapidement à ses appels. Puis je n'ai plus eu de nouvelles. Un jour, j'ai reçu un courriel d'une dame que j'avais contactée au sujet d'un autre tueur en série. Elle m'annonçait le décès d'Arthur Shawcross, mort d'une crise cardiaque le 10 novembre 2008.

Cette nouvelle m'a causé une certaine surprise : j'avais tout de même correspondu avec lui pendant plus de deux ans. Mais son décès ne m'a pas attristée et je me suis sentie un peu coupable de ce manque de compassion. Mais cette culpabilité s'est envolée rapidement quand j'ai repensé à toutes les victimes qui avaient eu le malheur de croiser sa route.

CHAPITRE 2

Qu'est-ce qu'un *serial killer*?

J e suis originaire de Montréal, une grande ville canadienne d'un peu moins de deux millions d'habitants. Comparativement à nos voisins du sud, les États-Unis, notre pays est plutôt paisible, et généralement on peut déambuler n'importe où, sans inquiétude, à Montréal. Certes, nous sommes dix fois moins nombreux que les Américains, mais la criminalité est proportionnellement plus faible. De plus, la législation sur les armes à feu est plus rigide au Canada.

Dans ma province tranquille, vaste mais peuplée de moins de huit millions d'individus, nous avons tout de même connu Serge Archambault, Michael Wayne McGray, William Fyfe, Wayne Boden, Léopold Dion, Thomas Neill Cream et Angelo Colalillo, ainsi que quelques autres tueurs en série toujours en liberté au moment où j'écris ces lignes, comme le Montreal Boys Slasher qui a tué cinq garçons dans les années 1980, et le Montreal Gay Ripper qui a assassiné une dizaine d'homosexuels à Montréal dans les années 1990. Au total, au pays, une douzaine de meurtriers sériels ne sont connus que par leurs surnoms.

Ces dernières années, au Québec, une dizaine de jeunes filles et de femmes ont disparu mystérieusement sans laisser de traces. D'autres ont été retrouvées mortes. Chaque fois que j'entends parler d'une personne disparue, j'en ai le cœur déchiré. Je me demande pourquoi de telles choses se produisent et je ne peux concevoir l'horreur de ce supplice. C'est terrible. Chaque fois. La situation m'inquiète, car il y a beaucoup plus de prédateurs sexuels que les gens ne l'imaginent.

De 1997 à 2008 inclusivement (au moment où j'écris ces lignes), l'île de Montréal a été la scène de 536 homicides. Plus du tiers des assassins sont toujours en cavale. Sous le sceau du secret, j'ai demandé à un enquêteur si, d'après lui, il y avait parmi eux des tueurs en série. Je m'attendais un peu à sa réponse : « C'est certain. » Évidemment, personne ne peut le prouver et rien n'est officiel. Cela dit, les *cold cases*[8]

---

8. Enquêtes juridiques qui n'ont pas abouti.

concernent souvent des meurtres perpétrés par des personnes étrangères aux victimes. C'est la raison pour laquelle les tueurs en série ont souvent le temps de commettre de nombreux homicides avant de se faire arrêter.

Bien que chaque tueur en série s'en prenne souvent à des gens au profil similaire et qu'il les mette à mort à peu près toujours de la même manière, cela n'est pas le cas pour tous. Richard Cottingham démembrait ses victimes capturées dans l'État de New York, mais menottait et bâillonnait celles du New Jersey. Joe Roy Metheny, David « Son of Sam » Berkowitz, David Bullock et le Zodiac, entre autres, tuaient des personnes des deux sexes. Robert « Bobby » Joe Long s'en est pris d'abord à des femmes au foyer, puis il s'est tourné vers les prostituées. Quant à la façon de tuer, elle peut aussi changer : Gary Grant tuait des garçons et des filles, soit en les étranglant, soit en les poignardant, ou les deux. Richard Ramirez s'en prenait aux hommes, femmes et enfants en les fusillant, en les égorgeant, en les poignardant ou en les battant à mort.

J'avais toujours imaginé que les tueurs en série étaient des types à la mine patibulaire, par exemple un chef de gang à la mine agressive et au regard noir, habillé en marginal. Ou un individu instable, qui change constamment d'occupation. Certes, il y en a de ce genre, mais, ce qui m'a frappée au cours de mes recherches, c'est que le tueur en série typique peut être votre voisin, votre ami, ou même un membre de votre famille. Plusieurs tueurs en série perdent leurs meilleurs amis après leur condamnation, qui ne se doutaient de rien. Même les femmes ou les concubines des tueurs en série croient fermement que les enquêteurs se trompent d'homme. Elles soutiennent souvent que leur mari ou leur petit ami est très gentil, patient, aimant, bon père de famille. Il y a évidemment des exceptions, comme Karla Homolka, elle-même complice des meurtres de Paul Bernardo, qui apparemment la maltraitait.

Il est à noter que je ne parle ici que des tueurs en série. Il ne faut pas les confondre avec les tueurs de masse ou les tueurs à la chaîne. Un tueur de masse ne passera à l'acte qu'une seule fois, mais tuera plusieurs personnes. Par exemple Marc Lépine, à l'École Polytechnique de Montréal en 1989, qui a tué 14 femmes et a blessé 14 autres personnes avant de mettre fin à ses jours d'un coup de carabine. Quant au tueur à la chaîne (communément appelé *spree killer*), il tue plusieurs personnes en peu de temps, quelques heures ou quelques jours.

Comme l'explique le Dr Eric Hickey : « La définition du tueur en série devrait inclure tous les délinquants, hommes ou femmes, qui tuent au fil du temps. La majorité des spécialistes sont d'accord pour dire qu'un tueur en série doit avoir fait au moins deux victimes. Habituellement, chacun a sa propre routine et s'attaque à un certain type de victimes, par exemple des prostituées, et utilise la même approche et la même méthode pour commettre ses meurtres. »

Dans une ancienne définition, une personne devait avoir commis au moins trois meurtres pour être qualifiée de *serial killer*. Mais on estime maintenant que bien des meurtriers capturés après leur second meurtre auraient continué à tuer s'ils n'avaient pas été jetés en prison. Le qualificatif de *serial killer* dépend avant tout de la motivation de l'assassin. Ainsi, même un individu n'ayant commis qu'un seul meurtre pourrait avoir le profil d'un tueur en série. Tout dépend de ses projets. Citons l'exemple du Suédois John Ausonius, surnommé The Laser Man. Condamné pour un seul meurtre, il a fait feu sur dix autres personnes, des immigrants et des Suédois d'origine étrangère qu'il voulait éliminer de son pays.

Comme le tueur en série se doit d'attirer ses victimes avant de les tuer, il a tendance à se soigner, à être sociable et d'un abord facile. Par exemple le clown John Wayne Gacy qui a tué 33 garçons et jeunes hommes. Gacy était un homme d'affaires respectable qui allait amuser bénévolement les enfants dans les hôpitaux. Le policier Gerard John Schaefer, lui, aurait tué jusqu'à 34 femmes. Le Dr Harold Frederick Shipman a été condamné pour 15 meurtres, mais aurait administré des surdoses d'héroïne à au moins 215 patients en bonne santé. L'ingénieur homosexuel Patrick Kearney aurait tué 28 hommes. Ted Bundy, qui a étudié le droit, avait aussi travaillé dans un centre de prévention de suicide. Pour attirer certaines victimes dans un parking, ce dernier portait parfois un faux plâtre et demandait de l'aide à de jolies jeunes femmes qu'il assommait et kidnappait. Il a même réussi à s'attirer des groupies pendant son procès pour de multiples meurtres.

Au fil des années, des tueurs m'ont appris des détails sur le contenu des lettres qu'ils recevaient des groupies. Beaucoup de photos de filles à moitié nues, prêtes à faire n'importe quoi pour un criminel dangereux. Une admiratrice de Richard Ramirez, Doreen Lioy, diplômée en littérature anglaise, lui a envoyé plus de 75 lettres. Rappelons que Ramirez entrait par effraction chez les gens la nuit, violait, tuait et mutilait ses victimes. Mais Doreen Lioy prétend qu'il n'aurait jamais pu commettre ces meurtres.

Une autre femme, qui a raté sa vie de mannequin et d'actrice, a correspondu avec un tueur en série pour en faire un documentaire. Ils se sont liés d'amitié, au point où elle ne craindrait pas de remettre sa vie entre les mains de cet homme. Cependant, des journalistes ont enquêté sur cette femme et il appert que ses documentaires n'étaient que des prétextes pour attirer l'attention sur sa propre personne. La demoiselle aimait beaucoup paraître devant la caméra.

Une autre groupie voulait faire acquitter un meurtrier sériel avec qui elle correspondait. Elle a même tenté de tuer quelqu'un de la même façon qu'il l'avait fait, pour que le département de la Justice croie avoir arrêté le mauvais homme. Cette dame a été emprisonnée.

Une femme ne cesse d'écrire à un meurtrier qui ne lui a jamais répondu. Elle souhaite lui offrir tout ce qu'il désire, même des relations sexuelles. Une autre, une mère de famille, aurait fait d'un tueur en série le bénéficiaire de son assurance-vie. Plusieurs tueurs en série se marient lorsqu'ils sont en prison. Keith Jesperson reçoit souvent des demandes en mariage.

Cela dit, les hommes aussi peuvent admirer les tueurs en série. Certains leur écrivent pour leur faire part de leurs fantasmes sexuels. Souvent, ces admirateurs collectionnent les lettres, les dessins ou les photos des tueurs en série.

Comme il m'était difficile de comprendre pourquoi les tueurs en série attirent tant de groupies, j'ai décidé un jour de prendre contact avec la psychiatre Katherine Ramsland, professeur de psychologie criminelle et auteure de plusieurs ouvrages sur la criminologie et sur les tueurs en série[9]. Elle a également été thérapeute, conseillère en gestion de crise et psychoéducatrice. Ramsland m'a expliqué que les groupies sont attirées par les tueurs pour différentes raisons. Certaines femmes, par exemple, croient qu'elles peuvent secourir un homme aussi cruel qu'un tueur en série. D'autres perçoivent le jeune garçon blessé, caché dans le tréfonds de ces hommes, et elles désirent prendre soin de lui. Le *serial killer* serait aussi le parfait conjoint : la femme sait toujours où il se trouve et n'a pas à partager les banalités de la vie quotidienne avec son bien-aimé. Certaines aiment le drame, qu'elles peuvent vivre à fond pendant le procès. D'autres fantasment sur ceux qui commettent des gestes violents. D'autres encore ont envie d'être possédées par ces individus, elles veulent être les heureuses élues. Celles qui ont eu une enfance difficile les perçoivent comme des modèles paternels. Elles peuvent avoir une faible estime de soi et trouver le réconfort auprès du meurtrier, après avoir éveillé son attention (ou même auprès des médias qui s'intéresseront désormais à elles). D'autres femmes peuvent aimer vivre dans le danger.

---

9. Voir son article *Serial Killer Groupies,* http://www.trutv.com/library/crime/criminal_mind/psychology/s_k_groupies/index.html

Cela dit, les meurtriers sériels ne sont pas tous attirants, intelligents et méthodiques. Certains sont asociaux, solitaires, négligents, moins intelligents que la moyenne. Ces derniers peuvent parfois utiliser une fourgonnette pour kidnapper des passantes ou se contenteront de pénétrer par effraction chez les gens.

Les *serial killers* commettent en moyenne 10 meurtres chacun. Quatre tueurs en série sur cinq sont de race blanche. Ils commencent généralement à tuer alors qu'ils sont dans la vingtaine ou la trentaine. Je dis «généralement», puisque certains ont commencé plus tôt. Un jeune du Rwanda avait déjà commis 5 meurtres à l'âge de 11 ans. Et l'Américain Edmund Kemper a assassiné ses grands-parents à 15 ans. D'autres ont commis leurs premières agressions sexuelles à l'adolescence.

On parle davantage des tueurs en série depuis les années 1980, mais le phénomène existe depuis fort longtemps. Au xve siècle, un compagnon d'armes de Jeanne d'Arc, Gilles de Rais, agressait sexuellement et tuait des garçons. Il les torturait et les démembrait[10]. Il a été pendu et brûlé le 26 octobre 1440.

Vers la fin du xixe siècle, le Dr Herman Webster Mudgett, mieux connu sous le pseudonyme de H.H. Holmes, a tué au moins 27 personnes, dont des femmes pour lesquelles il payait les primes d'assurance-vie, devenant ainsi le bénéficiaire. Il amputait, écorchait ou brûlait ses victimes, ou les dissolvait dans des bains d'acide. Il enferma une femme, qu'il avait séduite, dans une pièce aveugle et la laissa mourir de faim, jouissant de ses hurlements de détresse.

Albert Hamilton Fish fut exécuté en 1936 sur la chaise électrique. Il agressait sexuellement surtout des petits garçons, puis il les tuait et les mangeait.

À la même époque, Carl Panzram sodomisait de jeunes garçons et les tuait. Il avait lui-même été violé par quatre hommes lorsqu'il était jeune.

Il y a quatre catégories de tueurs en série : ceux qui tuent par désir de domination et sentiment de toute-puissance (ils agressent souvent sexuellement leurs victimes) ; ceux qui tuent par plaisir (ils peuvent être à la recherche d'émotions fortes, de gratifications sexuelles ou d'argent[11]) ; ceux, de nature moins violente, qui se croient chargés d'une mission (comme un médecin qui empoisonne ses patients malades, ou un individu qui croit rendre service à la société en élimi-

---

10. Voir le livre d'Helen Morrison, *Ma vie avec les serial killers*.
11. Les tueurs à gages sont considérés comme des tueurs en série.

nant un certain type d'individus). Les tueurs de ces trois catégories n'ont pas de maladie mentale, mais plutôt des troubles de comportement, comme toute personne violente. La dernière catégorie comporte ceux qui ont des visions et qui sont conduits par des êtres imaginaires ou tourmentés par des voix intérieures. Ces meurtriers, que la justice pénale considère comme des aliénés mentaux, ne représentent que de 2 à 4 % des tueurs en série.

L'expression « tueurs en série » ne doit pas nous faire oublier les tueuses en série. Souvent, c'est une complice qui n'aurait rien fait seule, mais qui, pour diverses raisons, ne s'objecte pas aux crimes. Par exemple, certaines ne désirent pas avoir de relations sexuelles avec leur compagnon, et elles se sentent libérées lorsque ce dernier se jette sur une autre. Carol Bundy aurait maquillé la tête disséquée d'une victime pour faire une surprise à son amant Douglas Clark qui était sous la douche. Il aurait ensuite introduit son sexe dans la bouche de la morte pour se faire faire une fellation. D'autres femmes sont tellement amoureuses de leur homme qu'elles sont prêtes à faire n'importe quoi pour lui. Parfois, certaines femmes agissent sous la contrainte de la peur ou des menaces. Les couples ciblent généralement des femmes ou des bébés. Le couple canadien formé de Lila et William Young aidait les femmes à accoucher et gardait les bébés non désirés. Ils envoyaient certains enfants vivre chez des voisins qu'ils dédommageaient médiocrement, mais ils réclamaient de fortes sommes aux parents biologiques. Ou bien ils faisaient travailler les jeunes et s'emparaient des gages pour rembourser leurs dettes. Ils vendaient illégalement d'autres enfants à des familles adoptives, mais tuaient ceux qu'ils trouvaient laids et qui ne leur rapportaient rien. On estimait la fortune des Young à 3,5 millions de dollars au début de la Seconde Guerre mondiale. Ils n'ont été inculpés d'aucun crime.

L'argent compte parfois pour beaucoup dans les meurtres, surtout pour les femmes qui agissent seules, comme celles qui empoisonnent leur mari pour toucher le capital-décès de l'assurance-vie. Elles se remarieront pour user du même stratagème. L'Américaine Dorothea Puente tuait les hommes qui louaient ses chambres pour encaisser à leur place leurs allocations d'aide sociale.

Les femmes peuvent aussi tuer par jalousie ou vengeance. Certaines infirmières (mais aussi certains infirmiers) par exemple, se sentant déconsidérées, veulent pousser des patients jusqu'au seuil de la mort pour pouvoir ensuite les sauver, mais elles aggravent tellement leur état qu'elles finissent par les tuer ; ce sont les *anges de la mort*. D'autres infirmières ou même des médecins peuvent vouloir tuer certains types de patients. On connaît même le cas d'une jeune femme, Veronica Compton, qui voulait tuer de la même façon qu'un tueur en série avec qui elle correspondait. Son but était de brouiller les pistes, pour que les autorités croient avoir arrêté le mauvais suspect et le libèrent. Elle a été arrêtée pour tentative de meurtre. Au final, 16 % des tueurs en série sont des femmes.

Les tueurs en série sont difficiles à repérer, puisqu'ils s'attaquent habituellement à des inconnues qui se retrouvent au mauvais endroit, au mauvais moment. Il y a donc rarement de piste. Très rares sont ceux qui s'attaquent à leur femme ou à leur famille. Ils aiment leur conjointe et leurs enfants et veulent leur éviter la souffrance. Rares sont ceux qui s'en prennent à une connaissance. C'est pourquoi j'espérais pouvoir correspondre avec Edmund Kemper, qui a assassiné ses grands-parents à l'âge de 15 ans, pour plus tard tuer et démembrer 6 auto-stoppeuses, avant de s'attaquer à sa mère et à la meilleure amie de celle-ci. Je lui ai écrit à plusieurs reprises, sans succès.

Keith Jesperson, lui, n'aurait jamais fait de mal à sa famille. Il adorait ses trois enfants, avait toujours aimé sa mère et la seconde femme de son père. Il avait d'ailleurs toujours voulu être digne de l'estime de ce dernier. Contrairement à Kemper, Jesperson m'a répondu immédiatement. Il a couché sa vie entière sur papier, passant des nuits et des jours à me rédiger des milliers de pages.

CHAPITRE 3

Keith Jesperson : Monsieur Sourire

« Offre exceptionnelle ! Voici le seul mode d'emploi pour devenir serial killer ! Vous tueriez pour vous le procurer ! Vous pourrez dès maintenant devenir le tueur en série de votre quartier. Apprenez d'un professionnel ! Débarrassez-vous des membres indésirables de votre famille ! Obtenez l'emploi de vos rêves en éliminant la concurrence. Tout le monde mourra d'envie de vous rencontrer. En cadeau, vous recevrez plein de poupées au cou des plus robustes, pour développer la force nécessaire pour étrangler les gens ! »

Extrait de *The Self-Start Serial Killler Kit*,
écrit par Keith Jesperson en 1995[12].

NOM : Keith Hunter Jesperson

SURNOM : The Happy Face Killer

DATE DE NAISSANCE : 6 avril 1955

ÉTAT CIVIL : Divorcé

DURÉE DES MEURTRES : 1990 – 1995

NOMBRE DE MEURTRES : 8 femmes, dans 3 États américains

STATUT : Incarcéré dans l'État de l'Oregon depuis 1995

J esperson a toujours voulu attirer l'attention. Il aime être remarqué et adore que les gens lui écrivent. À l'instar de beaucoup de meurtriers sériels, il vend ses œuvres d'art dans Internet. Quand on

---

12. Cette publicité fut publiée dans Internet par une des admiratrices de Keith Jesperson et fit scandale aux États-Unis en 1996. On y apprenait comment tuer quelqu'un sans se faire prendre. Keith Jesperson en était l'auteur. Ce document a été banni du Web et Jesperson refuse de le transmettre à qui que ce soit, reconnaissant que c'était une erreur.

sait pourquoi il est en prison, son besoin d'attention peut nous sembler révoltant. Mais, quand on connaît son enfance, on comprend mieux ce besoin, ce cri lancé il y a près de 40 ans.

Toute sa vie durant, Keith Jesperson a essayé tant bien que mal de plaire à son père Leslie. Alors que certains de ses frères et sœurs ont poursuivi leurs études payées par leur père, Keith s'est vu refuser le même privilège. En outre, Keith était le seul de la famille qui devait verser de l'argent pour être logé et nourri dans la maison familiale. Il devait travailler dur pour les entreprises de son père s'il voulait s'acheter quoi que ce soit. Les autres enfants avaient tout gratuitement et sans effort. Après ses études secondaires, le jeune Keith a dû continuer de travailler pour son père.

Keith Jesperson est né au Canada, à Chilliwack, en Colombie-Britannique, puis sa famille a déménagé aux États-Unis lorsqu'il avait 12 ans. À l'âge de 35 ans, il s'est mis à tuer des gens dans trois États, et cela a duré cinq ans. La première victime avait fait couler beaucoup d'encre. C'était une jeune femme de 23 ans légèrement déficiente, Taunja Bennett. Un couple d'Américains avait été condamné pour ce meurtre, mais, au bout de cinq ans, ces deux personnes avaient été libérées après l'arrestation en Oregon de Keith Jesperson, le véritable assassin. Ce dernier avait d'abord écrit, sur les murs de deux toilettes publiques, qu'il avait tué Taunja Bennett et que le couple incarcéré était innocent. Comme ces messages avaient été sans effet, Jesperson avait écrit aux médias et à la police à plusieurs reprises, révélant des indices que seul le meurtrier pouvait connaître. Il voulait que le couple condamné par erreur sorte de prison. Il signait ses lettres d'un bonhomme sourire, d'où son surnom : Happy Face Killer.

Les meurtriers sériels qui veulent attirer l'attention du public aiment à contacter les médias ou les autorités policières après avoir commis leurs crimes. Ils les manipulent par des lettres ou des appels téléphoniques. Ils se baptisent d'un surnom, ont l'impression de maîtriser la situation, se croient plus intelligents et plus habiles que quiconque. Un autre cas est celui des *copycats*, ces meurtriers qui imitent les méthodes d'un tueur en série notoire pour faire parler d'eux et terroriser la société. Par exemple Heriberto Seda qui, par les lettres qu'il envoyait aux autorités policières au début des années 1990, essayait de se faire passer pour le Zodiac, un *serial killer* des années 1960, célèbre pour ses lettres codées aux journaux.

D'après les commentaires que je reçois, les gens semblent croire que tous les tueurs en série cherchent à attirer l'attention du public. Pourtant, seulement le quart de ceux à qui j'ai écrit m'ont accordé une entrevue. Parmi les quatre types de *serial killers*, un seul veut se faire remarquer. Selon les relationnistes des prisons, plusieurs tueurs refusent catégoriquement les interviews.

Bel homme, Keith Jesperson mesure 6 pieds 6 pouces. Autrefois, lorsqu'il ne portait pas ses grandes lunettes, bien coiffé et rasé de frais, il aurait pu passer pour un mannequin. Comme plusieurs autres tueurs en série, il rêvait de se faire policier. Il aurait souhaité rejoindre la Gendarmerie Royale du Canada, comme son oncle. Il avait tout pour y arriver, jusqu'à ce qu'il se blesse pendant un match de lutte, blessures pour lesquelles il a dû subir trois opérations.

> On me demande constamment pourquoi je suis devenu meurtrier. « Pourquoi, Keith ? Pourquoi devais-tu tuer encore et encore ? » La seule réponse qui a du sens est : « Parce que j'ai dû le vouloir. » Mais cette raison seule ne peut suffire pour tuer. Il faut qu'il y ait autre chose. Une raison plus profonde qui déclenche le meurtre. C'est avec Taunja que j'ai choisi de foutre ma vie en l'air. Désormais, j'étais prêt à accomplir cette tâche pour éviter la prison. Mais, à la fin, cela a scellé mon destin. Mon esprit est d'abord devenu une prison, et plus tard j'ai été emprisonné physiquement.

Jesperson était camionneur, séparé de sa compagne Roberta, divorcé de son ex-femme Rose qui avait la garde de leurs trois enfants. Un soir, alors qu'il était seul à la maison et qu'il s'ennuyait terriblement de sa famille, il a décidé de sortir marcher. Il ignorait que cette promenade changerait sa vie.

Dans ses lettres, Jesperson me raconte en détail toutes les péripéties de son existence. Son enfance, sa vie familiale, les brimades à l'école, ses amours, son mariage, ses enfants, son travail de camionneur, jusqu'à sa vie sexuelle et à ses meurtres. Récemment, l'un de mes grands classeurs en carton, pourtant robuste, a cédé sous la pression des lettres. J'en ai trop ! Des centaines de lettres écrites de la main de Keith Jesperson, certaines comptant des centaines de pages, avec des dessins, des photographies.

Son premier meurtre a été un événement fortuit que Jesperson lui-même croyait impossible. Voici comment il m'a raconté le drame :

> Je suis entré dans le *B & I Tavern* et j'ai tout de suite regardé les tables de billard. Quelques personnes étaient là. Une jeune femme jouait avec deux hommes. La *barmaid* me regarda et sourit. J'ai glissé un *quarter*[13]

---

13. Pièce de vingt-cinq cents.

dans une table et j'ai disposé les boules dans le triangle avant d'aller chercher un verre au bar. La jeune femme de l'autre table s'est précipitée vers moi pour me serrer dans ses bras. Ça m'a surpris, une inconnue se jetant volontairement sur moi, mais j'ai aimé la sensation. Puis elle m'a demandé si je voulais me joindre à eux. La *barmaid* faisait tourner son index près de sa tempe pour me signifier que cette fille était folle. Mais je m'en foutais. J'aimais l'avoir dans mes bras. Par contre, les deux hommes avec qui elle était semblaient mécontents de la voir m'inviter. Cela ruinait leurs chances de coucher avec elle. Non, merci, que j'ai dit. Tu as déjà plus d'hommes qu'il n'en faut. Ses bras sont retombés, l'étreinte était déjà terminée. Elle est retournée auprès des deux hommes et je les ai entendus se quereller un peu, mais tout est ensuite revenu à la normale. De retour à ma table, j'ai rapidement blousé toutes les billes, puis j'ai fait un second jeu et suis allé boire un café au bar.

Il était encore trop tôt ce samedi-là pour jouer pour de l'argent, j'ai donc décidé de rentrer chez moi à pied. Je pensais revenir plus tard, ou bien j'irais au *truck stop* discuter avec les autres camionneurs.

À la maison, j'ai regardé un peu la télé. Ensuite je me suis fait une tasse de café et j'ai fait un somme. J'espérais que Roberta m'appellerait, qu'elle avait laissé son mec et qu'elle reviendrait à la maison. Je m'ennuyais du sexe avec elle. Ça arrivait chaque fois qu'on se collait l'un à l'autre. Toutes les aventures d'une nuit ne valaient pas ce que nous avions, Roberta et moi.

Comme il faisait froid dehors, j'ai décidé de retourner à la taverne en auto. Il était environ 17 h. Le parking était plein ; la taverne aussi. Il y avait déjà un rouleau de *quarters* sur chaque table et je savais que je devrais attendre des heures avant de jouer. J'ai donc fait demi-tour et suis ressorti.

Quand je suis arrivé près de ma voiture, je l'ai vue. Elle avait quitté la taverne avant moi et marchait en direction d'un restaurant. J'ai pu voir sa déception quand elle s'est rendu compte que l'établissement était fermé. Je suis resté près de l'auto jusqu'à ce qu'elle repasse près de moi. Je lui ai dit : « Hey, tu te souviens de moi ? Tu m'as serré dans tes bras cet après-midi. » Elle m'examinait de la tête aux pieds et a dit qu'elle s'en souvenait. Alors, j'ai dit : « J'ai vu que tu voulais aller au resto. Aimerais-tu venir manger avec moi quelque part ? Après, on pourrait aller jouer au billard dans un autre bar. » Une lueur brillait dans ses yeux : « Oui, ça me plairait beaucoup ! »

Je lui ai ouvert la portière et elle est montée, sans même savoir mon nom. En fait, je ne connaissais pas le sien non plus. Mais elle était dans ma bagnole et je l'emmenais au restaurant. « Je m'appelle Keith Jesperson.

Comment t'appelles-tu ? » «Taunja. Taunja Bennett. Tu as une belle voiture. »

Elle avait mal prononcé son nom et j'avais cru entendre «Sonia». Je pensais que nous mangerions ensemble, que nous ferions la fête jusque tard la nuit, que nous coucherions peut-être ensemble et qu'au matin nous voudrions nous oublier. Si elle m'aimait vraiment, on pouvait s'échanger nos numéros de téléphone, je pouvais même aller rencontrer ses parents. Mais nous n'en étions pas là.

Une fois au restaurant, j'ai ouvert mon portefeuille pour constater que je n'avais pas assez d'argent pour sortir avec une fille, juste assez pour jouer au billard. Je lui ai dit que je devais aller chercher des sous chez moi. Elle pouvait m'attendre là ou venir avec moi. Elle a choisi de m'accompagner. Il ne faisait pas encore noir quand nous sommes arrivés à la maison. Je lui ai demandé si elle voulait entrer. Elle a laissé son sac à main et son walkman entre les sièges et m'a suivi. Aussitôt qu'elle est entrée, elle a examiné les meubles. Moi, je suis allé chercher mon argent. Quand je suis revenu, elle observait une photo de Jésus dans la salle à manger. Elle me faisait dos. Je me suis alors approché d'elle et je l'ai enlacée. Tout comme elle l'avait fait à la taverne. Elle s'est retournée. Nos lèvres se sont trouvées et nous nous sommes embrassés. Je pouvais sentir sa chaleur contre moi. J'étais excité. Sans cesser de nous embrasser, nous nous sommes déplacés jusqu'au matelas, sur le plancher, et nous sommes allongés. Nous nous embrassions comme des gamins, je pouvais sentir son parfum. L'excitation montait. Ça cliquait. On s'aimait bien. Elle avait mis la main sur le devant de mes pantalons, et moi je sentais ses seins, et l'humidité de son sexe à travers ses jeans. J'ai voulu les déboutonner, mais je n'y arrivais pas, alors j'ai détourné la tête un instant. Elle en a profité pour me lancer : «Allez, dépêche-toi, qu'on en finisse et qu'on aille bouffer ! » Ça m'a donné un coup ! Comment oses-tu ? Me voici en train d'y aller en douce, de prendre mon temps, comme si on était des adolescents amoureux, pensant qu'on est peut-être faits l'un pour l'autre. Je voulais vraiment prendre mon temps et apprécier le moment passé avec elle. Même essayer très fort de lui donner tous les orgasmes que je pouvais ! Et, tout d'un coup, c'est comme si ce n'était rien pour elle. Comme si c'était une corvée avant de pouvoir ensuite sortir et faire la fête.

M'éloignant quelque peu d'elle, je lui ai dit : «Rien ne presse ! Je vais prendre mon temps avec toi.» Elle m'a repoussé et m'a dit : «Alors fous le camp de sur moi. Je n'ai pas de temps pour ça.» Je l'ai alors frappée de ma main ouverte, non pas pour la blesser, mais pour la repousser à mon tour. Elle m'a frappé et je lui ai donné un vrai coup de poing. Je me sentais bizarre. Voilà que j'avais frappé une femme, mais je voulais vraiment la punir pour ce qu'elle m'avait dit. Alors j'ai commencé à la frapper à la tête, de la droite et de la gauche, pulvérisant chaque centimètre de son visage. Je cognais, encore et encore. Chaque coup de poing dispersait les gouttes de sang partout dans la pièce. Soudain, elle cria : « Maman ! Au secours ! Au secours ! Maman ! Arrête-le ! »

Ça m'a paralysé. On aurait dit une enfant terrorisée. Sa face était répugnante et tellement enflée qu'elle était méconnaissable. Elle avait les lèvres crevées. Il y avait du sang partout. Elle avait aussi une fracture du crâne et des orbites.

Comment ai-je pu entrer dans une telle colère ? Cela venait forcément de quelque part. De Roberta qui m'avait laissé ? De mes relations avec les femmes ? De mon divorce d'avec Rose ? Une rage venue de quelque part m'avait poussé à démolir la jolie femme que je venais de rencontrer. Je me suis mis à paniquer quand j'ai compris que je devrais répondre de mes actes.

Il y a une logique dans le meurtre. Comme je regardais Taunja Bennett, je savais que c'était la fin pour moi, et pour elle aussi. Elle semblait avoir reçu des coups de marteau. Tout était brisé. Je me sentais faible, épuisé. Je m'en voulais. Comment avais-je pu faire cela ? Et qu'allais-je faire, maintenant ? Si je l'amenais à l'hôpital, on préviendrait la police et j'irais en prison. Je pouvais aussi l'abandonner dans un parking où quelqu'un la trouverait et appellerait les ambulanciers. Ou je pouvais tout simplement attendre pour voir si elle s'en sortirait, mais je n'avais pas beaucoup d'espoir. Alors, pourquoi attendre ? Mon esprit me disait que la seule solution était de la tuer et de me débarrasser du corps. Mais où ? Comment faire une telle chose ?

Je ne connaissais les meurtres que par la télévision et je croyais pouvoir l'étrangler en quelques secondes. Alors je me suis mis sur elle et j'ai serré les mains autour de son cou, aussi fort que possible. Les secondes passaient et je sentais la résistance des muscles du cou, des cartilages, des os. Je serrais toujours de toutes mes forces et mes mains se fatiguaient. J'avais les jointures blanches et douloureuses. Au moment où j'ai lâché prise, Taunja Bennett s'est remise aussitôt à respirer. Elle vivait toujours ! Même si elle restait inconsciente, ses bras se contractaient et ses doigts s'agrippaient au tapis.

Je me suis mis à claquer des dents et j'ai décidé de l'étrangler à nouveau. Pendant que je lui serrais le cou, je regardais tourner la trotteuse de ma montre. J'attendais les odeurs de la mort, le relâchement de tous les sphincters, l'urine et les excréments. Plus de quatre minutes passèrent avant que je les sente. « Juste un peu plus longtemps, pensais-je, juste pour être certain… » Une autre minute plus tard, j'ai lâché prise, me suis reculé et j'ai vu la dévastation que j'avais causée. J'avais l'estomac retourné, mais je n'avais pas le temps d'être malade. Je suis allé chercher la corde qui me servait à attacher le bateau à la voiture. Je l'ai nouée autour du cou de Taunja, juste pour être certain qu'elle ne faisait pas semblant.

Elle était morte.

Et moi, j'étais maintenant un meurtrier. J'avais enfreint la loi. J'avais péché contre les commandements de Dieu. Parce qu'Il m'avait vu, tout le monde me regarderait différemment dorénavant. Les gens sauraient ce que j'avais fait. C'était le début de la fin, l'instant où je suis devenu un être diabolique, à mes yeux et aux yeux du monde entier.

Keith Jesperson est retourné boire à la taverne ce soir-là et a pris soin de se faire voir avec des clients, pour se constituer un alibi. Mais il n'en a pas eu besoin : il s'est débarrassé du corps qui a été retrouvé quelques jours plus tard et un couple a été condamné à sa place pour le meurtre de Taunja Bennett. Par la suite, Jesperson a continué à travailler comme camionneur. Il payait souvent des repas à des auto-stoppeuses dans les *trucks stop*. Elles montaient ensuite avec lui. Parfois, Jesperson avait des relations sexuelles avec ces filles, mais il affirme qu'elles étaient toujours consentantes.

Le deuxième meurtre a été celui d'une certaine Claudia, qui voulait monter dans son camion pour faire un bout de chemin. Pour le convaincre, elle lui a montré ses seins. Jesperson a accepté et ils auraient eu des relations sexuelles. Puis, apercevant le portefeuille de Jesperson, elle aurait pris la radio CB et demandé sur les ondes qui avait de la drogue.

Je lui ai ôté le micro et lui ai dit : « Qu'est-ce que tu fous ? » Elle voulait faire la fête, mais je ne prends pas de drogue. Je ne bois même pas lorsque je travaille. Je lui ai dit que je ne lui achèterais rien et elle m'a répondu : « Alors, paie-moi pour le sexe. On me donne habituellement 50 $ quand j'ouvre les jambes. Je dirais que tu me dois ce que tu as dans ton portefeuille. » Je lui ai dit que cela ne risquait pas de se produire, qu'elle avait ouvert les jambes parce qu'elle l'avait bien voulu. À ce moment-là, une auto-patrouille était garée près de mon camion. Elle m'a dit : « Donne-moi ton portefeuille ou je dis à ces gars que tu m'as attaquée. C'est moi qu'ils vont croire, pas toi, et ils vont te faire coffrer. » Elle avait raison, j'étais fait comme un rat. Devais-je lui dire non quand même et espérer qu'elle s'en aille ? Devais-je la payer et espérer qu'elle ne m'accuserait pas d'agression sexuelle ? Elle m'avait déjà prouvé que je ne pouvais lui faire confiance et je sentais que je ne la laisserais pas partir vivante. Je me suis mis à penser à Taunja Bennett et au couple qui s'était fait arrêter à ma place. Alors elle m'a dit : « Eh bien ? Qu'est-ce que ce sera, Keith ? L'argent, ou je dis tout ? » « Je ne t'ai jamais attaquée, que je lui ai dit, mais je vais te tuer. »

La troisième victime de Keith Jesperson était une prostituée qui voulait qu'il aille garer son camion ailleurs, parce que, disait-elle, il occupait l'espace réservé à ses clients. Jesperson s'est mis à lui parler et elle a fini par monter dans son camion pour une passe, mais elle n'en est pas sortie vivante.

La quatrième victime, Laurie, une autre prostituée, a eu le malheur d'exiger le double de son prix habituel, pour la longue durée qu'il a demandée. Comme il refusait et qu'elle le menaçait, il lui a dit qu'il l'étranglerait. Elle lui a répondu : « Vas-y ! ».

Jesperson pensait bien que cette fille ne voulait pas vraiment mourir, mais il l'a tuée quand même. Un jour, je lui ai demandé pourquoi.

> Le meurtre faisait maintenant partie de ma vie, m'a-t-il écrit. C'est quelque chose que je pouvais faire sans me faire prendre. C'était devenu une habitude.

Sa cinquième victime, une certaine Cindy, aurait fait une *overdose* dans son camion. Jesperson ne l'a pas tuée de ses mains, mais, comme il avait acheté la drogue, il se savait dans le pétrin. Il s'est donc débarrassé du cadavre.

Sa sixième victime s'appelait Suzanne, c'était une autostoppeuse. Elle est montée dans le camion de Jesperson où ils auraient eu des relations sexuelles.

> Après, je suis sorti prendre l'air quelques minutes. À mon retour dans le camion, je me suis couché à côté d'elle, sur le lit à l'arrière de la cabine. Elle s'est réveillée brusquement et s'est mise à crier ! Je lui ai dit de se taire. Je lui ai mis la main sur la bouche et elle a paniqué davantage. J'avais peur qu'on nous entende. Comment pourrais-je expliquer tout ça ? Je l'ai tuée.

Jesperson a tué une septième femme qui l'avait mis hors de lui, après quelques jours passés avec lui dans son camion.

> Angela me mentait. Elle tenait tout pour acquis et me manipulait à volonté. Une nuit, nous étions sur la route et j'étais extrêmement fatigué.

Il était 3 h. Il fallait que je dorme, mais elle ne voulait pas. J'ai quand même fait une sieste d'une demi-heure, puis j'ai repris la route et j'ai failli avoir un accident. Je lui ai alors dit que j'allais me coucher pour de bon et elle a piqué une crise. Elle m'a poussé à bout, alors elle est morte.

Il a ensuite attaché le cadavre sous son camion et l'a traîné sur la route pour le rendre méconnaissable.

La huitième était sa petite amie, la seule victime avec laquelle il était lié. À ce moment, Jesperson ne faisait plus trop attention et les policiers l'ont rapidement retracé, arrêté et inculpé.

Julie profitait toujours de moi. Un jour, elle voulait que je paye ses frais d'avocat. Elle s'est fâchée quand j'ai ri de son histoire. Je lui ai promis qu'elle n'irait jamais en prison. J'ai tenu promesse.

Toute sa vie durant, Keith Jesperson a cherché à se rendre digne de l'estime de son père, à espérer son affection. Selon Keith, son père, Leslie, n'était habituellement pas des plus méchants. Il lui arrivait quand même de les fouetter à coups de ceinture, le jeune Keith et les autres enfants, souvent sous l'effet de l'alcool. Il disait punir leurs bêtises de gamins. À l'instar de Jack Olsen, qui avait écrit un livre sur Jesperson, j'ai téléphoné à Leslie Jesperson pour en avoir le cœur net, mais il a nié son alcoolisme et les châtiments corporels. Jack Olsen avait tout de même réussi à prouver les allégations de Keith.

À l'école, Keith Jesperson avait lui aussi subi des brimades. On l'insultait et on l'appelait « Ig », ou « Igor », à cause de sa grandeur. Ses frères étaient à l'origine de cette fâcheuse habitude.

Il semble que Jesperson ait été destiné à croiser souvent la mort. Après son premier meurtre, il est tombé par hasard, dans la montagne, sur un squelette dont le crâne était troué d'une balle. Auparavant, le petit ami de sa sœur lui montrait des photos de scènes de guerre et de tueries. Un jour, sa compagne, qui ignorait tout de ses crimes, lui a demandé de supprimer son ex-conjoint. De plus, une amie de Keith s'était fait violer et tuer par son ancien amoureux aidé d'un complice. Pourtant, Jesperson ne vivait pas dans un quartier particulièrement dangereux.

Il m'a envoyé plusieurs photos de lui, certaines datant de ses premières années d'incarcération. Sur l'une d'elles, plus récente, on voyait qu'il avait pris du poids. Environ un an plus tard, il m'en a envoyé un autre. Il avait maigri. Il avait pris soin de lui. Bien coiffé, plus svelte, il avait bonne mine.

Il avait eu le coup de foudre pour moi, disait-il, mais il comprenait que je n'étais pas libre et me demandait seulement de le laisser rêver. Il dessinait des cœurs dans ses lettres et signait : « Ton amoureux. » Mais il me disait de ne pas m'inquiéter. D'ailleurs, il ne m'a jamais tenu de propos déplacés. Pourtant, il envoyait parfois promener d'autres correspondants, mais il ne m'a jamais manqué de respect. Il m'envoyait les propositions des sociétés de production qu'il recevait. Les lettres d'étudiants qui voulaient se pencher sur son cas. Les documents des policiers et des avocats. Des peintures qu'il avait faites. Des photographies récentes et anciennes de lui et de sa famille. Puis, au fil des années, ses lettres se sont peu à peu espacées. Son amour pour moi, m'écrivait-il avec humour, était menacé par une autre épistolière. Aujourd'hui, après quatre années de correspondance, l'amour est disparu. Mais Keith Jesperson est toujours resté respectueux et disponible. Quand je devais écrire un article, je savais qu'il ferait des pieds et des mains pour répondre rapidement à mes questions, même s'il devait y travailler nuit et jour.

Quand parfois le temps me manquait, j'écrivais à Jesperson un mot dans lequel je lui demandais de me téléphoner. Sa voix était plutôt aiguë, mais il s'exprimait correctement, sans vulgarité, sans accent prononcé, avec fluidité. Il était parfois dérangé par les autres détenus qui parlaient fort autour de lui, mais il se concentrait sur mes questions.

Le Happy Face Killer était le seul tueur canadien avec qui je correspondais et j'ai publié à son sujet de nombreux articles dans plusieurs revues.

Keith, quel genre d'enfant étiez-vous ?

Ma mère me considérait comme un enfant prévisible. Quand elle me voyait jouer dans la boue, elle savait que j'y serais encore deux heures plus tard. Je faisais mes propres trucs. La plupart des gens diront que j'étais facile à vivre. Il n'en fallait pas beaucoup pour susciter mon intérêt. J'aimais beaucoup pêcher. Mon grand-père maternel m'emmenait sur son bateau baptisé *The Little Coho*. Je jouais au baseball et au soccer. Je patinais sur la glace et en patins à roulettes. Mon animal favori était un chien appelé Duke, c'était mon meilleur ami. J'avais des projets d'avenir. Je sentais que j'aurais été un bon garde-chasse. Je rêvais d'un travail qui m'obligerait à vivre dans les bois.

Comment s'est déroulée votre jeunesse ?

Aux États-Unis, on faisait retomber sur moi les torts des autres. Je ne faisais jamais rien de mal, mais pourtant j'entendais : « C'est Keith, le Canadien, qui a fait ça ! » J'étais un immigrant, donc un étranger pour eux. Et moi qui croyais que les États-Unis étaient le pays de la liberté ! Les immigrants n'étaient pas les bienvenus à cette époque. Même si j'étais un Blanc, je faisais partie d'une minorité. Je me tenais à l'écart des groupes. À 14 ans, j'ai volé des bonbons dans un magasin avec un ami. Ses parents m'ont blâmé – C'est la faute au Canadien ! Pourtant, c'était mon ami qui m'avait poussé à agir ainsi. Jusqu'à l'âge adulte, j'ai été celui qu'on montrait du doigt. Même mon père le faisait au travail. Quand il commettait des erreurs, il disait aux clients que j'en étais responsable. Je n'ai jamais aimé qu'on me blâme constamment. Je me sentais manipulé par les gens, qui tiraient de moi tout ce qu'ils voulaient. Pourtant, j'aurais voulu qu'on m'accepte. Je n'étais pas un rebelle. Mais, chaque fois que je voulais faire quelque chose, même si ce n'était qu'aller au cinéma, les gens me mettaient des bâtons dans les roues. Pour me protéger, je me refermais sur moi-même.

Comment se comportaient vos amis ?

À l'école secondaire, la tradition était de baisser les pantalons des nouveaux venus pour les voir en caleçons. C'était pour établir la domination des forts sur les faibles. Je savais que j'y passerais un jour, mais je ne pensais pas que ce serait mon frère Bruce et sa bande qui s'en occuperaient. J'ai résisté, nous nous sommes battus, puis les gars m'ont baissé les culottes et sont partis en riant. L'un d'eux, un vrai salaud, m'insultait sans arrêt. Mes copains et moi en avions marre de lui. Un jour, nous nous sommes jetés sur lui pour le déshabiller entièrement et nous l'avons forcé à se tenir debout, nu, sur une table de la cafétéria, jusqu'à ce que tout le monde arrive. Les filles ont eu tout un spectacle ! Elles se moquaient de son petit engin ! Avant que les professeurs rappliquent, nous nous sommes enfuis avec ses vêtements. L'incident l'a marqué. En plus, toutes les filles le montraient toujours du doigt. Il s'est pendu !

Comment vous entendiez-vous avec vos frères et sœur,
mis à part Bruce ?

Plutôt bien.

Comment étaient vos relations avec votre mère ?

Bonnes. Ma mère me défendait toujours. Avec mon père, c'était plus difficile.

Pourquoi ?

Nous étions cinq enfants et mon père me traitait différemment. Je n'étais pourtant pas le plus jeune ni le plus vieux. Il essayait de contrôler ma vie, toujours de façon négative.

Par exemple ?

J'étais le seul enfant qui devait payer une pension. Je lui avais demandé pourquoi et il m'avait parlé d'un « apprentissage ». Un été, alors que je rêvais d'avoir une motocyclette, j'ai travaillé dur pour mon père. À la fin de l'été, j'ai pu m'acheter ma moto avec mes économies, mais mon père en a acheté une identique à mon frère qui n'avait pourtant rien fait de l'été. Sans aucune explication !

Il vous fouettait, n'est-ce pas ?

En effet. Les coups étaient brutaux. Mon père agissait souvent sous l'effet de l'alcool. À mes yeux d'enfant, c'était de la torture.

Leslie Jesperson aurait aussi électrocuté son fils. Pourtant, dans ses lettres, Keith essayait souvent de dédramatiser les actes de son père. « J'avais 19 ou 20 ans quand mon père m'a électrocuté. Ç'a été moins terrible qu'on l'a dit. On a bien ri. »

Était-il alcoolique ?

Il croyait que non, mais le fait est qu'il buvait beaucoup. Quand nous nous disputions à ce sujet, il disait que l'alcool était légal et qu'on ne pouvait donc rien lui reprocher. Plus tard, il a tout de même cessé de boire.

Vous décourageait-il de vos projets ?

Systématiquement ! Il payait les études de mon frère et de ma sœur, et j'aurais voulu qu'il le fasse aussi pour moi, parce que je voulais faire quelque chose de bien dans la vie. Mais il n'a jamais voulu. Il n'avait pas d'argent, disait-il. Il voulait que je prenne la relève en affaires. Quand un jour j'ai décidé de prendre des leçons de boxe, il est allé demander à mon entraîneur de ne pas s'occuper de moi.

Est-ce que cette relation a éveillé en vous des sentiments négatifs ?
Mais comment donc ! Mon père ne pensait qu'à lui. Il me faisait faire tout ce que bon lui semblait, pour pouvoir ensuite aller s'amuser. Quand j'avais des amis, il n'acceptait que ceux dont il pouvait tirer quelque chose.

Maltraitiez-vous les animaux ?
Des amis de mon frère Bruce s'en chargeaient. Ils capturaient des oiseaux, leur injectaient de l'eau de javel et les regardaient mourir. Ils lançaient des couteaux aux chats et aux chiens.

Un jour, cependant, Keith a tué un chat. « J'ai étranglé un chat devant mon père et il s'en est vanté à tout le monde, leur disant que désormais je pouvais supprimer leurs chats indésirables. Ce n'était pas drôle, mais papa en faisait des blagues. » Dans une autre lettre, Keith m'a avoué ceci : « Oui, je tuais des spermophiles[14], comme tous les garçons le week-end. »

Comment expliquez-vous les meurtres en série ?
Dans mon cas comme dans bien d'autres, mon premier meurtre était un accident. Par la suite, le crime devient plus facile, plus banal. Ç'en devient une habitude, une solution à vos problèmes. Quant à la perception du crime, c'est un peu comme aller à la chasse : la première fois qu'on voit mourir un animal, on peut en être très impressionné. Mais, à la longue, on devient insensible à la souffrance.

Après tant d'années, avez-vous repensé à ce qui vous avait poussé à commettre votre premier meurtre ?
Je me pose toujours la question ! C'était peut-être à cause de mon divorce qui m'avait mis en colère. Ou à cause de ma copine qui m'avait quitté pour un autre camionneur. Sans parler de ses appels téléphoniques désagréables. Ensuite, j'ai pensé que c'était peut-être à cause de la boxe. Quand tu te bats, tu veux faire mal à ton adversaire, et tes coups partent comme des réflexes. Taunja m'a frappé et j'ai riposté automatiquement, sans ralentir, puis j'ai fini par me rendre compte qu'elle ne bougeait plus. Alors, j'ai pensé : « Ouah ! Je ne peux pas croire que j'ai fait ça ! » Elle n'était pas morte, mais je l'ai achevée pour ne pas aller en prison. Cinq ans et demi plus tard, j'étais tout de même sous les verrous.

---

14. Rongeurs de la famille des écureuils.

Comment vous êtes-vous senti par la suite ?
J'étais anéanti. Vraiment choqué d'avoir pu commettre un crime si stupide. Je l'avais battue férocement. Elle était tout ensanglantée, ce n'était pas un beau spectacle. J'ai pensé : « Oh non, on va me pourchasser et je vais périr en prison. » J'étais devenu paranoïaque. J'imaginais que tout le monde m'avait vu agir.

Comment approchiez-vous vos victimes ?
Je n'ai jamais cherché de victimes. Elles venaient à moi d'elles-mêmes, pour diverses raisons.

Comment perceviez-vous l'acte de tuer ?
Une fois que l'affaire était enclenchée, ça devenait un job que je devais faire jusqu'au bout. Le meurtre en tant que tel ne m'excitait pas. Je ne voyais même plus le visage de la victime. Ensuite, je paniquais, je me demandais pourquoi j'avais fait ça, et mon seul souci était de me débarrasser du corps.

Croyez-vous que vos victimes méritaient la mort ?
Pour une raison ou pour une autre, toutes ces personnes m'ont fait enrager. À ce moment-là, je sentais que c'était bien fait pour elles. Aujourd'hui, je regrette mes actes. Jusqu'à un certain point, je crois encore qu'elles méritaient une correction, mais pas la mort. Aussi, vers la fin, à l'époque de mes derniers meurtres, j'étais souvent fatigué. Je manquais de sommeil et je crois que ça aggravait mes impulsions violentes.

Vous trouviez donc que vous étiez allé trop loin ?
Oui. Surtout avec la prostituée qui voulait simplement que j'aille garer mon camion plus loin. Je m'interrogeais : « Pourquoi l'as-tu tuée ? Juste parce qu'elle t'a fait une remarque stupide ? » Ce n'était pas une excuse. Avant mon premier meurtre, j'aurais ri de sa remarque.

Aimiez-vous tuer vos victimes ?
Non, et je n'aimerais pas ça davantage aujourd'hui ! Je n'ai jamais voulu devenir un meurtrier.

Vous demandiez-vous ce que ressentaient
vos victimes au moment des meurtres ?
Pas vraiment. Parce que, en fait, je pouvais presque le voir. Comment
elles me regardaient, calmes, incrédules. Elles devaient penser que
j'essayais juste de leur faire peur, que je n'irais pas jusqu'au bout.

Comment avez-vous pu tuer une femme, vous
qui juriez de ne jamais en frapper une ?
Je ne pouvais pas même donner la fessée à mes enfants. Même après
avoir tué Bennett, je ne pouvais frapper personne. Je détestais cette
idée. Pour moi, tuer n'est pas comme frapper. Je tuais pour justifier
telle chose à tel moment. Chaque personne avait une raison d'y laisser
sa peau — ma raison.

Vous considérez-vous comme un homme violent ?
Je n'ai jamais été une personne réellement violente. Encore aujourd'hui,
je dirais que je suis facile à vivre. Mais je peux réagir à la violence par
la violence. Après tout, je ne suis pas en prison pour rien.

Vous saviez qu'il est mal de tuer.
Alors, pourquoi avez-vous continué ?
Ça n'avait plus rien à voir avec le bien et le mal. J'avais déjà pesé la
question lors de mon premier meurtre. Et les meurtres suivants m'ap-
paraissaient comme des solutions aux problèmes que j'avais avec ces
femmes, ou qu'elles avaient avec elles-mêmes.

Était-ce devenu une solution trop facile ?
Totalement ! Je n'y pensais même plus. Après avoir tué celle qui me
disait de l'étrangler, je me suis réellement questionné sur mes prin-
cipes, mes valeurs. Je savais que ce n'était pas bien ! Mais je ne me
faisais jamais prendre, alors c'était devenu une activité comme une
autre. C'était devenu banal. Au point que ce qui n'aurait nullement
offensé une autre personne m'offensait facilement. Alors, je tuais. Les
raisons de tuer devenaient de moins en moins importantes. À la fin,
je passais à l'acte pour un rien. J'étais comme accro à une drogue. Je
me considère comme un tueur compulsif.

Est-ce que le meurtre guidait votre vie ?
Non. Je ne sortais pas en quête de victimes. Je ne pensais pas à tuer des
gens. Je voulais simplement accomplir mes tâches quotidiennes.

J'espérais ne pas avoir à tuer encore. Je me tenais même loin de certaines personnes.

Que vous ont apporté ces crimes ?
De l'inquiétude. Un bagage supplémentaire à transporter dans ma tête. Du stress. Des cheveux gris. Je n'ai eu que des épreuves à cause de ces crimes.

Aviez-vous pensé aux conséquences judiciaires de vos gestes ?
Comme nous croyons que nous ne nous ferons jamais prendre, nous ne pensons jamais aux conséquences, si graves soient-elles. Même la peine de mort n'arrête pas un meurtrier. Nous ne réfléchissons à tout cela qu'une fois pris au piège.

Avez-vous déjà allumé des incendies ?
Après avoir commencé à tuer, j'ai allumé quelques feux dans les champs pour voir si c'était si spécial. Les feux attirent les gens. Mais ça m'a fait peur.

Vous êtes-vous déjà remis en question ?
Je me posais des questions sur ma santé mentale, sur le fait que je me permettais de tuer juste parce que je le pouvais. Vu que je ne cherchais jamais de victime, je croyais que je pouvais m'arrêter à tout moment et reprendre une vie normale. Mais, au plus profond de moi-même, je savais aussi que je pouvais tuer n'importe quand.

Quelqu'un aurait-il pu faire quelque chose pour vous aider ?
Je ne crois pas. J'étais perdu et je ne savais plus comment agir avec ces femmes.

À cette étape de votre vie, les gens avaient-ils remarqué un changement chez vous ?
Personne n'avait la moindre idée de ce qui se passait dans la tête de Keith Jesperson. De l'extérieur, j'étais le même homme extraverti. Nous, les tueurs en série, avons le don de tromper notre entourage en faisant croire que nous sommes de bonnes personnes. Quand la situation devient de plus en plus difficile et que les médias s'emparent de l'histoire, nous ne savons plus si nous serons capables encore longtemps de tromper tout le monde. Une fois qu'on a compris que tout est fini et qu'on est sur le point d'être arrêté, on cesse de jouer la comédie.

Que ressent-on lorsqu'on tue ?
Imaginez que vous preniez votre chat par la gorge et que vous serriez très fort. L'animal doux deviendra rigide, ses muscles seront raidis par la tension pendant qu'il essaiera de se dégager. Vous le sentirez se débattre pour échapper à la mort. Le corps humain bouge même après la mort. Les muscles sont toujours tendus. Les poumons luttent pour un dernier souffle.

Pouvez-vous me parler de la paranoïa des meurtriers ?
Dès notre premier meurtre, nous croyons que tous les gens nous regardent différemment, parce que Dieu leur a dit ce que nous sommes réellement. On se sent coupable, souillé. Un tueur en série peut apprendre à vivre avec ce problème, mais il peut perdre la tête s'il est incapable de supporter la crainte d'être perçu ainsi. La peur est l'ennemie de l'esprit.

Quels sont ces sentiments de toute-puissance et de contrôle dont les criminologues parlent tant ?
On éprouve ces sentiments dès notre premier meurtre. On devient un tueur en série quand on a compris que, si certaines conditions sont remplies, il est facile de ne jamais se faire prendre ! C'est l'impuissance de la police qui nous donne la sensation de pouvoir faire ce qu'on veut ! Quand on s'aperçoit que les autorités ne sont pas sur notre piste, on se dit : « Wow ! Je m'en suis réellement sorti ! » Alors, on se sent plus fort. Notre seule inquiétude est d'être un jour surpris par un témoin.

À ce stade, comment se sent-on ?
On a franchi la frontière qui sépare la personne « normale » et le meurtrier. Cette frontière est faite des préceptes moraux et religieux qui garantissent la vie en société.

Pourquoi avez-vous un jour écrit à la police et aux médias au sujet du couple condamné par erreur pour le meurtre de Taunja Bennett ?
Je voulais leur prouver que le coupable était toujours en liberté. J'avais des décharges d'adrénaline quand je sentais que je menais tout le monde.

Éprouvez-vous des remords ?
En tant que meurtrier récidiviste, mes actes me désolent et je les regrette. C'est un genre de remords, oui. D'ailleurs, j'ai avoué mes torts. Sans les remords, les gens commettraient des meurtres sans arrêt ! On

nous a appris que Dieu nous surveille en tout temps. Imaginez ce que serait le monde, si chacun pensait qu'il peut faire tout ce qu'il veut en secret...

Êtes-vous croyant?

Pour moi, les hommes qui ont écrit la Bible avaient dû commettre un crime impardonnable. Car la Bible a été conçue dans le but de former une société qui protège les criminels contre ceux qui veulent leur lancer des pierres. On inculque aux gens que le Créateur ne tient personne responsable de ses actes. Qu'il n'y a pas de péché assez grand pour perdre celui qui demande pardon à Dieu. Je vois ici, en prison, les agresseurs sexuels qui se consolent ensemble, en se tapant amicalement dans le dos et en pensant au bon Dieu. Si personne ne leur pardonne leurs crimes, Dieu, lui, les leur pardonnera.

Avez-vous déjà songé à vous suicider?

Quand les détectives étaient sur ma piste, après le dernier meurtre, je savais que je me ferais bientôt incarcérer ou condamner à mort. Il me semblait que, pour ma famille, mon suicide serait préférable à la vérité. J'ai alors acheté 6 boîtes de 12 somnifères. J'ai avalé les 72 cachets, croyant la dose mortelle, mais, finalement, tout ce que ç'a fait, c'est que j'ai bien dormi. Le lendemain, j'ai été malade comme un chien, mais j'ai survécu! Aujourd'hui, si je ne me suicide pas, c'est que j'espère qu'un jour mes enfants voudront connaître ma véritable histoire et savoir qui je suis vraiment. Vous savez, je ne leur parle que très rarement.

Parlez-moi de votre famille.

Je me suis marié en 1975, à l'âge de 20 ans. Elle en avait 18. Nous nous sommes mariés pour les mauvaises raisons. Elle voulait quitter sa mère, et moi, mon père m'avait convaincu que je devais mener une vie stable. Le mariage a duré 13 ans. On a eu des enfants, on a connu la vie. Malheureusement, entre nous, ça ne collait pas. Quand je prenais un verre, elle ne me lâchait plus. Après le divorce, nous sommes devenus de meilleurs amis.

Combien avez-vous d'enfants?

J'ai trois enfants. Ils sont tous grands maintenant et ont fondé leur propre famille. Mon ex-femme m'appelait le «père Disneyland». Quand j'étais avec eux, nous prenions toujours du bon temps. Nous étions tous très attentionnés les uns pour les autres. Nous riions beaucoup et nous nous prenions souvent dans nos bras. C'étaient de superbes enfants. Nous les grondions rarement. Pour les punir, nous confisquions leurs jouets ou nous les mettions en pénitence. Jamais je ne les ai frappés.

Vous manquent-ils ? Leur manquez-vous ?
Ils s'ennuient de moi et je m'ennuie d'eux, mais ils ont leur vie à vivre. Je ne suis qu'une arrière-pensée pour eux, maintenant. Mon fils se bat en Irak pour les États-Unis. L'aînée de mes filles est mère au foyer. Son mari travaille pour UPS. Un chic type. Ils m'ont rendu visite en 2005. La plus jeune est infirmière et elle élève son fils. Le père et elle vivent un moment ensemble, puis se quittent, puis se remettent ensemble. J'espère qu'ils se marieront. J'aimerais jouer un rôle plus important dans leur vie. D'un autre côté, je suis content de ne pas être là pour tout foutre en l'air. J'ai le don de tout détruire moi-même. Pas besoin de les faire couler avec moi.

Depuis lors, la situation a quelque peu changé. Sa fille Melissa G. Moore, mère au foyer, est passée un jour à la télévision, dans l'émission *Dr Phil*. Elle a ensuite publié un livre sur sa vie en tant que fille d'un tueur en série. Jesperson m'avait écrit pour que je regarde l'émission. Melissa semblait hantée par les événements du passé de son père. Selon Jesperson, elle aurait exagéré certains événements de leur vie, mais peut-être est-ce simplement parce que, au moment des événements, Melissa n'était encore qu'une enfant.

Selon vous, les gens vous perçoivent-ils avec justesse ?
Non. Les gens ne voient que les huit jours où j'ai dérapé. Pas les 40 ans pendant lesquels je n'ai commis aucun crime. Ne jugez pas autrui selon le peu que vous savez. Cela dit, la plupart des gens ne peuvent comprendre un tueur, encore moins un meurtrier sériel.

Auriez-vous un message à transmettre aux lecteurs ?
Le meurtrier en série commet ses crimes par fierté. Par peur. Pour plusieurs raisons qui semblent justifiées au moment d'agir. Mais il ne peut éluder continuellement les problèmes qui l'accablent. Une fois qu'il se retrouve entre quatre murs, aucune excuse ne tient plus. Ne croyez donc pas que vous pourrez vous tirer d'affaire en commettant un meurtre. Cela ruinera votre vie, plus que vous ne pouvez l'imaginer.

En conclusion, que sont à vos yeux les tueurs en série ?
D'abord, je ne me considère pas comme un vrai tueur en série. Je n'ai jamais suivi mes victimes. Elles sont juste venues à moi. Mais je les ai tuées. Alors, j'imagine que je suis un tueur en série par définition – meurtrier qui a tué au moins trois personnes, avec un certain laps de temps entre les meurtres. Pourtant, je me vois plutôt comme une bonne personne qui a commis des erreurs de jugement et des actes répréhensibles. Pendant quelques jours de ma vie, je n'ai pensé qu'à moi. Tandis qu'un véritable tueur en série est comme un héroïnomane ou un type sur le meth se faisant des injections jusqu'à ce qu'il se fasse arrêter ou qu'il en crève.

Contrairement à Keith Jesperson qui cherche toujours de nouveaux correspondants, certains tueurs en série se cachent en prison. Randall Woodfield, emprisonné au même endroit que le Happy Face Killer, était l'un des meurtriers qui m'intéressaient beaucoup. Alors, je lui ai écrit quelques lettres, en vain. Un an et demi plus tard, j'ai suivi les conseils de Jesperson et dans une nouvelle lettre j'ai parlé à Woodfield des échecs, ce qui m'a enfin valu une réponse de sa part. Il se disait prêt à parler de parties d'échecs avec moi, mais il n'était pas question d'entrevue. Son profil m'avait beaucoup étonnée. Randall Woodfield, bel homme exhibitionniste, aurait tué 18 femmes et commis plusieurs agressions sexuelles. Comme j'interviewais autrefois des athlètes professionnels, Woodfield m'intriguait car, avant de gagner sa vie comme *barman*, il aurait commis ses premiers assassinats après avoir été renvoyé du camp d'entraînement des Packers de Green Bay, un club de la Ligue nationale de football.
Gary Grant, lui, m'intriguait parce que son histoire ressemblait à un film hollywoodien, bien scénarisé pour que l'on se demande s'il est réellement le coupable.

CHAPITRE 4

Les confessions de Gary Grant

« *Quand je n'ai plus été capable de courir, je me suis éloigné de la voie ferrée et une fille est passée à côté de moi. C'est alors que la rage accumulée pendant des années et des années de souffrance, de peurs, de frustration et de désir a fait surface. Tout à coup, cette inconnue est devenue ma mère et toutes les filles qui avaient ri de moi. Je me suis jeté sur elle et l'ai poignardée dans le dos. Ensuite, je me suis agenouillé sur elle et je l'ai étranglée, jusqu'à ce qu'elle arrête de bouger.* »

NOM : Gary Gene Grant

DATE DE NAISSANCE : 29 juin 1951

ÉTAT CIVIL : Célibataire

DURÉE DES MEURTRES : 1969-1971

NOMBRE DE MEURTRES : 4 : 2 garçons de 6 ans ; une fille de 17 ans et une de 19 ans.

STATUT : Incarcéré dans l'État de Washington depuis 1971

Il y avait peu de chances que je trouve Gary Grant. Son nom ne figurait nulle part dans Internet ni dans les ouvrages que j'avais lus. Et puis, un jour, je suis tombée sur un article du *Seattle Post-Intelligencer* sur des tueurs en série qui ont sévi dans l'État de Washington. Les seuls renseignements que l'on donnait au sujet de Gary Grant étaient son nom, le nombre de ses victimes, et qu'il les aurait poignardées, étranglées, ou les deux, avant de les abandonner en forêt, près du lieu où il vivait avec ses parents. Après des recherches supplémentaires et quelques appels téléphoniques, j'ai trouvé ses coordonnées.

L'histoire de Gary Grant est très singulière. Lors de son arrestation, à l'âge de 19 ans, il ne se souvenait pas de ses meurtres. Les policiers l'avaient retracé grâce à un couteau de chasse trouvé sur la scène d'un crime. Le couteau appartenait effectivement à Grant, mais que faisait-il là-bas ? Grant aurait-il pu l'avoir prêté à quelqu'un ? Comme il ne doutait aucunement de son innocence, il avait suivi de son plein gré les enquêteurs au poste de police pour se soumettre au test du polygraphe.

Rassembler les lettres de Gary Grant m'a pris quatre années. Ce dernier répétait souvent les mêmes histoires, mais elles sont cohérentes. Au début de la correspondance, il m'a déclaré vouloir répondre à mes questions comme il le faisait avec un médecin, dans le but d'éclairer la société, de faire comprendre certaines choses aux parents et aux enfants. Son attitude moraliste fait qu'il défend souvent les détenus les plus faibles et qu'il essaie de raisonner les plus forts.

Lettres de Grant

Il y a plus de 36 ans, alors que j'avais 19 ans, j'ai été arrêté, accusé et condamné pour les meurtres de deux adolescentes et de deux petits garçons. Je ne pouvais lire et pouvais à peine écrire mon propre nom. Je n'avais aucun souvenir de ce que j'avais fait.

Je suis né le 29 juin 1951 et je vivais avec mes parents dans une maison blanche à deux étages, sur une colline donnant sur 45 m de plage et surplombant une baie du lac American.

Ma mère était alcoolique depuis longtemps avant ma naissance, ce qui a ruiné son premier mariage. Elle a tout de même eu le temps d'avoir deux garçons et une fille. Elle s'est remariée avec l'homme qui deviendrait mon père. Quand je suis né, mes demi-frères et ma demi-sœur avaient quitté la maison. Mon père a occupé plusieurs emplois. Il a été policier à Tacoma et pompier volontaire à notre poste local. Durant les années 1940 ou 1950, il a été détective pour le compte de l'agence Foot Printer. Il a travaillé aussi aux usines Boeing à Renton et à Everett.

Mon premier souvenir remonte à la petite enfance. Je me levais dans mon lit d'enfant en m'agrippant aux barreaux et tout était noir, sauf quatre petites lumières mobiles qui me fascinaient. Elles disparaissaient, puis revenaient, s'éloignaient, se rapprochaient, comme dans un ballet. Parfois, elles devenaient de plus en plus grosses, et j'avais de plus en plus peur. J'étais au bord des larmes, puis je sentais quelque chose de chaud et mouillé sur mes doigts et je n'avais plus envie de pleurer. Ces lumières douces étaient les yeux des deux chiens blancs de ma mère, croisement de husky et de loup. Le mâle s'appelait Nome et la femelle, Raw-Raw. Ils sont devenus mes compagnons de jeu, mes protecteurs et mes seuls amis.

Je me souviens des fois où ma mère me prenait par la main et m'emmenait au bord de l'eau. Nous nous assoyions sur une serviette de plage et nous jetions du pain aux canards. Ils semblaient être une centaine. Ils nous entouraient, certains nous mangeaient dans la main. Pendant ces sorties, ma mère me montrait les différents animaux qui vivaient dans les parages, avec Nome et Raw-Raw toujours près de nous.

Ma mère avait alors sa propre voiture, une décapotable. Elle m'emmenait toujours avec elle pour aller faire les courses. Je l'attendais dans l'auto avec les chiens.

À l'évidence, Grant aimait beaucoup se remémorer ses beaux souvenirs. Au fil du temps, je me suis rendu compte qu'il ne semblait pas s'être détaché de son enfance. Par la simplicité de ses explications, ses répétitions, son vocabulaire et son émerveillement, il écrivait comme s'il était toujours un jeune garçon. En relisant ses lettres, je m'imagine son regard, ses yeux qui pétillent, son sourire d'enfant. On ressent bien tout l'amour qu'il portait en lui quand il parle des animaux. Je lui ai dit que j'aimais beaucoup ses beaux souvenirs, mais que je souhaitais aussi connaître les aspects plus difficiles de sa vie.

J'ai d'autres souvenirs… des souvenirs que j'ai appris à chasser de ma mémoire avec le temps, comme si ça n'était jamais arrivé.

Le jeune Gary Grant, ainsi que le jeune Arthur Shawcross, oubliait volontairement les moments désagréables. Dans le cas de Shawcross, c'étaient les bêtises qu'il commettait ; il avait tellement peur de se faire gronder qu'il dissimulait les preuves de ses petits méfaits et ensuite il les oubliait. Quant à Grant, il arrivait à occulter les mauvais traitements qu'il subissait. Cette dissociation était un mécanisme de défense.

Des voix fortes qui provenaient de l'extérieur de ma chambre me réveillaient la nuit. J'étais effrayé et je pleurais. Nome et Raw-Raw, qui étaient dans ma chambre, jappaient quand je pleurais. Puis la porte s'ouvrait et la lumière s'allumait ; ma mère était là, à me dire que tout allait bien, de me rendormir. Je voyais aussi mon père dans l'entrebâillement.

Quand j'arrêtais de pleurer, ma mère éteignait les lumières et refermait la porte. Peu après, j'entendais de nouveau des éclats de voix. Quand ma mère buvait, elle pouvait devenir hargneuse et très violente. Pourtant, mon père l'aimait beaucoup et n'a jamais voulu divorcer, malgré ce qu'elle nous faisait subir. Je descendais alors de mon lit pour me coucher en boule sur le plancher avec Nome et Raw-Raw, où je n'avais plus si peur.

Par la suite, il m'est arrivé souvent de trouver mes parents en train de se bagarrer. Ils ne semblaient pas m'entendre pleurer et crier. Je m'interposais et je recevais parfois des coups.

Dans notre salon, il y avait des lampadaires à cinq ampoules. Un soir, alors que j'essayais de calmer une autre querelle, mes parents en ont fracassé un et je me suis coupé avec des éclats de verre. Ne se rendant compte de rien, ils continuaient à se bagarrer. Voyant cela, je suis allé demander de l'aide chez le voisin. Il m'a ouvert et m'a fait entrer pour soigner mes coupures sur la table de la cuisine. Il me disait qu'il était désolé, qu'il ne pouvait pas se mêler des histoires de mes parents. Puis il m'a fait un chocolat chaud en attendant que les choses s'arrangent chez moi.

Après cet incident, quand les disputes me réveillaient, j'avais peur d'aller voir. Je descendais plutôt au sous-sol, où je me couchais sur un petit matelas dans un coin. Je me serrais contre Nome et Raw-Raw jusqu'à ce que mes parents se calment, ensuite je regagnais ma chambre.

Après ces bagarres, mon père pouvait quitter la maison pour quelques jours et ma mère jetait parfois ses vêtements à la poubelle. Une fois, il est parti plus longtemps.

Les gens du voisinage connaissaient bien la situation, mais ne voulaient pas avoir affaire à ma mère. Et ils ne voulaient pas me voir jouer avec leurs enfants. Pour cette raison, je n'ai jamais eu d'amis à la maison et les voisins ne m'invitaient jamais chez eux. À mon anniversaire, il n'y avait que des adultes à la fête, des amis de mes parents. J'ai grandi en solitaire. Un été, cependant, une nouvelle famille a emménagé à côté de chez nous. Il y avait là quatre enfants. Ils ne sont jamais venus chez moi, mais nous jouions dehors aux cowboys et aux Indiens. Je me souviens que j'avais un fusil jouet, et un jour un des petits voisins est apparu avec le sien. On a joué ensemble comme d'habitude, puis il y a eu ce bruit très fort. Un des enfants s'est écroulé. Il venait d'être atteint d'une vraie balle. Mon petit voisin avait en fait à la main un vrai fusil. La mère pleurait et criait à l'aide. Ensuite il y a eu des sirènes, des gyrophares. Nos voisins ont déménagé peu après.

Une fois, j'ai été invité à la fête d'anniversaire d'un camarade de classe qui vivait à quelques maisons de chez nous. Il y avait là d'autres garçons du voisinage. Nous nous amusions dans la piscine quand la mère de ce camarade m'a reconnu. Elle a demandé à son fils ce que je faisais là et il lui a dit qu'il m'avait invité. Elle a répondu que je n'étais pas invité et elle m'a renvoyé chez moi. Je me demandais ce que j'avais fait de mal pour être exclu d'une fête d'enfants.

Un peu plus tard, ma mère s'est mise à fréquenter toutes sortes d'endroits inconnus et elle me laissait souvent chez deux sœurs qui louaient un appartement chez nous. Elles me laissaient faire ce que je voulais avec Nome et Raw-Raw, pourvu que je ne quitte pas la propriété. Par après, ma mère me faisait garder par un couple de locataires qui me laissait seul dans l'appartement.

Dans la cuisine, nous avions un perroquet en cage, qui chantait tout le temps. J'aimais beaucoup l'écouter. Un jour, alors que j'avais 6 ou 7 ans, ma mère m'a laissé seul à la maison pour aller faire des courses. Le perroquet chantait comme d'habitude mais, pour une raison quelconque, je n'avais pas envie de l'entendre ce jour-là. Je lui criais de se taire et il restait silencieux un moment. Mais, peu après, il recommençait à chanter et je l'engueulais encore, de plus en plus irrité. J'ai fini par le sortir de sa cage pour le glisser dans un tiroir. Je voulais juste qu'il se taise. Comme je poussais sur le tiroir, il a voulu en sortir et je lui ai écrasé la tête. Il ne bougeait plus. J'ai essayé de le ranimer, en vain, et je me suis mis à pleurer. Je n'avais pas voulu le blesser. Alors j'ai eu l'idée de lui mettre un pansement sur la tête, puisque c'est ce que ma mère faisait toujours quand je me blessais, elle me mettait un pansement. Ensuite je l'ai remis dans sa cage. Quand ma mère est rentrée et qu'elle a trouvé son perroquet mort, elle a voulu savoir ce qui s'était passé. Tout ce que j'étais capable de faire, c'était de rester là à pleurer. Elle n'a jamais eu d'autres oiseaux.

Une autre fois, ma mère est venue me chercher dans ma chambre après une dispute avec mon père et elle m'a emmené dans son lit, où elle m'a serré dans ses bras. Elle me disait que tout allait bien, qu'elle et mon père m'aimaient, que ce qui arrivait n'était pas de ma faute. Quand j'ai cessé de pleurer, elle m'a ramené dans mon lit. Par la suite, chaque fois que mon père quittait la maison, elle m'emmenait dans son lit. Parfois, elle me laissait dormir avec elle, m'entourait de ses bras. Ces nuits-là, je me sentais aimé et protégé.

Désormais, j'attendais impatiemment le moment où elle me prendrait avec elle dans son lit. Une nuit, après une autre dispute de mes parents, j'attendais ma mère, mais elle n'est pas venue. Alors, je me suis levé et l'ai trouvée étendue sur le plancher. J'ai essayé de la ranimer en la secouant, je pleurais et j'étais effrayé, je la suppliais de rouvrir les yeux. Puis j'ai crié au secours.

À l'instant où les locataires qui vivaient à l'étage sont arrivés, ma mère est revenue à elle. Elle était fâchée et a demandé ce que les voisins faisaient là. Après leur départ, elle m'a secoué et m'a dit de ne plus jamais appeler à l'aide. Dès lors, quand je la retrouvais à terre, je m'assoyais à ses côtés en pleurant et en essayant de la réveiller. Ce n'est que plus tard que j'ai compris que ma mère s'était mise à boire et qu'elle était souvent saoule. Quand elle se réveillait, elle m'emmenait avec elle dans son lit.

Je vivais dans la confusion et la peur, je souffrais et j'étais en colère. Un jour, pour forcer ma mère à s'occuper de moi, j'ai brûlé plusieurs de ses beaux manteaux de fourrure. Une fois devant mes parents, je ne faisais que pleurer, incapable de leur expliquer pourquoi j'avais agi ainsi. Peu après, j'ai endommagé l'attirail des pompiers volontaires que mon père gardait à la maison. Encore une fois, je n'ai pu leur expliquer pourquoi j'avais fait ça.

Les querelles s'éternisaient et j'étais souvent laissé seul. J'ai commencé alors à voler le courrier des voisins et à le détruire, par besoin d'attention, j'imagine, puisque je ne connaissais même pas nos voisins ! Un après-midi, mon père est venu à la maison avec sa voiture de police, m'a menotté sans dire un mot et m'a conduit jusqu'au centre pour jeunes délinquants. Il s'est garé dans le parking, puis il m'a dit qu'il savait que je volais et détruisais le courrier des voisins. Si je ne cessais pas ce manège, disait-il, des gens viendraient me chercher pour m'amener très loin de chez moi, pendant longtemps. Comme d'habitude, je pleurais. Mais je n'ai plus jamais volé.

Nome et Raw-Raw m'escortaient toujours jusqu'à l'école, n'importe où en fait, et quand je rentrais ils m'attendaient dans l'entrée de la maison et me faisaient fête. Un jour, au retour de l'école, ils n'étaient pas là. Ma mère m'a alors appris que Raw-Raw s'était fait écraser après m'avoir conduit à l'école avec Nome. J'ai pleuré et pleuré. Nome n'a plus jamais été le même. Il disparaissait pendant des jours et ne voulait plus jouer avec moi lorsqu'il était à la maison.

Ma mère m'avait expliqué que Nome ne comprenait pas pourquoi Raw-Raw avait disparu et qu'il partait pendant des jours à sa recherche. D'une certaine façon, je me blâmais, parce que, si les chiens ne m'avaient pas accompagné jusqu'à l'école, Raw-Raw ne serait pas morte sur le chemin du retour. Et je me sentais d'autant plus coupable que Nome m'ignorait désormais.

Un jour, après mon huitième anniversaire, mes parents ont emballé nos effets personnels : nous déménagions dans une nouvelle maison, pour recommencer à zéro. Le problème, c'est qu'on ne pouvait pas emmener Nome avec nous, que des amis à mes parents viendraient le chercher et en prendraient soin. On abandonnait mon seul ami, celui avec qui je me sentais en sécurité. J'étais si blessé ! Je pleurais.

L'espoir d'une nouvelle vie

Après avoir quitté notre maison du lac American, nous avons passé quelques jours au motel *Horseshoe* de Fife. Toutes nos affaires se trouvaient dans un petit entrepôt à la marina Hylebos. Un après-midi, mon père nous a conduits jusqu'à un quai de cette marina, où nous avons vu notre nouvelle « maison » pour la première fois. C'était le plus gros bateau que j'avais jamais vu.

Dès l'entrée se trouvait le petit salon qui, le soir, devenait la chambre de mes parents. Plus loin, trois marches plus bas, se trouvait la cuisine. Il y avait là une cuisinière à deux brûleurs, un four au propane, une glacière pour la nourriture, une petite table pour à peine quatre personnes. On pouvait, sur cette table, faire un lit. Au-dessus des toilettes se trouvait ma cabine — mon lit et un minuscule espace de rangement. C'était peut-être un gros bateau, mais une famille ne pouvait y vivre à longueur d'année. Il n'y avait ni baignoire ni douche à bord, alors nous allions nous laver trois fois par semaine au motel *Horseshoe*.

Le soir de notre déménagement, mon père nous a emmenés au restaurant pour célébrer ce nouveau départ. Ma mère se plaignait quelque peu de l'exiguïté du bateau, mais nous étions tout de même excités, moi surtout, car c'était comme une aventure.

Comme la marina était située dans une zone industrielle, il n'y avait pas d'enfants avec qui j'aurais pu jouer. La semaine, nous prenions le petit déjeuner en famille, puis mon père partait travailler. Il me disait d'aider ma mère. Je faisais la vaisselle, je sortais les poubelles, des choses comme ça. Ensuite, j'étais libre de sortir et d'aller jouer où je voulais, à la condition de ne pas trop m'éloigner du quai. Je devais toujours être en mesure d'entendre les coups de sifflet de ma mère. Heureusement, j'avais l'oreille fine et je pouvais l'entendre de loin.

Pendant un certain temps, ç'a été une nouvelle vie fabuleuse. Ma mère semblait avoir cessé de boire. Je passais mon temps à explorer les alentours, à pêcher les palourdes que je rapportais à ma mère et que nous mangions. J'ai appris à nager en évitant les méduses. J'ai appris auprès des pêcheurs le bon usage des appâts, selon les poissons que je voulais attraper. Même si j'étais seul, j'aimais beaucoup ces heures pleines de nouvelles expériences et de découvertes. Mais j'aurais bien aimé aussi avoir des amis.

Un jour, mon père m'a inscrit à l'école primaire de Browns Point, qui se trouvait à une dizaine de kilomètres de chez nous. Je devais marcher environ 1,5 km chaque matin sur une route de gravier, jusqu'à une rue où j'attendais le bus scolaire. Parfois, par mauvais temps, mon père me conduisait à l'arrêt du bus et j'attendais avec lui dans l'auto.

À l'école, notre institutrice désignait chaque semaine un ou deux enfants qui devaient, devant la classe, raconter ce qu'ils avaient fait durant l'été. Un jour, ç'a été mon tour, et ma mère m'a prêté des photos de notre ancienne maison et de notre bateau, pour que je puisse raconter mon histoire à mes camarades. Pendant que les photos circulaient dans la classe, je répondais aux questions qu'on me posait. Quand les élèves ont découvert que je vivais sur un bateau, je suis devenu très populaire. Tout le monde voulait me parler de la vie à bord et des endroits que nous avions visités. C'est ainsi que j'ai commencé à jouer avec eux pendant les récréations. C'était une nouvelle expérience pour moi. Plein d'enfants voulaient devenir mes amis et m'enseignaient tous leurs jeux. À la cafétéria, je ne mangeais plus seul. J'ai appris à rire et j'avais du plaisir ! Ma vie avait changé en mieux. Mes parents ne s'engueulaient plus, je ne me sentais plus seul. J'avais si hâte de retrouver mes amis le matin que je courais jusqu'au bus scolaire !

Non, mes parents ne se disputaient plus, mais tout n'était pas rose. Ma mère se plaignait que tous ses souvenirs de famille croupissaient dans le petit entrepôt de la marina. Elle n'avait plus d'auto pour aller se promener ou faire des courses. La glacière était trop petite. Notre niveau de vie avait baissé et cela semblait préoccuper mes parents. Et puis ma mère avait recommencé à boire en secret.

Un jour, un de mes amis de Browns Point, Mike, devait venir passer le week-end avec nous sur le bateau. Nous devions même faire une petite croisière. Mike avait donc pris le bus scolaire avec moi et nous nous promenions ensemble dans la marina, jusqu'au moment où ma mère nous a appelés pour souper. Nous avons vite accouru vers le bateau. Ensuite, je n'ai jamais su ce qui s'était passé ; je sais seulement que Mike a dit ou a fait quelque chose et que ma mère l'a giflé. Elle avait bu. J'ai dû raccompagner mon ami chez lui avec mon père. J'avais tellement honte de ce que ma mère avait fait que je suis resté dans l'auto pendant que mon père expliquait tant bien que mal la situation aux parents de Mike. Sur le chemin du retour, mon père m'a demandé pardon pour ce que ma mère avait fait. Plus tard, mes parents se sont disputés et je me suis enfermé dans ma cabine pour pleurer. Ma mère lançait des objets partout et se ruait sur mon père, le rendant responsable de ce qu'elle avait perdu. Quand mon père s'est décidé à partir, je l'ai rattrapé et l'ai supplié de m'emmener avec lui, mais il m'a dit que je devais aller à l'école et que ma place était auprès de ma mère. Il espérait sans doute que son départ calmerait ma mère, étant donné qu'elle ne pourrait plus jeter le blâme sur personne. Ce week-end-là, je me suis tenu loin d'elle. Je ne savais toujours pas pourquoi elle avait frappé mon ami. J'étais confus et j'avais peur qu'elle s'en prenne à moi. J'étais aussi fâché contre mon père, parce qu'il n'avait pas voulu m'emmener avec lui.

Le lundi matin, la nouvelle s'était répandue et personne ne m'a parlé dans le bus, personne ne s'est assis avec moi. Tout le monde me regardait de travers. Moi qui avais été si populaire, qui avais eu tant d'amis, voilà que je n'étais plus qu'un lépreux. J'en souffrais mentalement et physiquement. Qu'allais-je devenir ?

À partir de ce jour, je n'ai plus voulu aller à l'école et le matin je faisais semblant d'être malade. Ma mère ne semblait pas se souvenir de ce qui s'était passé et elle ne s'inquiétait pas beaucoup de mon sort. Par contre, mon père, quand il était à la maison, s'assurait que j'allais à l'école.

À ce moment de son récit, Gary Grant a bloqué longtemps. Nous avons dû nous écrire beaucoup avant qu'il puisse me raconter le reste de son histoire. Longtemps il n'a pu que relater par bribes certains événements, mais il omettait les détails traumatisants. Malgré tout, peu à peu, Grant s'est ouvert.

Mike et ses amis ont commencé à s'en prendre à moi physiquement. Ils me faisaient trébucher et me frappaient dès qu'ils en avaient l'occasion. Une fois, dans les toilettes, ils m'ont battu jusqu'à ce que je me recroqueville par terre, puis ils ont uriné sur moi. Mon père a bien essayé de régler ce problème en me conduisant à l'école en auto et en allant parler aux autres parents, mais son intervention n'a fait qu'aggraver les choses.

L'institutrice m'a installé à l'arrière de la classe où je pouvais regarder par la fenêtre et rêvasser. Elle ne me posait jamais de questions. Pendant les récréations, Mike et ses amis me bousculaient de tous côtés. Parfois, ils ne me laissaient pas utiliser les balançoires. Les autres instituteurs, eux, regardaient ailleurs, comme si je n'existais pas. D'année en année, ils me faisaient passer à la classe suivante, même si je ne savais pas écrire et que j'aurais dû redoubler. En septième année, je crois, l'instituteur me faisait toujours épeler le mot « silo ». Tout ce que j'avais à faire était d'épeler ce mot à voix haute et je passais. Le midi, j'étais toujours assis seul à la cafétéria.

Des élèves pouvaient passer d'une classe à l'autre, d'année en année, sachant à peine écrire. Cela s'est vu à maintes reprises. Il faut dire aussi que cette histoire s'est déroulée il y a près de 50 ans.

À la maison, mon père parti, l'état de ma mère empirait. Elle avait des accès de rage, mais mon père a tout de même continué à prendre soin de nous de loin. Avec le temps, ma mère a tourné sa colère vers moi et s'est mise à boire sans se cacher. Moi, j'allais m'enfermer dans ma cabine. Quand elle revenait à elle, elle voulait que j'aille la rejoindre dans son lit. Elle me serrait fort et me parlait de son passé. Peu après, elle s'est mise à passer ses frustrations sur moi. Elle m'attaquait physiquement et me lançait des objets.

Quand je racontais à mon père les crises de ma mère, il me disait de rester loin d'elle. Quand je lui parlais de l'école, il m'assurait que les enfants oublieraient avec le temps. Ils n'ont jamais oublié.

Je n'avais personne à qui parler, personne qui aurait pu m'aider d'une façon ou d'une autre. Alors, j'ai commencé à échafauder un autre monde dans ma tête. À l'école, je m'imaginais à la pêche ou déambulant dans des régions sauvages. À la maison, je m'enfermais dans ma cabine et j'attendais le moment où ma mère m'appellerait de sa chambre.

Une nuit, quelque chose a changé. Ma mère m'a demandé d'enlever mon pyjama avant que je monte dans son lit. Elle était nue. Elle m'a dit que je ne devrais jamais plus rien porter quand je me coucherais avec elle. Par mes expériences, je savais que je ne devais pas poser de questions. Et puis j'aimais beaucoup que ma mère me serre fort contre son corps chaud, je me sentais désiré et quelque peu en sécurité.

Encore une fois, Grant a eu du mal à aborder ce sujet. Certains passages de ses lettres semblaient tronqués, comme s'il avait voulu éviter la question. Mais, à force de lui demander des détails, j'ai réussi à lui faire éclaircir la situation avec sa mère. Cela ne lui a pris que… deux ans et demi.

Par la suite, elle s'est adonnée à un jeu où elle m'entourait la taille de ses jambes. Je la suppliais d'arrêter pendant que j'essayais de me libérer. Elle me chatouillait et me faisait mal en me serrant fort de ses jambes. J'en avais du mal à respirer. À un moment donné, elle s'arrêtait, puis elle me renvoyait dans mon lit ou me permettait de dormir avec elle en me serrant fort dans ses bras.

Ces matchs de lutte avaient lieu presque chaque nuit, l'hiver où mon père avait déménagé dans un appartement en ville. C'étaient les seuls témoignages d'affection que je recevais; autrement, mes parents me parlaient rarement. Quand mon père estimait que je devais savoir quelque chose, il me le disait, sans me demander si je comprenais. S'il voulait que je fasse quelque chose, il me montrait comment faire. Si j'agissais correctement, il n'ajoutait rien. Sinon, il le faisait lui-même. Néanmoins, mon père n'a jamais levé la main sur moi.

À la fin de chaque hiver, ma mère cessait de boire, alors mon père revenait et nous reformions une famille, comme si rien ne s'était passé. Mais, à la fin de l'été, ma mère recommençait à boire et mon père repartait.

Quand je pouvais avoir 12 ans, mes parents ont acheté un plus grand bateau, un Owens Cabin Cruiser de 42 pieds. Mais cela n'a rien changé.

Plus tard, ma mère s'est acheté une voiture et s'est trouvé un emploi dans une blanchisserie. Elle semblait plus heureuse, avait moins d'accès de rage et fréquentait ses collègues de travail. Elle me réclamait de moins en moins souvent dans son lit, et bientôt, plus jamais. Je me sentais si seul ! Une nuit, j'ai voulu me glisser sous ses draps, mais elle m'a repoussé.

Un soir, ma mère est rentrée avec un homme bizarre, qui n'avait rien à faire chez nous. J'ai saisi la carabine de mon père et je lui ai dit de partir. Ma mère m'a ordonné de déposer l'arme à feu, mais j'étais désemparé, et j'avais peur d'elle, alors j'ai dirigé le canon vers eux. Ils sont repartis ensemble. Quand il a appris l'incident, mon père m'a reproché d'avoir agi ainsi, et moi je lui en ai voulu de m'avoir laissé avec elle. Donc, ma mère trompait mon père. Lui s'est mis à parler de divorce et m'a envoyé vivre dans une auberge sur le canal Hoods. J'y travaillais avec trois autres garçons qui connaissaient bien le propriétaire. Celui-ci nous a fait découvrir la plongée sous-marine. Dans la forêt derrière l'auberge, nous abattions des arbres et en faisions du bois de chauffage que le propriétaire vendait ou utilisait à l'auberge.

Je devinais que Grant avait de la difficulté à raconter certaines expériences du passé. Souvent, il me disait qu'il lui était arrivé «quelque chose» sur le canal Hoods, et ensuite «autre chose», mais il restait vague. Puis, un jour :

Cet homme m'a initié à l'homosexualité. Je ne connaissais rien au sexe, mais il ne me faisait pas mal et je voulais tellement m'intégrer dans le groupe ! Un jour, il m'a emmené dans les bois, dans une cabane, et m'a «appris à être un homme».

Trois ans et demi après notre première lettre, Gary Grant m'a finalement raconté ce qui s'était passé :

Il m'a montré comment lui faire des fellations. Une fois, j'étais seul avec lui. À deux occasions, les autres garçons étaient là aussi. Pour être des leur, je l'ai fait, mais ce n'est pas une chose que je désirais, me faire enfoncer un pénis dans la gorge jusqu'à ce que l'homme se soulage !

Je ressentais constamment l'humiliation, la confusion, la douleur, la peur et la frustration, mais qu'est-ce que je pouvais faire ? Je n'avais aucune expérience, j'ignorais comment régler les problèmes. Alors, j'ai appris à repousser mes souvenirs et mes émotions. Mais combien de temps peut-on faire ça ? Rien n'est plus dangereux dans notre monde que l'esprit humain. Comme pour un ordinateur, trop de mauvaises informations peuvent le dérégler. Mais un ordinateur n'a pas de sentiments.

Quand je suis rentré chez moi, auprès de mes parents qui s'étaient réconciliés, je n'ai rien dit à personne et j'ai tout enfoui au plus profond de moi-même, avec toutes mes autres souffrances. Je m'évadais de la réalité par l'esprit, même si j'avais peur de ce genre de fuite.

Dès lors, quelque chose a changé en moi. Le premier jour de la rentrée scolaire, des garçons ont claqué la porte de mon casier sur mon bras. Ça m'a fait si mal que je voulais pleurer, mais quand j'ai reconnu Mike et ses amis qui se moquaient de moi, ma douleur physique s'est transformée en une haine incroyable et je me suis jeté sur Mike. Un professeur nous a séparés et nous nous sommes retrouvés dans le bureau du directeur. On m'a puni pour avoir déclenché la bagarre. Évidemment, personne n'allait dire ce qui s'était réellement passé.

C'est ainsi que j'ai commencé à me battre deux ou trois fois par semaine contre Mike et ses amis, et même parfois contre quelques étudiants plus vieux que moi qui voulaient me forcer à transporter leurs livres. Je n'acceptais plus rien de tout cela. On m'a flanqué des raclées au début, ensuite j'étais puni par le directeur pour m'être battu. Mais ce n'était pas grave. Rien n'était grave, pourvu que je me batte quand on m'attaquait. Sur le coup, je n'éprouvais aucune douleur, mais je la ressentais plus tard. Pourtant, elle n'avait plus la même intensité. On m'a expulsé de l'école à plusieurs reprises. J'étais devenu teigneux : si vous me cherchiez, vous me trouviez. Je pouvais même me battre contre plusieurs garçons en même temps, je m'en foutais !

Plus tard, ma mère a recommencé à m'inviter dans son lit. Elle me touchait maintenant les organes génitaux. Elle me demandait de lui masser le dos, ensuite elle enroulait ses jambes autour de mes hanches. Une nuit, alors que je massais les jambes de ma mère, elle a piqué une crise et j'ai eu une érection. Comme j'essayais de m'éloigner d'elle, elle m'a frappé aux testicules. Je n'avais jamais eu si mal. Le lendemain matin, ma mère se tenait devant ma porte, que je verrouillais toujours, et elle me demandait pourquoi je n'avais pas ramassé mes vêtements. Elle ne se souvenait de rien.

À ce moment du récit de Gary Grant, je me suis souvenu que Bobby Joe Long avait aussi dormi avec sa mère jusqu'à l'adolescence, et j'ai eu l'idée d'aborder ce sujet avec le Dr Pinard. Ce dernier m'a expliqué que le fait pour un enfant de dormir avec un parent jusqu'à un âge tardif peut avoir des effets néfastes sur le plan psychologique. L'enfant pourrait avoir du mal à s'éloigner de sa mère ou à entretenir des relations normales avec le sexe opposé. Il pourrait par exemple se sentir culpabilisé d'aller vers les jeunes filles. Il n'est pas nécessaire pour cela qu'il y ait des contacts sexuels entre l'enfant et le parent : une intimité physique suffit et l'enfant peut mal interpréter cette expérience. Dormir avec sa mère peut le remplir de confusion et plus tard il pourrait projeter sur les autres femmes ce que sa mère a pu représenter pour lui. Il pourrait par exemple les considérer comme des êtres accaparants qui veulent le dominer ou le contrôler. De plus, comme dans le cas de Grant, des abus psychologiques ou physiques peuvent parfois s'ajouter à la confusion. Les conséquences varieront selon les individus, mais, en règle générale, plus les relations équivoques se prolongent, plus elles sont nuisibles à long terme. La mère de Long, d'ailleurs, aurait été très contrôlante, comme sa femme, plus tard. Cela dit, je voulais savoir si le jeune pouvait avoir le désir de dormir avec sa mère.

« C'est possible, m'a répondu le Dr Pinard, surtout si c'est un enfant à qui l'on a toujours tout permis, à qui l'on n'a jamais imposé de limites. On voit parfois cela dans les familles monoparentales. Ou si la mère a pris l'habitude de dormir avec lui depuis longtemps et qu'il a décidé de prolonger cette habitude. La mère sans conjoint, esseulée, et l'enfant sans père peuvent tous les deux rechercher une certaine sécurisation dans ce genre de contact.

« Parfois, les femmes qui agissent ainsi ont un trouble de personnalité *borderline* et peuvent être assez agressives. Par exemple, si le père a déserté le foyer, l'enfant peut devenir le souffre-douleur de sa mère. Surtout s'il a des caractéristiques physiques qui ressemblent à celles du père. La femme peut voir dans cet enfant un homme qui lui rappelle le père ou qui, plus tard, agira comme lui.

« Cela dit, 10 % seulement des abus sexuels sur les enfants sont commis par des femmes. C'est quand même significatif, mais difficile à quantifier, parce que tout dépend des types de contacts. Et certains comportements ne seront jamais dénoncés par les jeunes. Par exemple, un préadolescent ou un adolescent qui subit des attouchements peut ne pas trouver ça désagréable et n'aura pas nécessairement l'idée de s'en plaindre à la police. »

J'avais aussi lu que le fait de dormir souvent ou trop longtemps avec un parent peut empêcher l'enfant de créer sa propre identité. J'ai donc demandé au Dᵣ Pinard: «À quel âge un enfant devrait-il cesser de dormir avec ses parents?» À ces mots, le Dᵣ Pinard est resté silencieux, pensif, songeant au complexe d'Œdipe, la période décrite par Freud où, vers l'âge de 5 ans, le jeune garçon est attiré par sa mère et la petite fille, par son père.

J'ai posé cette question à plusieurs psychiatres et pédiatres, et personne n'a jamais pu me donner une réponse exacte. Par contre, tous sont d'accord sur certains points. Par exemple, dormir avec un bébé est dangereux, car l'adulte peut l'écraser et l'étouffer accidentellement, en se retournant dans son sommeil. Ensuite, lorsque l'enfant a environ 1 an, il doit commencer à conquérir son indépendance. Pour ce faire, il doit avoir sa propre chambre. De plus, dormir trop longtemps avec les parents nuirait aux capacités de l'enfant à se faire des amis et pourrait le rendre anxieux.

Le Dᵣ Sylvain Palardy, pédopsychiatre à l'hôpital Sainte-Justine, a cependant précisé que tout dépend de la société dans laquelle on vit: «Chez les Mayas, par exemple, les parents pouvaient dormir avec leurs enfants jusqu'à l'âge de 2 ans, par souci de protection sensorielle. Dans la société nord-américaine, il est normal d'installer l'enfant dans sa chambre très rapidement, dans son berceau. Je ne parle pas des premières semaines, quand les parents mettent souvent le berceau dans leur chambre. Pendant un certain temps, l'enfant a besoin d'être près de ses parents, protégé, mais à un moment donné il doit prendre ses distances pour s'investir dans les réseaux sociaux, à l'école, avec des amis. Dormir avec sa mère jusqu'à l'adolescence pourrait donc perturber le développement normal de l'enfant.»

À ce sujet, j'avais déjà parlé au sociologue Gérard Neyrand des enfants qui, vivant un événement traumatique, retournent dans le lit des parents. Il m'avait dit: «En cas de traumatisme, les régressions sont fréquentes et souvent utiles pour permettre au sujet de reconfigurer une position qui a été attaquée par l'agent traumatisant. En revenant à une position antérieure de son évolution, il se donne la possibilité de reconstruire une position sécure pour lui en remobilisant et en rejouant des situations où les affects, les liens, les constructions défensives peuvent être revisités. Toute la difficulté pour l'entourage tient à ce que le sujet ne se réfugie pas d'une façon trop profonde et durable dans une position régressive où il se sentirait à l'abri, et refuserait de prendre le risque de se confronter à nouveau à la réalité des rapports humains et sociaux. Ce qui heureusement reste exceptionnel car, dans la plupart des cas, la régression n'est qu'une phase utile pour surmonter le traumatisme, dont le sujet sort bien souvent de lui-même avec une aide compréhensive de son entourage. Donc, dormir avec des parents qui n'abusent pas de leur pouvoir ne devrait pas poser problème, si c'est purement occasionnel. »

Un autre psychiatre m'avait dit que cette régression, qui peut permettre d'obtenir un certain réconfort, représente tout de même, selon les circonstances et les relations entre les enfants et leurs parents, un risque potentiel pour l'autonomie déjà acquise.

Quant au Dr Pinard, il m'a aussi expliqué que l'enfant – particulièrement le petit garçon – atteint des stades de son développement où il est de plus en plus conscient de ses organes génitaux. Il peut éprouver des sensations agréables par la chaleur, le contact, le frottement, et avoir des érections. Avec le temps aussi, il s'aperçoit que les caractéristiques sexuelles de sa mère sont des attributs du sexe opposé.

Sur ce, j'ai repris la lecture des lettres de Gary Grant.

J'étais en pleine forme, donc j'étais bon en éducation physique, mais personne ne me voulait dans son équipe. À 13 ans, j'ai été pris d'une crise cardiaque dans ce cours. Après avoir passé 24 heures à l'hôpital, j'ai dû me reposer un mois chez moi. Le docteur pensait que ce n'était qu'un problème mineur, causé par une espèce de tension. Même si mon cœur produisait un murmure, il a dit que le problème disparaîtrait à mesure que je grandirais. Mais ce problème ne s'est jamais résorbé. Pendant ce mois de convalescence à la maison, j'ai refait mes forces en marchant toujours un peu plus longtemps chaque jour. Ma mère m'avait installé sur un sofa, dans sa chambre, où elle pouvait mieux s'occuper de moi. Ses accès de rage ont cessé pendant cette période, mais elle a continué à boire de l'alcool. J'avais quand même peur d'elle, car elle pouvait exploser à tout moment.

Après la première semaine, elle s'est mise à venir me rejoindre sur le sofa, nue. Elle me serrait contre elle, me touchait. J'avais peur et je voulais partir dans ma cabine, mais, en même temps, je voulais être désiré.

Quand je suis retourné à l'école, j'ai été exclu du cours de gym. Cet hiver-là, mon père est revenu à la maison et ma mère a cessé de venir dans mon lit. Mon père m'a acheté un vélo, comme le recommandait le médecin, pour m'aider à renforcer mon cœur.

Il n'est pas rare qu'une victime d'abus sexuels soit agressée par plus d'une personne. Le caractère faible ou introverti de ces victimes, ou leur situation désavantageuse (par exemple des enfants en fugue, qui se sont coupés de leur famille), en font des proies tentantes. Comme me l'expliquait le père de jeunes hockeyeurs, il est important de sensibiliser les jeunes à ce risque. « J'ai étudié l'approche des entraîneurs pédophiles, m'a-t-il dit. S'ils mettent la main sur la cuisse d'un enfant et que celui-ci ne la repousse pas, ils savent l'enfant facilement intimidable. Ce serait donc une proie facile. » Souvent, les enfants n'osent repousser un importun, de peur de le vexer ou de provoquer un malaise. Pourtant, il est important pour l'enfant d'apprendre à se défendre contre d'éventuels pédophiles.

Un autre exemple est celui de l'agresseur sexuel Pedro Alonso López, libéré en 1998. Né en 1948 en Colombie, d'une mère prostituée dominante et contrôlante, septième de 13 enfants, il fut laissé à lui-même et aurait pris plaisir à étrangler des chats dès l'âge de 6 ans. À 8 ans, sa mère l'a surpris alors qu'il serrait le cou de sa sœur, pour jouer, mais elle a cru qu'il tentait de l'agresser sexuellement. Elle l'a mis à la porte. Enfant errant, López dormait sous les escaliers et volait pour manger, jusqu'à ce qu'un homme lui propose de l'héberger. Ce dernier a sodomisé l'enfant à plusieurs reprises. Dès lors, et jusqu'à sa première condamnation, les histoires divergent. Certains disent qu'il est resté avec cet homme pendant 10 ans, même s'il le détestait, acceptant les mauvais traitements en échange de nourriture et d'un toit. D'autres affirment que le pédophile l'aurait laissé partir et que l'enfant aurait été pris en charge par une famille américaine qui l'avait aperçu dans la rue, maigre et affamé, alors qu'il avait 11 ans. Ces gens l'auraient inscrit à une école où l'un des enseignants aurait abusé de lui l'année suivante. Puis il aurait fui, volant pour sa survie dans la rue. Par la suite, l'histoire se répète : après avoir été arrêté pour un vol de voiture à 18 ans, López aurait été violé par trois ou quatre hommes en prison. Au cours des deux semaines suivantes, il les aurait tués avec un couteau de cuisine, mais les autorités ne l'auraient condamné qu'à deux ans de prison supplémentaires sous un autre chef d'accusations, puisqu'il avait invoqué la légitime défense. Aux yeux de celui que l'on surnomme aujourd'hui le Monstre des Andes, sa mère était responsable de tous ses malheurs, mais c'est en pensant à sa petite sœur qu'il avait des pulsions meurtrières. Il aurait tué et violé plus de 300 filles et aurait déclaré qu'il recommencerait dès qu'il recouvrirait la liberté.

Tout comme Pedro Alonso López pendant son enfance, les malheurs de Gary Grant étaient loin d'être terminés.

Un soir, ma mère m'a fait boire de son vin Thunderbird. Même si j'en appréciais peu le goût, j'aimais l'effet d'engourdissement qu'il me procurait. Puis j'ai eu envie d'en boire de plus en plus et j'ai fini par découvrir où elle le cachait. J'en remplissais une gourde que j'apportais à l'école. Je la laissais dans mon casier et je buvais du vin entre les cours.

Quand j'avais 15 ans, un étudiant du collège travaillait à la marina. Il avait l'air gentil et m'a invité à une fête, sur l'île Fox. J'ai d'abord refusé, mais, puisque ma mère sortait souvent avec ses amis le soir et qu'elle me laissait seul, j'ai changé d'avis et accepté l'invitation.

La maison de l'île Fox était remplie d'étudiants universitaires des deux sexes. La musique était forte et il y avait toutes sortes de boissons alcoolisées. Je ne me sentais pas à ma place et regrettais d'être venu. Je me suis alors mis à boire un vin rouge sucré pour engourdir mes sentiments. À un moment donné, je jouais au billard, et l'instant d'après j'étais nu sous la douche avec un garçon qui voulait que je lui administre une fellation. J'étais trop saoul pour me débattre. Quand il en a eu fini avec moi, il m'a emmené dans une autre chambre où se trouvait quelqu'un d'autre, et quand j'ai voulu protester ils m'ont frappé.

Quand j'ai repris connaissance, j'étais étendu sur le ventre, sur un matelas sans draps. J'ai voulu bouger, mais j'avais si mal à la tête que j'ai été malade comme un chien. Peu après, quand j'ai pu me relever, je me suis rhabillé. Il était tôt samedi matin et presque tout le monde était parti, sauf quelques personnes couchées un peu partout. Ça m'a pris presque toute la journée pour rentrer à la maison. Au début, j'ai eu du mal à marcher, j'avais des vertiges et les coups que j'avais reçus à la tête me faisaient souffrir. Heureusement, des gens m'ont fait monter en auto. Quand je suis arrivé à la maison, ma mère n'était pas là. J'ai dormi jusqu'au lendemain. À mon réveil, j'avais toujours mal à la tête et j'étais quelque peu étourdi. Le rectum me faisait souffrir et mes caleçons étaient poissés de sang. Peu après, quand ma mère est rentrée, elle a remarqué mon visage enflé et je lui ai dit que j'étais tombé.

À partir de ce jour-là, j'ai dédaigné l'alcool et je me suis enfoncé en moi-même pour échapper au monde.

L'année suivante, ma mère m'a cassé le bras droit en me frappant avec une défense de morse, un vieux souvenir de famille. Un autre soir où elle préparait le souper, je l'ai heurtée par mégarde et elle m'a planté une fourchette dans la main droite. Je la détestais et j'aurais voulu lui faire du mal, mais en même temps j'avais peur et j'étais incapable de lever la main sur elle. Autant je la craignais, autant j'aurais voulu qu'elle me serre dans ses bras.

Grant m'a un jour envoyé une photographie de lui-même avec ses parents. Ils formaient une belle famille. Le père, élégamment vêtu d'un habit noir, d'une chemise blanche et d'une cravate noire, fumait la pipe. Les tempes grisonnantes et le front dégarni, il était appuyé contre un fauteuil à motifs gris et bruns, dans lequel sa femme était assise. Elle portait un ensemble jupe-veste blanc, difficile à discerner sur cette photographie quelque peu surexposée. Elle avait un visage harmonieux, des cheveux blonds ondulés qui lui arrivaient au cou, de belles longues jambes. Gary s'était collé contre elle. Vêtu d'une chemise blanche, d'une veste sans manches et de pantalons noirs, il avait les cheveux bruns et portait la raie à droite. Tout comme sa mère, il portait au cou quelques très longs colliers de fausses perles colorées.

L'été de mes 16 ans, nous avons déménagé à Renton, Washington, où mon père a été embauché à l'usine Boeing. Nous sommes allés vivre dans un parc de *mobile homes*.

À Renton, mes nouveaux professeurs ont vite remarqué que je ne savais pas lire et que je pouvais à peine épeler mon nom. Ils m'ont placé dans une classe spéciale, mais je m'en foutais pas mal.

À la maison, la situation se détériorait, puis mon père a été transféré à l'usine d'Everett, où il habitait dans une caravane achetée avec l'argent que lui avait rapporté la vente de son camion. Il rentrait à Renton le week-end.

À 17 ans, je suis entré dans la Navy avec le consentement de mes parents. Je voulais m'éloigner de ma mère, mais ce que j'ai vécu dans la marine a peut-être été plus difficile encore. Plein d'hommes me criaient au visage, n'hésitaient pas à lever la main sur nous. Émotionnellement, je n'avais jamais évolué, et j'étais incapable de faire face à ces difficultés. J'avais peur, tout simplement. Quelques semaines plus tard, j'ai déserté la base et on m'a retrouvé en train de pleurer au bord de l'autoroute. J'ai été réformé pour raisons médicales. À mon retour à la maison, personne ne m'a posé de questions.

À ce moment-là, ma personnalité psychique était complètement dissociée. De nature, j'étais doux et docile, mais je fuyais les problèmes et ne voulais plus me battre comme autrefois. J'étais tout de même envahi par une masse d'émotions confuses et douloureuses, comme prisonnier de l'enfant qui n'avait jamais grandi. Souvent, ma mère faisait des choses qui me poussaient à me renfermer en moi-même, et je pouvais passer des heures à marcher et à courir avant de reprendre mes esprits. Je me souvenais de la raison de ma fuite, mais aussi d'avoir marché et couru, et puis c'est tout. Mes vieux souvenirs remplaçaient les vrais événements.

L'oubli d'un couteau

En avril 1971, deux détectives de la police de Renton m'ont interrogé à propos d'un certain couteau de chasse. J'ai cru reconnaître cette arme sur la photographie que les hommes me tendaient. Si c'était mon couteau, leur ai-je dit, je l'avais perdu dans le bois derrière chez moi. Ils m'ont alors révélé que quelqu'un avait tué deux garçons de 6 ans avec ce même couteau. Je ne me souvenais de rien et les détectives m'ont demandé de les accompagner au commissariat. J'ai accepté. Après avoir recueilli ma déclaration, ils ont dit qu'ils ne savaient pas comment une personne pouvait commettre deux meurtres sans s'en souvenir. Ils ont ensuite pris mes souliers[15] et m'ont emmené à Seattle pour me soumettre à un test du détecteur de mensonges. J'ai dit que je n'avais rien à cacher, que je n'avais tué personne.

On m'a fait pénétrer dans une pièce où un homme m'attendait avec le polygraphe devant lui, posé sur une table. Après s'être présenté, il a connecté les fils tout en m'expliquant comment l'appareil fonctionnait. Au début, il voulait que je réponde par des mensonges à quelques-unes de ses questions, pour qu'il puisse calibrer la machine. Par la suite, j'ai aussi passé des tests psychiatriques. C'est le dernier souvenir que j'ai de cette journée, jusqu'à mon réveil le lendemain matin, dans une cellule d'isolation à Renton. Je portais une combinaison orange.

Plus tard, lors de la séance du tribunal où se trouvaient le juge, le procureur et mon avocat, j'ai appris qu'on m'avait aussi mis en examen pour les meurtres de deux filles, et que finalement j'étais accusé des quatre assassinats. On m'a dit aussi que j'étais probablement atteint d'une maladie mentale qui m'empêchait de me rappeler ces meurtres. Ils m'ont ensuite enfermé dans une cellule avec 10 hommes qui ont su pourquoi j'étais là, et les bagarres ont commencé.

De nombreux éléments de ma vie dépassaient mon entendement, mais nul n'aurait pu me convaincre que j'avais supprimé quatre personnes et que je ne pouvais m'en souvenir. Mon avocat, le procureur et les médecins ont tous essayé de me raisonner, mais je ne voulais rien entendre. Ils voulaient que je plaide coupable, ce qui me vaudrait une condamnation à perpétuité au lieu de la peine capitale, mais je voulais avoir un procès, et je l'ai eu.

Un certain jour du procès, deux détectives se sont avancés à la barre pour dire que, pendant le test du détecteur de mensonges, j'avais avoué

---

15. Pour comparer le dessin des semelles avec des empreintes de pas moulées sur les lieux du crime.

les quatre meurtres, et qu'après j'avais écrit une confession. Pourtant, je ne savais pas lire et pouvais à peine écrire mon nom. Quoi qu'il en soit, j'ai été reconnu coupable des quatre meurtres et puni de la prison à vie.

Criminel aliéné incurable, affligé de dissociation mentale; c'était le diagnostic.

La nuit avant mon transfert en prison, la porte de ma cellule n'était pas verrouillée, ce qui a permis à bon nombre de détenus de m'infliger leur propre châtiment. Ils m'ont plaqué au sol et mis une serviette dans la bouche pour étouffer mes cris pendant qu'ils me violaient. Ensuite, ils m'ont écrasé la tête contre les barreaux. Le matin, j'étais étendu dans une marre de sang. Les gardiens m'ont roulé dans une couverture et transporté à la clinique où un infirmier m'a inséré du coton dans le rectum pour arrêter le saignement. On m'a ensuite aidé à m'asseoir et on m'a rasé l'arrière de la tête pour suturer la plaie. Quelqu'un a dit qu'ils auraient dû me laisser mourir, que ç'aurait évité des problèmes à tout le monde. Dans mon dossier, une photographie me montre avec la tête enveloppée d'un bandage.

Vers la fin du mois de juin 1979, un gardien s'est fait poignarder à mort dans la cafétéria et nous avons tous été confinés à nos cellules. La nuit du 7 juillet 1979, il y a eu une émeute dans la prison. Nous nous sommes tous retrouvés dans la cour et j'en suis revenu couvert d'ecchymoses. Mais, au cours des deux semaines suivantes, j'ai commencé à avoir des flash-back, à me ressouvenir d'événements oubliés. Depuis lors, je m'évertue à rendre cohérents tous ces fragments qui refont surface, ces souvenirs de mon jeune âge que j'avais occultés, parce qu'ils étaient trop douloureux, incompréhensibles et dangereux. Finalement, depuis 2002, grâce aux psychothérapies, j'apprends à extérioriser mes émotions profondes, la souffrance et la peur enfouies en moi.

Un retour en arrière douloureux

Un soir, ma mère cuisinait le souper pour nous deux et j'aurais dû savoir que je ne devais pas l'approcher. Quand je suis passé à côté d'elle, je l'ai à peine frôlée, mais elle m'a menacé de son hachoir. J'ai eu peur et j'ai filé dans ma chambre. Mon couteau de chasse était accroché au mur avec ma canne à pêche. Je l'ai saisi et, quand je suis ressorti de ma chambre, ma mère se précipitait sur moi en hurlant de rage. Je voulais l'attaquer, mais j'ai eu si peur d'elle que je me suis dédoublé pour fuir la réalité.

C'est ainsi que je suis parti en courant et en pleurant dans la nuit, jusqu'au chemin de fer, le couteau à la main.

Quand je n'ai plus été capable de courir, je me suis éloigné de la voie ferrée et une fille est passée à côté de moi. C'est alors que la rage accumulée pendant des années et des années de souffrance, de peurs, de frustration et de désir a fait surface. Tout à coup, cette inconnue est devenue ma mère et toutes les filles qui avaient ri de moi. Je me suis jeté sur elle et l'ai poignardée dans le dos. Ensuite, je me suis agenouillé sur elle et je l'ai étranglée, jusqu'à ce qu'elle arrête de bouger. Je me rappelle vaguement un lacet de soulier, mais je n'en suis pas certain.

J'ai ensuite déshabillé la fille pour la violer, mais à cet instant j'ai revu ma mère me donner des coups de pied dans les testicules, et d'autres images sexuelles, et je me suis remis à courir en pleurant de peur. Le matin venu, je me suis réveillé dans mon lit, ayant tout oublié des événements de la veille.

Ces « images sexuelles » sont les agressions perpétrées par l'homme de l'auberge du canal Hoods. Et le récit de Grant concorde avec les études du FBI sur le premier meurtre sexuel d'un individu : « Le premier meurtre sexuel est provoqué par un stresseur[16] intense, par exemple un conflit avec une femme [...] avec les parents [...] ou des soucis financiers [...]. »

Néanmoins, si certains pouvaient douter de la dissociation de Shawcross, aucun expert ne doute de celle de Gary Grant. Contrairement au Monstre de la rivière Genesee, Grant n'avait aucune notion de ces événements lors de son arrestation. On lui a diagnostiqué une dissociation mentale, et son aliénation incurable l'a sauvé de la peine de mort. Ce qui me troublait, c'était que Grant pouvait clairement expliquer comment s'était développée cette dissociation, ce qui nous laisserait croire que toute personne pourrait en faire autant.

Selon le Dr Dassylva, oublier un événement ou essayer de vivre comme s'il n'avait jamais eu lieu, pourrait être plus courant qu'on ne le croit : « Cela peut être une tentative de créer une distance affective, du déni, ou une réaction dissociative. Ces phénomènes psychologiques peuvent être normaux dans des contextes d'abus. »

Les symptômes d'état de stress post-traumatique peuvent varier selon les individus. Outre la dissociation mentale, certains peuvent oublier une partie de l'événement traumatique, ou avoir l'impression que certains événements se sont déroulés au ralenti, ou se sentir plus grands ou plus petits qu'ils ne le sont réellement. Cela dit, la dissociation est surtout associée à une dépersonnalisation. En bref, le syn-

---

16. Ou « agent stressogène ».

drome d'état de stress post-traumatique est la conséquence possible d'un événement traumatique, comme un grave accident de voiture, une agression sexuelle, le fait d'être témoin d'un meurtre, etc. Les symptômes peuvent être nombreux. Flash-back, réactions physiques au souvenir de l'événement, cauchemars ou perte de sommeil, etc.

De plus, comme le Dr Palardy me l'avait dit, un jeune enfant peut être affecté d'un état de stress post-traumatique sans en être conscient. Il peut avoir subi des traumatismes en très bas âge, sans toutefois se souvenir de l'événement tel quel. Cependant, l'enfant peut tout de même réagir à des situations (ou même à des sons, à des cris, à des odeurs) qui le ramènent, par association, à des émotions vécues lors de ces traumatismes.

« Les gens qui oublient, puis qui "retrouvent" la mémoire ensuite et disent qu'ils ont été abusés, peuvent souffrir du syndrome de "fausse-mémoire", a poursuivi le Dr Dassylva. Cette fausse mémoire retrouvée serait induite par le psychothérapeute. Il devient alors très difficile de départager les gens qui disent : "Je ne me souvenais plus d'avoir été abusé, mais tout d'un coup la thérapie m'a aidé à comprendre ce qui s'est passé." Il est facile de se créer des histoires qui nous sont suggérées, qui naissent dans l'imaginaire suite à une thérapie. »

J'ai demandé au Dr Dassylva ce qui cause la dissociation.

« C'est une altération de l'état de conscience. Un peu comme quelqu'un sous hypnose. Les gens deviennent non conscients. Il y a toutes sortes de phénomènes, comme des fugues psychogènes – les gens peuvent partir, s'en aller. Certains peuvent montrer une personnalité différente, d'autres peuvent devenir violents. Habituellement, quand ils sont violents, ils sont assez désorganisés. Mais il y a des exceptions. Donc, le phénomène peut avoir différentes formes, mais, la base, c'est l'état de conscience altérée et l'amnésie après coup. »

Pour en revenir au récit de Gary Grant :

Neuf mois plus tard, au début d'un après-midi, ma mère avait bu et, dans un nouvel accès de rage, s'en est encore prise à moi. Quand j'ai voulu m'éloigner d'elle, elle m'a frappé dans le dos avec un gros cendrier de verre. La douleur s'est aussitôt muée en rage et je me suis retourné vers elle. J'aurais voulu répliquer, lui faire mal, mais encore une fois je me suis enfui de la maison, terrorisé, en larmes, pour échapper à la réalité.

Peu après, je marchais le long d'un chemin, à quelques kilomètres de chez moi. J'ai croisé une fille et je l'ai frappée à la tête avec une pierre. Elle est tombée sur le dos, puis je me suis agenouillé sur elle pour l'étrangler. Je l'ai ensuite tirée sur le bas-côté du chemin. Pendant ces moments de folie, je perdais la notion du bien et du mal, je ne ressentais que rage et désir. J'ai voulu la violer elle aussi, mais toutes sortes de hantises liées au sexe et à ma mère m'en ont empêché. Je me suis enfui en pleurant. Le lendemain matin, je ne me souvenais de rien.

Sept mois plus tard, j'ai croisé cinq garçons de mon âge. Ils m'ont bloqué le passage parce que je me trouvais sur leur territoire et ils m'ont dit de m'en aller. Je ne cherchais pas la bagarre, mais je n'avais pas à leur obéir. J'allais voir une amie et je ne dérangeais personne.

Quand ils ont vu que je ne rebrousserais pas chemin, l'un d'eux a sorti un couteau et s'est avancé vers moi, alors j'ai dégainé moi aussi mon couteau de chasse. Voyant cela, les cinq gars ont préféré me lancer des pierres, me faisant reculer jusque dans la rivière. Je ne ressentais pas la douleur des coups, seulement de la rage. J'ai nagé jusqu'à l'autre rive, puis j'ai gravi les berges et suis tombé sur deux petits garçons qui s'amusaient là. J'en ai poignardé un et j'ai étranglé l'autre. Ils étaient devenus tous les garçons qui m'avaient humilié et desquels je me vengeais. J'ai ôté leurs vêtements dans l'intention de les sodomiser, à cause de ce qui m'était arrivé au canal Hoods à 12 ans et sur l'île Fox à 15 ans. Mais les souvenirs sont revenus avec cette peur et j'ai couru et couru, jusqu'à épuisement. Je ne fuyais pas ce que je venais de faire, mais plutôt la douleur et la peur de mes souvenirs.

À ce moment du récit de Grant, j'avais besoin que des témoins corroborent ses allégations. J'ai donc retracé le nom des personnes qui l'avaient défendu lors de son procès et qui avaient sondé son psychisme, mais elles étaient toutes décédées. En cherchant davantage, j'ai déniché le site d'une femme qui a récemment écrit dans Internet l'histoire des quatre meurtres de Grant. Je me suis mise immédiatement en contact avec elle.

Gary Grant a commis ses crimes à Renton, m'a-t-elle raconté, dans le comté de King, État de Washington. J'allais à l'école avec Joanne, une des victimes. Un des deux garçons est enterré à Thorp, près d'où j'habite maintenant. Je connaissais Gary Grant et ça me rend encore malade! J'ai les cheveux frisés, comme Joanne, et je suis aussi grande que Carole, l'autre fille tuée. En plus, j'adorais marcher dans le bois et Gary m'aimait beaucoup. Ces faits m'ont toujours hantée.

Gary était tranquille et poli, et il aimait beaucoup sa mère. Il était quelque peu *nerd*, grand et mince. Un jour, il est venu chez moi alors que je gardais des petites filles. Elles s'amusaient à lui marcher sur les pieds, et lui, il souriait. J'ai dû dire aux filles d'arrêter.

Elle m'a confirmé que le demi-frère aîné de Gary, né du premier mariage de leur père, était un coureur automobile assez connu aux États-Unis durant les années 1960. Les parents de Gary étaient donc «assez vieux» quand ce dernier est né.

Quant à la mère, elle était vraiment contrôlante. J'avais la trouille quand je lui parlais, tellement elle était bizarre. Elle forçait Gary à croire que toutes les filles étaient de sales putes[17]. Son père était un shérif à la retraite.

Elle espérait tout de même que je ne chercherais pas, dans mes écrits, à excuser les actes de Grant.

Vous savez, j'en fais encore des cauchemars et ma perception de la vie a changé depuis les meurtres. Après tout, comment puis-je véritablement faire confiance à qui que ce soit, quand on ne peut même pas faire confiance à un gentil garçon comme Gary!

Pourtant, une fille à l'école m'avait déjà dit: «Gary parfois n'est pas tout à fait lui-même.» La dernière fois que je l'ai vu, je crois qu'il ne savait même pas qui j'étais. J'ai vu son alter ego. Il faut que ce soit une défaillance du cerveau. Sinon, quoi?

J'ai expliqué à cette dame que je souhaitais renseigner les gens sur les conséquences de certains faits et gestes, dans le but de prévenir d'éventuelles tragédies.

Je me suis ensuite mise à la recherche de Jerry Grant, le demi-frère de Gary, mais je n'ai pas trouvé grand-chose. J'ai tout de même fait quelques appels téléphoniques à gauche et à droite, mais personne n'avait conservé ses coordonnées, puis un jour j'ai eu la chance de tomber sur un gentil monsieur qui m'a transmis son numéro de téléphone.

Coureur automobile durant les années 1960 et 1970, Jerry Grant a été le premier à atteindre les 320 km/h dans la United States Auto Club et il a couru dix fois l'Indianapolis 500. Je l'ai appelé chez lui et nous nous sommes parlé une quinzaine de minutes. Très gentil et poli, il m'a d'abord dit qu'il n'avait jamais été proche de Gary et qu'il n'était pas allé souvent chez lui. Leur père avait déjà demandé à Jerry d'engager Gary un été, ce qui n'avait malheureusement pas été possible. Jerry se souvenait que Gary semblait avoir des problèmes, mais il en ignorait la nature. Il a ajouté: «Tous les problèmes actuels du monde sont

---

17. Cette remarque m'a rappelé la mère d'Ed Gein.

attribuables aux difficultés de communication. De nos jours, parents et enfants ne se parlent plus. Les enfants passent leur temps devant la télé ou à s'adonner à leurs jeux vidéo. Or, quand vous n'avez personne à qui parler, vos soucis s'aggravent. »

Un jour, j'ai demandé à Gary Grant de me parler des plus récentes années de son incarcération.

En 2004, m'a-t-il répondu, j'ai entrepris une nouvelle thérapie. Nous devions évoquer les événements de notre jeunesse pour faire face à nos peurs, à nos douleurs et à notre rage. Peu après, on m'a mis en observation pendant quelques jours, parce que les thérapeutes craignaient que je me suicide à cause de toute la souffrance qui est toujours en moi. J'ai dû prendre des antidépresseurs. Mais néanmoins je poursuis ma thérapie.

Un conseiller me répète sans cesse que je dois laisser le passé derrière moi et avancer. Il veut que je m'écrive une lettre à moi-même pour me pardonner. C'est la seule manière, d'après lui, de me défaire de la culpabilité et de la honte qui m'affligent. Mais, quand on a tué, on ne peut échapper à ces ombres. Retrouver les émotions qui étaient enfouies en moi, ç'a été comme tomber en enfer. Mais je me suis toujours battu seul, et ceci n'est qu'une autre bataille. N'aurais-je pas préféré tout ignorer ? Non, je préfère connaître la vérité sur le passé, même si c'est extrêmement douloureux. De cette façon, je pourrai me rééduquer et changer ma vie. Bien sûr, quand je pense aux quatre vies que j'ai prises et aux souffrances des familles, j'aurais préféré ne jamais être né. Je regarde par la fenêtre le peu que je peux voir du monde et je me demande : sans moi, quelle vie ces enfants auraient-ils eue ? Ils ne m'avaient rien fait ; je vis avec ces souvenirs chaque jour.

Depuis mon incarcération, j'ai appris à lire et à écrire. J'ai eu mon diplôme d'études secondaires et un autre en arts et sciences. Je travaille aussi pour un organisme qui s'occupe de trouver un foyer aux chatons perdus. Je peux prendre soin, ici, de 12 chatons à la fois, jusqu'à ce qu'ils soient prêts pour l'adoption. C'est une vraie bénédiction pour moi.

Grant m'a envoyé beaucoup de photos de lui-même avec ses chats dans les bras. Bien qu'il soit aujourd'hui au début de la soixantaine, on dirait qu'il a retrouvé son cœur d'enfant. Un enfant blessé, privé d'amour, qui découvre aujourd'hui ce sentiment avec ses petits animaux. Un jour, j'ai même reçu deux petits chats en céramique par la poste. Ils ont été fabriqués par un codétenu de Grant, un ami à lui qui, peu après, a tenté de se suicider en se tranchant la gorge.

Gary Grant a longtemps été esclave sexuel en prison[18], en échange de protection, et aujourd'hui il est séropositif. Outre ses expériences en prison et à l'adolescence, il ne m'avait jamais parlé d'autres relations sexuelles. Un jour, dans une lettre, je lui ai donc demandé : « Gary, avez-vous déjà couché avec une fille ? » Il m'a répondu : « Oui, mais sans sexe. » Il m'a aussi appris qu'il avait cessé d'uriner au lit à l'âge de 15 ou 16 ans, comme Arthur Shawcross.

Un jour, j'ai demandé à un ami avocat de me procurer le compte rendu du procès de Grant. J'y ai lu ce que ce dernier m'avait déjà dit au sujet des meurtres. Il y a tout de même une différence : selon le compte rendu, Grant aurait agressé sexuellement sa première victime féminine. Or, Grant m'a toujours dit qu'il n'avait pas fait une telle chose.

Pour en avoir le cœur net, j'ai téléphoné au poste de police où devaient se trouver certaines archives de l'époque. J'ai présenté ma requête et on m'a demandé de patienter au bout du fil. Enfin, j'allais savoir si Grant avait violé ou non la première adolescente. Il était important pour moi de le savoir, pour mieux cerner la personnalité de l'agresseur. Peu après, la téléphoniste m'a dit :

« Je ne comprends pas pourquoi, mais le dossier est vide !

— Vide ? Et savez-vous qui aurait pu s'emparer de ces documents ?

— Non. Ils devraient pourtant être là. Je fais des recherches et je vous rappelle. »

La sympathique dame m'a rappelée quelques jours plus tard pour me dire que, malheureusement, personne ne savait ce qu'était devenu ce dossier vieux de plus de 40 ans et qui n'avait jamais été numérisé.

Quoi qu'il en soit, le compte rendu du procès de Gary Grant comporte tout de même beaucoup de renseignements sur les homicides. La première victime, Carole Adele Erickson, 19 ans, avait été poignardée au milieu du dos, étranglée avec un lacet de chaussure et violée. La deuxième victime, Joanne Marie Zulauf, 17 ans, avait été frappée par un objet contondant derrière la tête, mais tuée par étranglement. Elle avait des ecchymoses à l'extérieur du vagin, sans toutefois avoir été pénétrée. Ses vêtements avaient été soigneusement pliés et posés sur elle. L'un des deux garçons de 6 ans, Bradley Lyons, avait été étranglé. On l'avait retrouvé étendu sur le dos, le chandail remonté jusqu'au menton. Scott Andrews, lui, avait été poignardé et retrouvé face contre

---

18. Jusqu'au jour où un gardien de prison, qui connaissait son père, l'a convaincu de changer de conduite.

terre, les sous-vêtements aux chevilles. Les deux garçons avaient été ensevelis sous des feuilles. Seule la tête dépassait.

Quand j'ai dit à Grant que j'avais lu qu'il avait agressé sexuellement sa première victime, il a soutenu que c'était faux. Je lui ai posé cette question maintes et maintes fois, mais il n'en démordait pas : il avait seulement voulu violer la deuxième victime, mais s'était rétracté. De guerre lasse, j'ai lâché prise. Peut-être qu'il ne se souvient pas de ces détails, ou qu'il n'est pas encore prêt à se les rappeler. Cela dit, cette accusation le bouleversait.

> **Question :** Gary, vous souvenez-vous d'avoir entendu parler des meurtres aux nouvelles, à la radio ou à la télévision ?
> **Réponse :** Je ne m'en souviens pas, pas pour les filles. Par contre, j'ai entendu parler de la disparition des deux garçons, mais cela n'avait rien à voir avec moi.
> **Question :** Je sais que vous travaillez fort sur votre passé et que vous prenez le temps d'analyser tout ce que vous vivez maintenant. Cela dit, croyez-vous que, si vous étiez libéré, vous pourriez revivre vos dissociations ?
> **Réponse :** Un de mes anciens conseillers croit que, si je revivais certains événements, ma rage pourrait effectivement réapparaître.

Au moment où j'écris ces lignes, les autorités viennent de refuser à Gary Grant la possibilité d'une éventuelle libération conditionnelle. Il terminera donc ses jours derrière les barreaux. Il semble accepter assez bien la nouvelle. Il avait l'air de s'y attendre. Ce qu'il aimerait ?

> J'aimerais que les adultes comprennent à quel point l'esprit d'un enfant est délicat. Ils doivent prendre conscience des conséquences de leurs gestes. Les impulsions meurtrières ne surviennent pas du jour au lendemain, sans raison.

Rien ne peut justifier ce que Gary Grant a fait, et j'ai le cœur serré en pensant à la souffrance perpétuelle des familles des enfants tués. Je dois cependant avouer que j'ai été touchée par ses confidences. Il semble regretter profondément ses actes et s'en veut infiniment. Quarante ans après les meurtres, il se demande sans cesse ce que les enfants seraient devenus s'ils ne l'avaient pas croisé et il pense encore aux familles. Il se sent tellement coupable qu'on craint qu'il ne se suicide. Il refuse de se pardonner, malgré les conseils des thérapeutes.

Gary Grant ne correspond qu'avec moi. Comme il n'est pas connu et que son cas est rarement cité dans Internet ou dans les livres, personne ne lui écrit. Les seuls qui l'ont approché, autrefois, étaient des professionnels, des psychiatres, en quête de réponses. Une femme, aussi, qui voulait savoir s'il pouvait être le père d'un certain petit garçon. Il ne l'est pas. Elle ne lui a jamais réécrit.

CHAPITRE 5

Joel Rifkin : Joel The Ripper

Nadia : *Vous l'avez ensuite décapitée avec un Exacto ?*
Joel : *Oui, c'est comme un scalpel. Ça permet d'aller facilement dans les jointures et de faire sortir les os de leurs articulations. C'est très mécanique et très dégoûtant.*

NOM : Joel David Rifkin

SURNOM : Joel The Ripper

DATE DE NAISSANCE : 20 janvier 1959

ÉTAT CIVIL : Célibataire

DURÉE DES MEURTRES : 1989-1993

NOMBRE DE MEURTRES : 17

STATUT : Incarcéré dans l'État de New York depuis 1993

J e ne croyais pas vraiment que Joel Rifkin répondrait à ma lettre dans laquelle je sollicitais une entrevue en tête à tête, pourtant il l'a fait, et rapidement. De plus, il s'est ouvert à moi dès sa première lettre !

Rifkin est l'un des tueurs en série les plus notoires des États-Unis. Je n'oublierai jamais cet épisode de *Seinfeld*, où Elaine Benes fréquente un homme qui se nomme Joel Rifkin ! Lors d'un match de football, on l'appelle au microphone et la foule est prise de panique.

Joel Rifkin a assassiné 17 prostituées à New York, de 1989 à 1993, alors qu'il était âgé de 30 à 34 ans. Il a démembré sa première victime. Lorsqu'il tuait des prostituées dans la demeure de sa mère, il les transportait dans une brouette et les cachait dans une boîte ou dans un tonneau. Le corps de l'une d'elles est resté chez lui durant quatre jours. Rifkin a été arrêté alors qu'il se promenait dans sa camionnette sans plaque d'immatriculation, avec un cadavre à l'intérieur. La poursuite s'est terminée lorsqu'il a sciemment dirigé son véhicule contre un lampadaire : il se savait pris et ne tenait pas à s'en sortir vivant.

Adopté à l'âge de trois semaines, le jour de la Saint-Valentin, on pouvait espérer que Joel Rifkin aurait une vie heureuse. Ses parents ont aussi adopté une petite fille trois ans plus tard.

Imaginez que vous êtes Rifkin, jeune. La plupart de vos voisins vous détestent, mais vous ignorez pourquoi. Vous avez un nœud en vous, un nœud de douleur. Du haut de vos 1,90 m, vous êtes dégingandé et complexé. On se moque de vous sans arrêt. Vous ne vous sentez pas bien, vous êtes triste, malheureux. Vous rêvez d'avoir des amis et de réussir dans la vie. Vous êtes prêt à tout pour vous faire aimer, mais les gens vous rejettent. Vous aimeriez pratiquer des sports à l'école, mais les autres ne veulent pas de vous dans leur équipe. Dehors, ils vous lancent des œufs. Vous avez le cœur brisé, vous avez honte. Vous vous demandez : « Pourquoi ? » À l'école, on rit de votre posture, on ridiculise vos lunettes, vos pantalons trop courts, votre coiffure. On vous appelle la Tortue. Vous essayez de marcher plus vite, en vain. Vous entrez dans les toilettes et des garçons vous attaquent et vous déshabillent de force. Vous voulez pleurer, mais vous vous retenez. Ils vous mettent à genoux, vous agrippent par les cheveux et vous enfoncent la tête dans une cuvette. Une fois que vos assaillants vous relâchent, que faites-vous ? Rifkin, lui, les invitait à venir boire de la bière et regarder un match chez lui. Évidemment, les garçons se dispersent en vous insultant. Ensuite, vous rentrez chez vous. Votre père, ancien athlète universitaire qui siège au comité d'école, a honte de vous parce que vous êtes nul dans les sports et en mathématiques. Vous essayez d'être digne de son estime, mais, chaque fois qu'il vous demande de l'aider pour quelque tâche, vous n'êtes jamais à la hauteur. Votre père vous hurle des méchancetés, vous traite de bon à rien. Voilà votre vie quotidienne.

Après l'école, le jeune Rifkin aimait passer du temps avec sa mère et jardiner avec elle. Il n'était pas un athlète, mais un artiste ; il pratiquait le photojournalisme et écrivait des nouvelles littéraires.

Avant de se suicider en ingurgitant des barbituriques, le père Rifkin, atteint d'un cancer de la prostate, a réclamé sa fille à son chevet pour lui prodiguer ses derniers conseils, mais il n'a jamais demandé à voir son fils. À la suite de cet événement, Joel Rifkin a développé une phobie sociale. Désormais, il payerait des femmes qui ne lui gâcheraient jamais la vie. Du moins, c'est ce qu'il croyait. Pendant 17 ans, il a été si dépendant des prostituées que tout son argent y passait.

Au cours de ces années, il a contracté l'herpès, la gonorrhée, et il a même cru avoir l'hépatite B, mais c'était un diagnostic erroné.

En 1994, «Joel the Ripper» a été condamné à 203 ans de prison pour 9 meurtres. Il a passé quatre années en isolation forcée, pour sa protection, puis il a changé d'établissement.

Donc, dès ma première lettre Rifkin a acquiescé à ma demande. Il m'a seulement priée de ne pas en parler à sa mère, qui serait contre cette interview. Et puis, comme les autorités de l'État de New York me connaissaient depuis mon entrevue avec Arthur Shawcross, elles ont accordé rapidement leur consentement. Je craignais tout de même que Rifkin se rétracte à la dernière minute, puisqu'il n'accordait plus d'entrevue depuis quelques années.

La veille de la rencontre, une tempête de neige et de vents violents s'est levée. On n'y voyait pas à un mètre devant soi. Parents et amis me décourageaient d'entreprendre ce voyage dans ces conditions, mais je tenais absolument à aller voir Rifkin, de peur qu'il refuse de remettre notre rendez-vous.

Je suis donc partie quand même, en plein jour certes, mais la route était glacée et la visibilité, mauvaise. Je suivais une voiture, à 20 ou 30 km/h. Des autos avaient dérapé et étaient abandonnées sur les bas-côtés de l'autoroute. De peine et de misère, je me suis rendue jusqu'à Plattsburgh, New York, où j'ai passé la nuit.

Le lendemain matin, il ne neigeait plus. Il ventait tout de même beaucoup et les routes étaient glissantes, mais dégagées. Au bout d'une vingtaine de minutes de route, j'arrivais au Clinton Correctional Facility, une prison classique, avec ses tours de garde, ses hautes murailles de ciment dressées contre le trottoir d'une petite rue.

Dès l'entrée se trouvait une gardienne prête à me fouiller. Un autre gardien m'escorterait durant ma visite. J'ai laissé mes effets personnels dans une petite salle de casiers, puis nous avons traversé une cour intérieure vide pour pénétrer dans un autre bâtiment. Dans la salle des visites étroite et sombre, sans fenêtres, se trouvait une table de bois brun, immensément longue, pourvue d'une latte de bois au milieu, sur toute la longueur, pour délimiter la frontière entre la zone des visiteurs et celle des prisonniers. Des dizaines de chaises étaient alignées de chaque côté de la table. Un gardien prenait place sur une chaise très haute, pour surveiller tout le monde. Ce jour-là, il n'y avait que Rifkin et moi. Il était déjà là.

«Bonjour, Joel.
— Bonjour, Nadia.»

Il portait bien ses 48 ans. Il avait bien quelques cheveux gris, la barbichette et les favoris de la même couleur, mais il avait l'air assez jeune avec sa queue de cheval qui lui arrivait au milieu du dos et son visage à peine ridé. À travers ses grandes lunettes presque rondes, je distinguais des yeux bienveillants, mais quelque peu cernés. On aurait dit un copain avec qui on regarde un match de hockey, plutôt détendu et souriant.

J'ai demandé aux gardiens s'ils pouvaient nous laisser seuls, mais ils m'ont répondu que jamais Rifkin ne devait rester seul avec une femme, nulle part dans la prison. On devait même l'escorter partout où il risquait de croiser une femme, par exemple l'infirmière. Joel ricanait, m'expliquant que les gardiens ne comprenaient pas qu'il ne s'en était pris «qu'aux prostituées».

Pour lancer l'entrevue sur un ton humoristique, je lui ai parlé de la série télévisée *Seinfeld*, de l'épisode où un personnage s'appelle Joel Rifkin.

«J'ai vu cet épisode.

— Comment vous êtes-vous senti?

— C'était très étrange… Entendre votre nom à la télé et savoir que les téléspectateurs en rient…

— Elaine voulait qu'il change de prénom. Lequel auriez-vous préféré?

— Je ne sais pas. Ned, peut-être. (Rires) L'ironie, c'est que l'épisode est passé avant l'affaire O.J. Simpson. Elaine disait des trucs comme: "Change ton nom pour O.J.!" Deux mois plus tard, Simpson était arrêté!

— Avez-vous vu l'épisode en prison?

— Je l'ai vu quand je suis arrivé ici, oui.

— Comment les gens autour de vous ont-ils réagi?

— Les autres détenus n'ont pas trouvé ça drôle. Je sais quand il y a une reprise de l'épisode, parce qu'au moins dix gars m'en parlent.

— Vous avez aussi fait parler de vous lorsque vous avez photographié la chanteuse Kim Wilde.

— Je travaillais pour *Records World*, à l'époque des vinyles. C'était l'un des plus grands détaillants de Long Island. De temps en temps, on invitait des artistes. Donc, Kim Wilde est passée à l'entrepôt. Il n'y avait pas de quoi en faire tout un plat, c'était juste une photo d'elle. J'ai rencontré d'autres artistes, comme les Go-Go's.

— Vous occupiez quel poste?

— Au début, j'étais dans le rayon des cassettes. Ensuite, au début de la vingtaine, je suis devenu gérant adjoint dans un centre commercial.

— Qu'aviez-vous étudié ?

— J'ai étudié un peu les sciences politiques à l'Université de l'État de New York. Je pensais travailler un jour pour les politiciens, ou quelque chose comme ça. À Nassau Community, j'ai suivi quelques cours d'arts. À Farmingdale, j'ai étudié l'horticulture. J'aurais bien voulu travailler dans un arboretum, dans des jardins publics ou privés, dans un zoo ou une réserve de faune.

— Parlez-moi un peu de votre enfance. Quel genre d'enfant étiez-vous ?

— J'étais plutôt aventurier. J'avais 4 ans et je déambulais tout seul dans la forêt. J'allais souvent jouer près d'un petit étang, où je chassais les grenouilles. Je ne voyais plus la maison, mais ça ne me dérangeait pas.

— Quels étaient vos rêves, vos ambitions ?

— J'aimais jouer avec des roches, je cherchais des fossiles, je voulais être paléontologue. À 12 ans, j'allais au muséum et j'assistais à toutes sortes de conférences. J'étais un peu *nerd* avec ça. Après, je me suis intéressé au photojournalisme, mais ç'aurait pu être à la production de films, ou quelque chose comme ça. Ensuite, j'ai bifurqué vers l'horticulture. J'aurais pu travailler dans des serres, ce genre de truc.

— Je crois savoir que vous rêviez de devenir un écrivain célèbre.

— Oui. J'ai pratiqué un peu la nouvelle. J'ai écrit un tas d'histoires courtes, mais je n'ai jamais essayé de les faire publier.

— Comment vous sentiez-vous en tant qu'enfant adopté ?

— Ça ne me dérangeait pas. Sauf quand les filles à l'école ont découvert la numérologie et l'astrologie et qu'elles voulaient savoir l'heure exacte de ma naissance. J'ignorais ces détails. Et je n'étais pas assez intelligent pour faire semblant. Donc, je leur répondais juste : "Je ne sais pas, j'ai été adopté." Elles me répondaient : "Comment peux-tu ne pas savoir quand tu es né ?" J'aurais dû être plus futé ! De toute façon, je ne croyais pas à ces choses-là.

— Avez-vous connu vos parents biologiques ?

— Non.

— Vous n'avez pas tenté de les retrouver ?

— Non, non. »

Il est à noter que le nombre de tueurs en série qui auraient été adoptés en bas âge serait anormalement élevé. Pour en savoir plus sur la question, j'ai écrit au Dr David Kirschner, auteur de *Adoption : Uncharted Waters*. Il m'a confirmé la théorie et m'a envoyé de nombreux documents, dont un article intitulé *"Adoption Forensics : The Connection Between Adoption and Murder"*, dans lequel il explique :

Le FBI estime que, des 500 tueurs en série répertoriés dans l'histoire des États-Unis, 16 % avaient été adoptés, une statistique incroyable, puisque les adoptés ne comptent que pour 2 ou 3 % de la population. Parmi les tueurs en série adoptés, mentionnons : Charles Albright, le Texas Eyeball Killer ; Kenneth Bianchi, le Hillside Strangler californien ; David Berkowitz, le Son of Sam de New York ; Steven Catlin de Bakersfield, Californie, l'empoisonneur de ses femmes et de sa mère adoptive ; Joseph Kallinger, le Shoemaker de Philadelphie ; Gerald Eugene Stano, tueur de 42 femmes, exécuté en Floride ; et Joel Rifkin, le tueur en série le plus prolifique de New York.

Le Dr David Abrahamsen, qui a mené plusieurs entretiens avec David Berkowitz, note dans son livre, *The Mind of the Accused*, que « l'adoption de Berkowitz est devenue un souci important dans sa vie, et l'impression d'être différent engendra en lui un sentiment d'ambivalence envers le reste du monde ». Abrahamsen affirme que Berkowitz « développa un profond et constant sentiment d'aliénation ; il sentait qu'il y avait quelque chose d'incorrect en lui ».

Fait significatif, Berkowitz commença à tuer peu après avoir rencontré sa mère biologique, et dans les parages mêmes du rendez-vous. Celle-ci avait emmené son autre enfant biologique avec elle (une sœur dont Berkowitz ignorait l'existence). La découverte que sa mère avait élevé sa sœur, alors que lui-même avait été confié à des adoptants, a pu aggraver son intense sentiment d'abandon.

Berkowitz révéla plus tard à un codétenu qu'il croyait être un enfant adultérin, conçu sur la banquette arrière d'une auto. S'il tuait des couples dans des voitures, c'était pour éviter la répétition de sa propre conception, de sa naissance, et de son abandon.

Joel Rifkin, le tueur en série le plus prolifique de New York, que j'ai interviewé pendant plus de 110 heures, m'a aussi dit que sa « vie entière avait été influencée par l'adoption ». Il disait avoir étranglé des prostituées dans des voitures parce que, comme Berkowitz, il croyait avoir été conçu sur une banquette arrière. Et Rifkin (comme Ken Bianchi et plusieurs autres tueurs en série adoptés), dans ses fantasmes, imaginait que sa mère biologique était une « travailleuse de rue », mais nos recherches ont révélé qu'elle était plutôt une jeune étudiante troublée.

Un meurtrier non sériel mais adopté, Jeremy Strohmeyer, un étudiant exceptionnellement doué, a tué à 18 ans une fillette de 7 ans dans les toilettes d'un casino. « Ne pas savoir d'où nous venons, a-t-il dit au Dr Kirschner, peut détruire notre vie et nous transformer en bombes à retardement. Et cette rage sourde peut nous faire croire, à tort, en l'existence d'une sombre et mauvaise nature cachée en nous. »
Cependant, il ne faut pas dramatiser, affirme le Dr Kirschner :

> Est-ce que la majorité des enfants adoptés deviennent des tueurs en série ou se vouent au crime ? Bien sûr que non ! Bien que le traumatisme d'abandon soit inhérent à toute adoption, la vaste majorité des adoptés s'évertuent à résoudre leurs problèmes psychologiques et réussissent à vivre normalement. Ceux qui se tournent vers le meurtre ne forment qu'un sous-groupe. Cela dit, il y a toujours un risque : 5 % des enfants impliqués dans la psychothérapie non hospitalisée ont été adoptés (la valeur normale serait de 1 à 2 %) ; comme 10 à 15 % des jeunes patients des centres de traitement et hôpitaux psychiatriques ; et 6 à 9 % des enfants souffrant du trouble de déficit de l'attention. Travailleur social et directeur d'insertion et de probation, John J. Carway observe : « Dans le système de justice pénale, les jeunes contrevenants adoptés sont surreprésentés. »
>
> Il y a beaucoup à apprendre sur les conséquences de l'adoption avec ces cas extrêmes – notamment en ce qui a trait au diagnostic, au traitement et à la prévention. À mon avis, aucun de ces meurtres n'aurait eu lieu et toutes les victimes seraient encore vivantes si le système était plus ouvert (les certificats de naissance sont encore sous scellés dans 44 des 50 États américains). Même les individus les plus équilibrés composent avec une certaine dualité, mais les personnes adoptées ont beaucoup de mal à intégrer cette dualité. Et ces troubles de l'identité peuvent engendrer des problèmes plus sérieux, surtout parmi les familles à risques qui dénient aux enfants le besoin de connaître leurs origines ou qui négligent les sentiments de rejet, d'abandon, de perte, de confusion identitaire et parfois de rage provoqués par l'adoption.

J'ai envoyé au Dr Kirschner une lettre diffusée sur le site Internet conçu par une Américaine qui milite contre l'adoption. Cette lettre comporte une phrase tirée d'une étude menée par l'école de médecine de Harvard et par la fondation Casey[19] pour la famille : « Les cas de syndrome de stress post-traumatique au sein des familles d'accueil sont

---

19. Casey Family Program.

presque deux fois plus nombreux que chez les vétérans de l'armée américaine. »

Sur le même site, une femme adoptée écrit : « Comme beaucoup de personnes adoptées, j'ai l'impression qu'on m'a autrefois exposée dans un supermarché, avec d'autres petits orphelins, sous les yeux des parents adoptifs poussant leur chariot entre des rangées de bébés. Nous nous sentons souvent comme des étrangers, parce que la rhétorique de l'adoption nous prive de l'histoire de notre naissance et d'une connexion à l'humanité. Par exemple, je déteste quand le fils biologique de mes parents adoptifs raconte comment ils m'ont « choisie ». […] Être « choisi » par vos parents adoptifs n'est RIEN comparativement au fait de N'ÊTRE PAS choisi par votre propre mère. »

Selon le Dr Kirschner :

> Les parents potentiels devraient être examinés de très près, relativement à leur santé mentale et aux problèmes propres à l'adoption. Veulent-ils adopter un enfant pour combler un vide existentiel ? pour remplacer un enfant perdu ? Malheureusement, nombre d'entre eux ne sont pas en phase avec les enfants adoptés et ne comprennent pas leurs sentiments et leurs besoins particuliers.

J'ai alors demandé au Dr Kirschner si, selon lui, les parents doivent avouer à ces enfants qu'ils sont adoptés. Si oui, à quel âge le leur dire ?

> Ne jamais, jamais entretenir les secrets et les mensonges au sein de la famille. Ils sont toxiques ! Les enfants devraient prendre connaissance graduellement de leur adoption, dès qu'ils sont capables de comprendre le concept, à 5 ou 6 ans.

Cela dit, tous les enfants adoptés ne deviendront pas des criminels ! Mes grands-parents, par exemple, ont adopté 4 de leurs 10 enfants. Et ma tante et mes trois oncles sont tout à fait sains d'esprit. Ils savent depuis toujours qu'ils ont été adoptés, et à un moment donné chacun a voulu retrouver ses parents biologiques, mais l'expérience les a déçus et ils sont ensuite revenus à leur vie normale. Joel Rifkin, lui, a appris à l'âge de 11 ans qu'il était adopté.

« Comment étaient vos rapports avec votre sœur ?

— Les choses habituelles entre frère et sœur. Nous nous disputions beaucoup autrefois, puis nous nous sommes rapprochés en vieillissant. Ce genre de chose.

— Lui parlez-vous encore ?

— Oh oui !

— Qu'en est-il de votre mère ?

— Je lui ai parlé au téléphone hier soir.

— Et comment étaient vos rapports avec votre mère ?

— Corrects. Elle était la jardinière de la famille. D'aussi loin que je m'en souvienne, elle jouait dans la boue, plantait toujours des trucs. Elle m'a donc intéressé au jardinage, au design et aux plantes. Elle a aussi étudié la photographie, mais s'est contentée d'un faire un passe-temps, parce qu'elle avait deux enfants à élever. Je suis sûr que, si elle le pouvait, elle serait toujours photographe.

— Elle était donc femme au foyer ?

— Elle est retournée travailler quand nous étions en huitième ou en neuvième année. Elle faisait de la thérapie par le jeu en santé mentale et en réhabilitation. On l'appelait Madame Artisanat. Elle arrivait là-bas avec ses bâtonnets de Popsicles et plein d'autres choses. Elle leur faisait travailler le cuir, aussi.

— Et votre père ?

— Il était ingénieur civil. Il accumulait plans et projets. Il a fait ça pendant 30 ou 40 ans, puis il a travaillé pour un quelconque comité consultatif. Il s'est beaucoup amusé, parce qu'il pouvait utiliser son cerveau.

— Comment étaient vos rapports avec lui ?

— Tendus. C'était un athlète à l'école et il excellait en mathématiques. Alors il se lamentait : "Aucun de mes enfants n'est bon en maths ! Aucun n'est doué pour les sports !" J'étais gaucher, il était droitier. Il me demandait souvent de lui donner un coup de main pour les petits travaux, mais j'étais nul. Il me criait : "Quand tu travailles avec un homme, tu es censé l'aider, pas lui nuire !" C'était toujours comme ça. À la fin, quand j'ai su qu'il se mourait du cancer de la prostate, je l'ai serré dans mes bras, mais pas lui. J'étais son échec. Avant qu'il se suicide, il a dit à ma sœur : "Mène une bonne vie et fais attention aux gars que tu fréquentes, je ne serai plus là." Moi, il n'a pas cru bon de me parler.

— Quel âge aviez-vous ?

— Seize ans.

— À la maison, aviez-vous déjà essayé d'améliorer la situation ?

— Non. Papa était du genre à dépouiller son courrier dès qu'il rentrait chez nous. Je lui racontais ma journée à l'école et en guise de réponse il marmonnait des "huh-uh". Ensuite il mangeait, regardait la télé, et c'est tout. Quand j'étais plus jeune, il me lançait le ballon de football, mais je ne l'attrapais jamais, alors il s'est lassé. »

Un jour, le docteur en psychologie Daniel Saumier, qui est aussi professeur associé au Département de neurologie et neurochirurgie de l'université McGill, m'a expliqué qu'il vaut mieux pour un enfant savoir qu'un parent ne l'aime pas, plutôt que d'avoir souci de plaire à ce parent qui dit l'aimer un jour et le repousse le lendemain. Cela permet à l'enfant de tourner la page et d'évoluer, au lieu de se faire du mal toute sa vie.

« Aviez-vous des amis ?

— Pas vraiment. J'ai eu un bon ami jusqu'en huitième année, puis il a déménagé à Baltimore. Ensuite, j'ai eu un autre ami, jusqu'à ce que je me fasse arrêter. Enfin, jusqu'à ce que je me fasse condamner. Il a assisté à mon procès. Il semblait complètement perdu. Après ma condamnation, il a juste, heu, coupé les ponts.

— Il n'était donc pas au courant de vos activités.

— Non, c'était mon petit monde secret.

— Comment a été votre enfance ?

— Ahhhh. On m'a beaucoup harcelé à l'école, mais je savais assez me défendre. J'ai une cicatrice, souvenir d'une bataille, quand je suis tombé sur une table. Je pouvais avoir 9 ou 10 ans.

— Comment vous sentez-vous à l'égard de cette partie de votre vie ?

— Je l'ai détestée ! J'étais… J'étais un paria. Si vous étiez un dur et que vous deviez vous faire une réputation, j'étais *le* gars qu'il fallait tabasser. Je me souviens de ma deuxième journée au collège, encore en huitième année. Je ne connaissais personne. Un gars m'a saisi et m'a battu dans le corridor. (Rires) Je pense que ç'a commencé quand j'avais 4 ans, une époque vraiment pourrie. Les enfants de nos voisins étaient complètement fous et prenaient plaisir à me terroriser. Ma mère a donc planté des rosiers le long de la clôture mitoyenne, elle invectivait les parents. Un jour, ces enfants m'ont lancé une grosse pierre dans le dos. Je suis tombé et je crois que j'ai perdu connaissance quelques instants.

— Comment vous sentiez-vous quand vous reveniez à la maison après l'école ?

— Je me suis fait une routine, probablement dès la deuxième année. J'arrivais le dernier à l'école et j'étais le dernier à partir. Les autres enfants, eux, filaient au son de la cloche. Moi, je flânais avec mes livres, je buvais de l'eau à la fontaine. Ça pouvait durer une demi-heure.

— Vous vouliez éviter les problèmes ?

— Oui. Je me souviens même que j'allais nettoyer l'aquarium du directeur adjoint. Je ne sais pas comment ç'a commencé, mais je le faisais souvent.

— Y a-t-il eu un événement qui vous a particulièrement marqué ?

— C'était probablement l'accumulation de tout. Une fois, en troisième année, je me suis fait battre par une fille.

— Pouvez-vous m'en parler ?

— Je ne m'en souviens plus très bien. C'était dans la cour d'école et la fille cognait comme un gars. Une de mes pires raclées. Ç'a nui beaucoup à ma réputation.

— J'ai lu quelque part qu'on vous lançait des œufs. Est-ce vrai ?

— C'était à la bibliothèque municipale, où je travaillais. Des gars des équipes de sport surveillaient toutes les sorties et, quand je quittais la bibliothèque pour rentrer chez moi, ils me lançaient des œufs.

— Pouvez-vous me parler davantage de vos sentiments ?

— C'est difficile, parce que j'ai enterré tout ça très profondément. Je réagis aujourd'hui en faisant des blagues. Si vous avez eu des problèmes dans la vie avec des brutes, la prison n'est certainement pas le meilleur refuge ! Toutes les brutes atterrissent ici !

— Êtes-vous déjà rentré à la maison en pleurant ?

— Souvent. Une fois, mon père avait découvert que je m'étais battu. Il m'a demandé qui était le gars. Je le lui ai dit, et peu après nous étions chez ce gars, qui s'est fait engueuler par son père. J'étais maintenant devenu un mouchard, un rat. Après, j'ai essayé de tout garder dans mon for intérieur. Un autre jour, à l'école, quelqu'un m'a volé mon argent à la pointe d'un couteau, mais cette fois je n'ai rien dit à personne. »

Des spécialistes des brimades soutiennent que l'enfant devrait lui-même demander l'appui des enseignants ou des autorités. S'il ne se sent pas capable d'y aller seul, il faut lui suggérer de se faire accompagner par un ami. Les parents devraient intervenir seulement quand le problème est impossible à régler. Le cas échéant, ils devraient déposer une plainte contre les agresseurs, et non pas s'adresser aux parents des fautifs car, comme on l'a vu ici et dans le cas de Gary Grant, cela pourrait empirer la situation. Aussi, il ne faut pas oublier que les jeunes agresseurs peuvent également avoir été victimes de traitements semblables, même à la maison où règnent souvent le laisser-aller et la violence, et qu'il est inutile de les punir trop sévèrement. Il faut plutôt les aider à se rappeler à quel point les brimades les ont eux-mêmes rendus malheureux. En outre, il est prouvé que, à la suite de l'intervention des autorités, la majorité des agresseurs se calment. Un jour, j'ai justement conseillé à ma voisine de 14 ans, victime de harcèlement scolaire, d'aller se confier à l'une de ses enseignantes. Celle-ci a alors planifié une intervention qui a porté ses fruits.

«Joel, vouliez-vous être différent des autres?

— Non, je voulais seulement m'intégrer! Mais je ne savais pas comment m'y prendre. Mes parents non plus, d'ailleurs. Mon père est né en 1919 et ma mère, en 1921. Ils ont donc grandi pendant la dépression des années 1930. Pour eux, c'était normal de porter les vieux vêtements des cousins ou des voisins. Puisque tous mes cousins sont plus âgés que moi, j'ai hérité de leurs vêtements. La plupart du temps, j'étais loin d'être à la mode.

Sur une photo de l'école maternelle, je porte un veston rouge orné d'un écusson bizarre. C'était l'ancien uniforme d'un cousin qui avait fréquenté une école privée, mais personne ne s'habillait plus comme ça! Je ressemblais à un placier dans un cinéma. Pourtant, ma mère s'était exclamée: «Comme ça te va bien!» En quatrième année, nous devions apprendre à jouer d'un instrument de musique, et j'ai choisi le violon. Je ne le savais pas encore, mais aucun garçon ne devrait jamais se promener à l'école avec un étui à violon! Aussi bien porter un écriteau autour du cou qui dit: FRAPPEZ-MOI. Évidemment, encore une fois, mes parents: "Oh! C'est classique, c'est bien!" Ils auraient pu me dire: "Pourquoi n'essaies-tu pas plutôt la guitare, le saxophone, le jazz?"

— D'un autre côté, vous auriez dû pouvoir jouer du violon, si c'était ce que vous vouliez, non?

— Ouais, dans un monde idéal, ç'aurait été génial, mais nous ne vivons pas dans un monde idéal.

— Éprouviez-vous de la colère?

— Je ne sais pas si c'est le terme exact. J'ai vécu en retrait le plus clair de ma vie. Je n'ai commencé mes activités criminelles que vers la fin des années 1980. Sinon, j'étais plutôt tranquille vis-à-vis de tout ça. J'ai juste tenté de tout repousser et de vivre un jour à la fois. Même si tous les enfants qui ont été intimidés, abusés ou molestés ne deviennent pas des tueurs, je crois que les événements traumatiques de mon enfance ont contribué à faire de moi ce que je suis.»

Rifkin a raison. Mon professeur de scénarisation, Stéphane Leclerc, docteur en sémiologie, spécialiste de la psychologie systémique et étudiant la psychanalyse à l'université depuis plus de dix ans, nous a dit ceci en classe, en évoquant la pensée d'Alfred Adler : «Un complexe d'infériorité extrême engendrera une compensation qui peut se traduire par un désir de dénigrer, contrôler, agresser, voire tuer des gens. Ainsi, le sentiment d'infériorité, soulagé par la recherche d'une satisfaction supplétive, peut produire des réactions extrêmes et se transformer en sentiment de supériorité. Cette réaction extrême s'appelle surcompensation. Souvent pathologique, elle entraîne une mésadaptation sociale. C'est un désordre de la personnalité où l'individu exprime le besoin morbide de dominer, humilier, contrôler certaines personnes.»

Cela explique, par exemple, que certains jeunes brimés soumettent plus tard les autres à des brimades. Stéphane Leclerc a cité l'exemple d'Adolphe Hitler.

«Beaucoup de gars, ici, ont de plus graves blessures physiques et affectives que les miennes, m'a dit Joel Rifkin. Par comparaison, les miennes semblent banales. Dire que j'ai été un bouc émissaire ou que j'avais une phobie sociale peut laisser croire que je cherche des excuses, mais ce n'est pas le cas.»

Effectivement, chacun réagit différemment à ses traumatismes. Certains vont dire : «Moi aussi, j'ai été brimé à l'école, mais je n'ai jamais tué personne !» Chaque sujet est différent. Chaque brimade est différente. Chaque contexte est particulier. Chaque être humain est unique.

J'avais demandé au Dr Dassylva de m'expliquer pourquoi les réactions peuvent différer suivant les individus, et il m'avait répondu :

«À la base, l'être humain est confronté à des stresseurs plus ou moins importants. Que ce soit en matière d'agressions, de négligence, etc. Il se développe, il a des croyances fondamentales ; des forces dirigent son système de valeurs et sa personnalité. Il se passe de bonnes et de mauvaises choses. Chacun s'adaptera selon sa personnalité. Certaines personnes seront très perturbées par un léger stress ; d'autres seront peu dérangées par un stress important. Tout dépend de la capacité de résilience. Aux extrêmes, il y a des stresseurs que personne ne peut supporter, et il y a des événements si insignifiants que personne, à moins d'être très malade, n'y réagira. Voilà pourquoi des gens, qui ont été agressés sexuellement, deviennent des agresseurs sexuels; et pourquoi d'autres ne le deviendront pas. Cela dit, il n'y a pas de règle absolue: tel événement dans la vie de telle personne n'aura pas forcément des conséquences prévisibles. »

« Autrefois, ai-je demandé à Rifkin, avez-vous consulté quelqu'un qui aurait pu vous aider? Un psychologue? Un travailleur social?

— À l'école primaire, j'ai vu le docteur Dunkel pendant un an. Nous avons fait une thérapie par un jeu de rôle. Plus tard, à l'adolescence, j'ai consulté un psychiatre.

— Ces spécialistes vous ont-ils aidé sur le plan psychologique?

— Non. J'étais sceptique. Je ne crois pas leur avoir dit grand-chose. Ils voulaient tout savoir du déroulement de mes journées et moi je leur parlais des arbres, des roches, de sport, de n'importe quoi.

— Pourquoi?

— Parce que j'étais paranoïaque. Vous savez, plusieurs de mes premiers agresseurs étaient de soi-disant amis. Alors, je me méfiais de tout le monde. À un point tel que, lorsque le médecin m'a examiné avant mon procès, il m'a cru atteint de schizophrénie paranoïde. Je ne suis pas schizophrène, seulement très, très suspicieux. C'est un conditionnement, une phobie sociale.

— Vous aviez de mauvaises notes à l'école secondaire, mais d'excellents résultats au collège. Pourquoi?

— À l'école secondaire, je ne savais pas épeler les mots. Je n'y arrive toujours pas, je suis dyslexique. Et j'étais nul en math. Et puis, au collège, j'ai découvert l'histoire, les sciences sociales, les sciences de la terre, la biologie. Toutes des matières où j'excellais.

— Avez-vous déjà passé votre frustration sur d'autres personnes ou sur des animaux?

— Non. Nous avons toujours eu des chats à la maison. Et des tas de poissons tropicaux. Au camp d'été, j'ai appris à monter à cheval. Ce sont peut-être mes animaux favoris.

— Avez-vous jamais essayé d'allumer des incendies?

— Quand j'étais jeune, j'avais un jeu de chimie, et j'ai toujours aimé regarder des feux. Évidemment, les psychiatres ont sauté là-dessus: "Oh! C'est un des éléments du triangle, c'est un pyromane!" Mais je n'ai jamais mis le feu dans des bennes à ordures ou dans des terrains vagues. Jamais.

— Je sais que c'est bizarre comme question, mais je dois la poser. Étiez-vous propre, quand vous étiez petit ?

— J'ai mouillé mon lit pendant un certain temps. Encore une fois, quand le psychologue l'a su, il s'est excité : "Oh ! Encore le triangle !" Le triangle, c'est les animaux, le feu et le pipi au lit. En fait, j'avais un problème d'urètre, mais un chirurgien a tout arrangé quand j'avais 8 ans.

— Avez-vous eu des copines ?

— Oui. Quelques-unes à l'école secondaire et deux au collège. Heu, les prostituées, j'ai commencé ça à 18 ans. Vous savez, se retrouver dans le dortoir du collège et se faire harceler parce qu'on est encore vierge… Donc, j'ai voulu avoir une certaine connaissance des choses.

— Comment étaient vos relations avec vos copines ?

— Bien. Deux m'ont laissé parce que je suis devenu dépressif. C'était une autre des choses que j'avais : j'étais légèrement maniaco-dépressif, légèrement bipolaire, et quand j'étais vraiment déprimé j'étais infréquentable. J'avais rencontré ma première copine dans une colonie de vacances et nous nous aimions à distance. Évidemment, ça n'a pas duré. La deuxième fille avait accepté de sortir avec moi uniquement pour ne pas être seule au bal de fin d'études. Nous avons fini l'école en juin, et, en juillet, bye-bye !

— Ses parents vous aimaient-ils ?

— Pas beaucoup. Son premier copain était un Afro-Américain. Moi, j'étais juif. Et, eux, c'étaient des Irlandais très religieux. Ils lui ont dit : "Tu marieras un bon catholique !" »

Joel Rifkin parlait d'une voix détendue, comme s'il avait une conversation avec une amie. Tout à coup, le gardien qui m'escortait nous a interrompus pour nous demander de changer de pièce ; la salle qui nous avait été réservée était enfin libre. Nous avons obtempéré et quand nous nous sommes levés j'ai remarqué que, à l'exception d'un ventre rond, Rifkin avait l'air plutôt en forme. J'ai demandé si on pouvait en profiter pour manger quelque chose et les gardiens m'ont dit que Rifkin ne pouvait manger que la nourriture des distributeurs automatiques, mais qu'il n'avait pas le droit de sortir des salles de visites. Je l'ai donc laissé un moment pour aller acheter des chips, du chocolat, des boissons gazeuses. À mon retour, j'ai dit à Rifkin que nous pouvions prendre le temps de manger un peu avant de reprendre l'entrevue. Il avait l'air réellement réjoui de déguster ces gâteries.

Je me suis assise sur une belle chaise bleue, rembourrée et confortable. Nous étions enfin éclairés par la lumière du jour provenant des fenêtres à barreaux. Il y avait un grand ventilateur sur pied à côté du drapeau américain et de celui de l'État de New York. Les deux gardiens nous surveillaient, assis quelques chaises plus loin, dans cette grande salle de réunion de la direction.

« Nous parlions de vos amoureuses, ai-je repris. J'aimerais savoir quel genre de petit ami vous étiez. Étiez-vous affectueux ?

— Je le croyais. Je faisais tout ce qu'il fallait faire : tenir les portes, payer pour tout, vous savez, tous ces trucs.

— Vous étiez attentionné ?

— Oui. Il n'y a jamais eu d'animosité entre nous.

— Combien de temps a duré votre plus long engagement ?

— Un peu plus d'un an.

— La première fois que vous avez eu des relations sexuelles avec une fille, était-ce avec une amie ou avec une prostituée ?

— La toute première fois, j'avais 18 ans. On s'est rencontrés, heu... L'école organisait des réunions... Elle venait de l'autre bout de la ville. Elle allait à Clarke High School et moi, à East Meadow. Nous nous sommes retrouvés quelques fois après ça. Elle était plutôt brusque, elle me demandait de tout faire, j'étais comme son chiot. "Viens ici, toi." Elle avait un caractère dominateur. Elle a déménagé peu après. Un mois plus tard, je me payais ma première femme.

— Pourquoi donc ?

— À cause de l'anxiété. J'étais tellement nerveux la première fois que je n'étais pas arrivé à grand-chose.

— Aimiez-vous que votre première copine contrôle tout ?

— Je ne l'aurais jamais fait autrement. (Rires) J'avais déjà eu des rapports intimes avec des filles, mais je n'étais jamais allé si loin. Nous utilisions un langage codé inspiré du baseball : premier but, deuxième but, *et cetera*. Le sexe, c'était le *home run*. Nous étions partis du troisième but, mais après nous avons reculé.

— Aimiez-vous qu'elle vous dise quoi faire, ou non ?

— J'ai joué le jeu. C'était correct.

— Vous avez commis votre premier meurtre deux ans après la mort de votre père, non ?

— Oui, deux ans, à la semaine près.

— Y a-t-il un événement particulier qui vous a mis en furie ?

— Ça devait faire quelques mois que les problèmes s'accumulaient. J'étais au début de la trentaine et tout s'effondrait autour de moi. J'ai quitté ma copine, mon père est mort, mon meilleur ami est parti au Connecticut, mon entreprise périclitait, j'étais au bord du gouffre. Je devais cesser de dépenser tout mon argent dans la rue. Je croyais que seul un événement traumatisant pouvait m'arrêter.

— Qu'est-ce qui vous a fait passer à l'acte ?

— Ce soir-là, j'étais très tendu, et la fille a aggravé la situation malgré elle. Nous nous étions rencontrés dans le bas de Manhattan et nous sommes allés chez une de ses amies, où elle s'est shootée dans la salle de bains, puis elle a perdu connaissance. Pendant ce temps, je traînais dans l'appartement, je regardais vaguement la télé. Au bout d'une heure, l'amie en a eu assez et nous a mis dehors. Nous sommes donc allés chez ma mère. Deux ou trois heures ont passé et la fille s'est fait une nouvelle injection et s'est encore évanouie. C'était une soirée extrêmement frustrante, vous savez. Après qu'elle a eu épuisé la drogue que je lui avais achetée et qui scellait notre entente, elle répétait sans cesse : "Où est-ce que je peux en avoir d'autre ? Où est-ce que je peux en avoir d'autre ?" Elle était déchaînée. Sans le savoir, elle faisait tout pour me faire enrager. De mes 17 meurtres, ç'a été le plus violent.

— Violent ?

— Ouais… J'avais acheté une pièce d'artillerie en laiton dans un marché aux puces. J'ai frappé la fille 20 ou 30 fois à la tête avec ça, jusqu'à ce que je sois fatigué.

— Vous l'avez ensuite décapitée avec un Exacto ?

— Oui, c'est comme un scalpel. Ça permet d'aller facilement dans les jointures et de faire sortir les os de leurs articulations. C'est très mécanique et très dégoûtant. »

Tout comme Arthur Shawcross, Joel Rifkin racontait ses meurtres comme si de rien n'était.

« Comment vous sentiez-vous ?

— C'était une tâche déplaisante, mais je devais la faire jusqu'au bout. Je n'ai pas réussi à me persuader de découper ma deuxième victime, alors je l'ai sortie de la maison dans une grosse boîte.

— Qu'est-ce qui vous est passé par l'esprit au moment du premier meurtre ?

— Je ne m'en souviens pas. Il me semblait que je ne pouvais pas frapper la fille assez fort ou assez souvent, mais je ne me souviens pas à quoi je pensais exactement. »

Le premier meurtre est toujours celui que je veux connaître, car les meurtres qui suivent finissent par devenir routiniers. C'est le premier qui suscite chez le tueur les plus intenses émotions, le plus d'insécurité et de nervosité. Rappelons-nous Keith Jesperson, qui avait été choqué par son premier meurtre, mais qui avait fini par tuer par habitude, devenu insensible à la souffrance. D'ailleurs, les meurtriers sériels expliquent bien que le meurtre ressemble à tout autre acte de violence, mais qu'il est d'un degré supérieur. Par exemple, comme me l'a expliqué un jour le Dr Dassylva, un homme violent s'en voudra peut-être d'avoir frappé sa femme une première fois, mais il s'habituera. Voilà pourquoi des hommes commettent parfois des agressions sexuelles avant d'en arriver aux meurtres. Parce qu'il y a une escalade. Parce que ce n'est jamais assez. Par conséquent, il ne faut pas banaliser ces actes.

« Apparemment, vous aviez demandé à une victime si elle voulait mourir et elle a dit oui.

— Elle a dit qu'elle souhaitait être morte. Elle s'était défoncée au crack et à la cocaïne et avait dépensé plus de cent dollars cette nuit-là. Elle venait juste de sortir de désintoxication. Donc… Nous étions dans une chambre d'hôtel, nous avions commencé à faire l'amour, et elle m'a dit que… que sa vie avait pris un tel tournant qu'elle se sentait vraiment déprimée. Et puis elle a dit qu'elle souhaitait mourir. C'était la quatrième.

— Un des cas que vous qualifiez d'étranges, n'est-ce pas ?

— Oui. Elle ne s'est pas défendue.

— Quels sont les autres cas étranges ?

— Mary Catherine Williams. Je l'ai tuée dans mon auto et elle s'est affaissée sur le levier de la boîte de vitesses et quelque chose s'est brisé dans la mécanique, de sorte que je n'étais plus capable de changer les rapports. Finalement, j'ai réussi tant bien que mal à démarrer la voiture et je suis parti, le corps pratiquement sur mes genoux. C'était la treizième. Treize, nombre malchanceux. Étrange, quand même.

— Comment se fait-il que vous vous rappeliez si bien tous ces événements ?

— C'était très chaotique et j'étais rempli d'adrénaline, mais je m'en souviens. Comme certains événements de mon enfance. On dirait des photos.

— Quel cas a été le plus difficile ?

— Holloman. Elle était la plus âgée.

— Que s'est-il passé avec elle ?

— Elle m'a fait un œil au beurre noir. Et j'ai toujours sur la poitrine les cicatrices de ses griffures.

— Avez-vous conservé d'autres marques de vos bagarres ?

— À part les griffures d'Holloman, Susie m'a mordu un doigt.

— Est-ce vrai que vous avez fait une pause après l'œil au beurre noir ?

— Non. C'était à une époque où les meurtres étaient rapprochés. J'en ai tué 6 en 2 mois et demi. J'ai oublié en quelle année.

— Où était votre sœur au moment des crimes à la maison ?

— La plupart du temps, elle était dans le nord de New York. Sinon, elle était à la maison. Ça a duré quatre ans, alors je ne me souviens pas de tous les détails.

— Vous agissiez seul ?

— Oui, j'étais seul dans la maison de ma mère, où j'ai commis quatre meurtres. Pour les autres, ça s'est passé dans la voiture.

— J'ai lu quelque part que, au début, vous attendiez qu'une fille vous rende furieux avant de la tuer, mais que, avec le temps, vous tuiez de plus en plus facilement.

— C'est vrai.

— Pouvez-vous m'en dire plus ?

— Hum, comme je l'ai dit, la première fille passait son temps à s'évanouir et tout. Après quelques meurtres, je n'étais plus avec une prostituée juste pour le sexe, mais pour nous mettre dans une situation où je pourrais la tuer. Je les détestais pour tout l'argent qu'elles me prenaient, et parce que plusieurs de ces filles ont des maladies vénériennes. À ce moment-là, je prenais des médicaments contre la gonorrhée et j'avais déjà contracté l'herpès. J'avais cet autre fardeau à trimballer, qui ne m'aidait pas avec les filles normales. "Oh, tu es vraiment jolie et j'aimerais t'inviter à sortir, mais… j'ai un petit problème…" Ça a totalement ruiné mes relations avec les filles et j'en ai jeté le blâme sur les prostituées. De plus, c'était en 1980 et le sida faisait paniquer tout le monde. J'avais peur de l'attraper, mais les prostituées s'en foutaient totalement. Ça a mis le feu aux poudres. Sans parler de ce que j'apprenais par hasard et qui nourrissait ma paranoïa.

— Par exemple ?

— Après avoir tué une fille, j'ai fouillé dans ses affaires et j'ai trouvé une bouteille d'AZT, le premier médicament contre le sida.

Pourtant, elle ne m'avait rien dit, elle se foutait d'infecter les hommes. Tout ce qu'elle voulait, c'était se droguer.

— Êtes-vous séropositif?

— Je ne crois pas. J'ai subi un test de dépistage en prison. Puis j'ai été enfermé dans un trou pendant quatre ans et ensuite on m'a testé trois autres fois.

— Quand avez-vous pris la décision de tuer des prostituées?

— Après qu'on m'a dit que j'avais l'hépatite, alors que j'étais avec ma dernière copine. Mais, plus tard, en prison, j'ai repassé les tests trois fois et finalement je n'ai pas l'hépatite. Le premier devait être un faux positif. Par contre, j'ai attrapé l'herpès en 1988 et la gonorrhée au début des années 1980.

— Que vouliez-vous retirer des meurtres? Qu'est-ce que l'abolition de la prostitution vous aurait apporté?

— J'étais en colère contre les prostituées. Je voulais en éliminer le plus possible avant de me faire prendre. Ça s'est presque toujours passé au même endroit, où j'avais l'habitude d'aller chercher des filles au début. Le problème, c'est que j'avais couché avec tellement de prostituées, peut-être 350, que je ne savais pas qui m'avait refilé la gonorrhée. Donc, à mes yeux, chaque fille pouvait être la coupable. Vous savez, j'y ai perdu presque tout mon argent. Cette dépendance sexuelle, c'était ma seule vie sociale.

— Vous parlez de dépendance sexuelle, mais était-ce vraiment le cas?

— Je le crois bien. Quand vous recevez votre paye de 200 $ le jeudi et que le lundi suivant vous devez emprunter de l'argent et mentir pour mettre de l'essence dans votre auto, ça ressemble beaucoup à une dépendance au jeu, à la drogue, à l'alcool. C'est la même chose.

— Combien de temps avez-vous eu votre entreprise d'aménagement paysager?

— À peu près 2 ans et demi.

— Je crois savoir que vous avez perdu toutes vos économies en avril 1991.

— J'ai pris tout l'argent disponible pour aller le claquer dans les rues. Une année, je devais 1000 $ à mon employé, mais je n'ai pas pu le payer pour son été. J'avais tout dépensé.

— L'argent que vous dépensiez dans la rue, c'était seulement pour des prostituées?

— Pour de la drogue, et ensuite pour des prostituées.

— Quelles sortes de drogues?

— Héroïne, crack, cocaïne. Mais ce n'était pas pour moi, je ne consommais pas. J'en achetais pour les filles.

— Avez-vous eu des relations sexuelles avec toutes vos victimes avant de les assassiner ?

— Seulement avec quelques-unes.

— Avez-vous déjà été excité sexuellement en commettant un meurtre ?

— Non. Quand je ramassais une fille, c'est vrai que c'était d'abord purement sexuel. On entrait, je me lavais, j'avais mon érection, et je me préparais mentalement avant que ça tourne en : "O.K., cette fille-là doit disparaître." Mais, quand j'avais perdu mon érection, il n'y avait plus rien de sexuel. C'était devenu une tâche, un boulot.

— Avez-vous quand même pris du plaisir à tuer ?

— J'imagine que oui, puisque j'ai recommencé. C'est une de ces choses étranges… Vous commettez cet acte complètement repoussant, et vous pensez que vous ne le referez pas, mais un jour vous le refaites. Sur un certain plan, j'ai dû en tirer du plaisir. Lorsque j'étais enfant, j'avais parfois des fantasmes de violence et de meurtres, mais ces pensées n'étaient pas obsessionnelles.

— Est-ce vrai que vous fantasmiez sur le viol ?

— J'avais toutes sortes de fantasmes, comme le viol.

— Pourquoi ?

— Je ne sais pas. Un tas d'histoires qu'on nous racontait à l'école avaient à voir avec le meurtre et la mort. Je me souviens du *Collier*. Le gars tue pour offrir un collier à sa femme, parce qu'il sait qu'elle aime les bijoux, mais quand elle apprend la vérité elle le repousse. Et puis *Les Intrus*, où un type pénètre sans autorisation dans une maison et se fait tirer dessus. Et on nous racontait toutes sortes d'histoires sur Edgar Allan Poe. Il y avait des tas de trucs à la télévision. Le monde était plein d'émissions, de livres et de films violents. Cela faisait juste partie de la psyché collective. Vous écrivez un livre bourré de meurtres, et vous êtes millionnaire. Vous commettez vraiment ces meurtres, et vous êtes un prisonnier. (Rires) »

Justement, Stéphane Leclerc croit que la violence à la télévision pourrait avoir des conséquences psychologiques sur les enfants et pourrait les pousser à la violence en raison du fait que leur personnalité, leur identité, n'est pas encore formée. « S'ils sont laissés seuls, si le milieu familial n'est pas là pour supporter les failles de leur éducation, parer les assauts de violence répétée, la télévision pourrait avoir des effets néfastes sur eux. Quant aux adultes, la violence à la télévision pourrait assouvir leurs pulsions agressives et leur permettre de se défouler. En fait, pour la plupart des adultes, le principe de réalité (les rapports de cause à effet où les conséquences sont mieux intégrées par l'adulte) est ce qui domine. La violence qu'ils contemplent risque d'avoir un effet libérateur, de catharsis, au lieu d'entraîner l'agir violent.»

« Saviez-vous que votre dernière victime était la copine de Dave Rubinstein, le chanteur du groupe punk Reagan Youth?

— J'ai vu ça dans Internet. Elle s'appelait Tiffany... Tiffany Bresciani.

— Le saviez-vous?

— Je ne le savais pas à ce moment-là. Je n'avais jamais entendu parler d'elle. Je l'avais ramassée, c'est tout, mais je n'ai pas couché avec elle.

— C'était une prostituée?

— Oui. Ils disent maintenant qu'elle avait 17 ans, mais c'est faux, elle avait 22 ans.

— Avez-vous eu une décharge d'adrénaline en faisant cela?

— Absolument. C'est pratiquement un match de lutte, au début. Vous vous inquiétez à propos des gens du quartier, des voitures qui passent. Vous avez peur d'avoir été égratigné ou quelque chose comme ça. C'est très chaotique, et l'effet de l'adrénaline est tellement vertigineux que vous en tremblez à la fin. Je me demande parfois si je n'aurais pas eu les mêmes décharges d'adrénaline en faisant des trucs fous comme de l'escalade ou du parachutisme. Ç'aurait peut-être pu remplacer la rue et les meurtres.

— Vraiment?

— Oui. On appelait ça le *high* du coureur en athlétisme, et vous sécrétez aussi beaucoup d'endorphines dans des moments pareils, comme pendant l'orgasme, et ça vous rend euphorique. Je ne m'en suis pas rendu compte au début, mais le corps en veut toujours davantage, il en a besoin et en redemande. Mais, au lieu de pratiquer les sports extrêmes, j'ai commis des meurtres. Plus fréquemment d'ailleurs quand j'étais dépressif. Parce que l'adrénaline et les endorphines me faisaient planer. Après, je me sentais mieux.

— Quand vous dites que vous assassiniez vos victimes à cause de leur style de vie, que voulez-vous dire?

— Il y avait beaucoup de filles, bien évidemment, mais pourquoi celle-ci et pas celle-là? À cause du style de vie ou du comportement ? "Gelons-nous avant de faire ça." C'est surtout les marques de piqûres infectées et l'hygiène corporelle dégoûtante qui ont tout déclenché.

— Avez-vous déjà violé ?

— On me pose souvent cette question. La réponse est non. Comment pouvez-vous violer une prostituée ? Elle dit oui, vous payez ; c'est un contrat. Ce n'est pas comme avoir un rendez-vous avec une fille qui dit : "Non, je ne veux pas aller chez toi, je ne veux pas faire ça", mais que vous prenez de force dans l'auto. Ça, c'est un viol. Je n'ai jamais forcé mes copines ni personne.

— Voyiez-vous ces crimes comme une mission ?

— Parfois je me disais : "O.K., la fille a une maladie vénérienne. O.K., le prochain ne l'attrapera pas et ne pourra pas la refiler à sa femme. Qui sait combien de personnes elle a infectées ? C'est donc une bonne chose qu'elle ne soit plus là." Le cerveau peut vous raconter n'importe quelle histoire, c'est comme ça que le monde survit.

— Vos crimes étaient-ils prémédités ?

— Non. Si j'avais décidé à l'avance de les tuer, j'aurais fait ça sous un pont, sur un terrain vague, quelque part.

— Comment les avez-vous tuées ?

— Les 17, je les ai étranglées à mains nues. Les quatre qui ont été tuées à la maison, je les ai d'abord frappées à la tête pour les étourdir ou les assommer. Dans certains cas, l'étranglement ne provoquait pas la mort, ce n'est pas aussi simple que dans les films. Les voies respiratoires n'étaient pas complètement obstruées, mais les filles finissaient par s'étouffer.

Pourquoi, l'étranglement ?

— C'est calme, propre, simple. Vous sentez tout au bout de vos doigts. C'est personnel, en face à face, les yeux dans les yeux. C'est primaire, les fauves étranglent leurs proies. Il n'y a pas de meilleure méthode pour donner la mort.

— Vous est-il arrivé de changer d'idée à la dernière minute ?

— Deux fois, j'ai bloqué après m'être jeté sur une fille dans mon auto. La première était très agile et m'a repoussé du pied. Ça m'a saisi et je lui ai dit : "Oups, désolé, j'y suis allé un peu trop brusquement", une connerie de ce genre, et je l'ai laissée partir. L'autre a donné un grand coup dans la vitre au moment où je l'ai attaquée et ça m'a surpris. Elle en a profité pour sortir de l'auto et fuir dans la nuit.

— Comment vous sentiez-vous lorsqu'une fille tentait de s'échapper ?

— Ça me choquait et ça me surprenait, je crois.

— Ça ne vous inquiétait pas ?

— Pas vraiment. Je voulais encore du sexe après la première fois que c'est arrivé. Je suis donc retourné voir la fille en question. Quand elle m'a vu, elle est partie en courant pour téléphoner à quelqu'un. Je me suis dit : "O.K., je devrais retourner à la maison." Deux nuits plus tard, j'étais de retour dans la rue.

— Vous êtes-vous déjà demandé ce qui se passait dans l'esprit de vos victimes au moment des meurtres ?

— Je voulais que certaines sachent qu'elles étaient en train de mourir. Une fois, une fille a dit quelque chose comme : "J'ai fait une erreur." Il n'y a pas de sons, ni de cris, ni de bruit quand les voies respiratoires sont obstruées, mais le cœur bat toujours. La personne se débat, puis elle perd conscience et meurt ensuite. Si elle comprend qu'elle a fait une erreur pendant qu'elle se débat, tant mieux. Sinon, tant pis. Ça m'était égal. Je voulais juste que cette personne-là meure.

— N'avez-vous jamais eu de remords ?

— Parfois, oui. J'ai appris toutes sortes de choses sur quelques-unes d'entre elles pendant le procès, néanmoins j'ai toujours pensé que j'avais eu raison. Je voulais justifier les mensonges sur lesquels je me fondais.

— À quoi pensiez-vous au moment de vous débarrasser des cadavres ?

— La première fois, je n'en revenais pas d'avoir fait ça et j'étais complètement paniqué. Mais, si le corps disparaît, c'est comme si rien n'était jamais arrivé. Vers la fin, c'était plutôt : "O.K., trouvons un endroit, ça s'est encore produit, oups."

— Vous dites : "Si le corps disparaît, rien n'est jamais arrivé."

— C'est ce que je me disais constamment après le premier meurtre. C'est la seule fois où j'ai fait disparaître les empreintes digitales et dentaires.

— Avez-vous pensé aux conséquences ?

— Non, j'ai surtout pensé que j'attraperais une maladie ou que je serais tué dans la rue. Je n'ai jamais pensé à la réclusion à perpétuité.

— Avez-vous déjà pensé que tout cela devait prendre fin ?

— Oui, plusieurs fois. En fait, ils ont trouvé un bout de papier où j'avais écrit mes résolutions du jour de l'An. J'avais noté, entre autres : "Arrêter de voir P" ; et tout de suite après : "Arrêter K." Alors, quand le psychiatre adverse m'a demandé : "Donc, P, c'est pour prostituée et K, c'est pour *killing* [tuer] ?" J'ai dit : "Ouais." Ils tenaient donc une preuve tangible et le psychiatre m'a dit : "Vous saviez que ce que vous faisiez était mal, vous n'êtes donc pas légalement fou."

— Pourquoi dites-vous "légalement fou" ?

— La définition de "légalement fou" est : Vous ne saviez pas ce que vous faisiez, et vous ne saviez pas que ce que vous faisiez était mal. Pour ma part, *je savais que je tuais ces filles-là*, donc j'étais disqualifié d'emblée. Or je rencontre différents types de tueurs tous les jours, des gars qui ont tué leur femme, ou quelqu'un au cours d'un vol, et je peux vous dire que, quand vous décidez que telle personne doit mourir, quelles que soient les raisons, vous êtes fou. Mais, ici, en Amérique, nous sommes plus portés sur la punition que sur le traitement.

— Lors de votre arrestation, les policiers ont découvert chez vous des livres sur les tueurs en série. Pourquoi vous les étiez-vous procurés ?

— Au départ, je me demandais si j'étais un tueur en série. Pourquoi faisais-je ça ? Pouvais-je m'arrêter ? Pourquoi est-ce que ça m'arrivait ? Après mon premier meurtre, je ne pensais pas que je recommencerais, mais, ce meurtre, je le repassais en boucle dans mon esprit et je le décortiquais. Inconsciemment, ces réflexions ont peut-être facilité le deuxième meurtre. Le troisième, c'était pour me débarrasser des images du deuxième. À ce moment-là, je me disais : "Pendant une heure, j'ai essayé de me convaincre de ne pas passer à l'acte." Nous avions couché ensemble, elle s'était endormie, et finalement je l'ai tuée. J'en ai reçu une telle décharge d'adrénaline que je courais partout dans la maison.

— Il paraît que vous aviez le livre d'Arthur Shawcross.

— C'est une invention des médias. Par contre, après mon troisième meurtre, je me suis procuré *The Search for The Green River Killer*. À ce moment-là, je ne savais pas qu'il s'agissait de Gary Ridgway. Dans ce livre, on apprend par exemple que, si vous abandonniez un cadavre dans le comté A et un autre dans le comté B, les autorités de ces comtés, même s'ils sont voisins, n'entraient pas en contact. Ils agissaient comme des pays différents. C'est pourquoi j'ai commencé à éparpiller les cadavres. Mon procès s'est déroulé dans cinq comtés, et quatre autres auraient pu m'accuser, peut-être même un cinquième.

— Le livre vous a-t-il motivé ?

— Non. J'avais déjà commencé à tuer, j'en étais déjà à trois meurtres. Par contre, le livre m'a appris beaucoup de choses sur moi-même. C'est-à-dire que des hypothèses au sujet de Gary Ridgway concordaient avec ma vie. Les auteurs pensaient que le tueur de la Green River travaillait de jour, probablement avec une camionnette. Eh bien, j'avais mon entreprise d'aménagement paysager et je roulais en camionnette! Je me suis dit: "Wow, ils parlent de moi."

— Pensiez-vous aux familles des victimes?

— Non. Même quand j'ai appris que plusieurs de ces filles avaient des enfants, je ne me suis pas laissé impressionner. Elles n'étaient pas de vraies mères, seulement des mères biologiques. Elles s'intéressaient d'abord à elles-mêmes, ne pensaient qu'à se droguer, ensuite elles pouvaient s'intéresser à leurs enfants. D'ailleurs, plusieurs de ces enfants vivaient avec leurs grands-parents ou dans des familles d'accueil. Avant les meurtres, j'ai fréquenté deux filles pendant environ quatre mois, et j'ai beaucoup appris sur elles, sur leur vie d'avant et sur leur vie de prostituées. L'une d'elles avait deux enfants en Californie, mais elle ne savait pas quel âge ils avaient. L'autre voulait quitter le milieu, je l'ai même conduite dans un centre de désintoxication, mais elle a eu peur et n'a pas voulu y entrer. Je l'ai aussi emmenée chez ses parents pour qu'elle voie son enfant d'un an. Elle a éventuellement quitté le milieu et j'ai un jour appris qu'elle travaillait pour une compagnie d'assurances, au service à la clientèle. L'autre fille était toujours prostituée 10 ans plus tard.

— Avez-vous certains regrets, aujourd'hui?

— Oh, oui. J'ai tué une fille un 26 décembre, alors, à Noël, je pense à elle et à ses deux enfants. Pour eux, le temps des fêtes doit être bien désagréable. Par contre, elle avait le sida et passait son temps aux urgences psychiatriques, c'était une droguée chronique. Alors, même si je ne l'avais pas tuée, serait-elle aujourd'hui auprès de ses enfants? Cela dit, je ressens davantage de remords envers ma famille. J'ai l'impression de les avoir trahis, surtout ma sœur qui aujourd'hui prend soin de ma mère vieillissante. Je ne suis pas là pour les aider.

— Perceviez-vous vos victimes comme des objets?

— Il était nécessaire pour moi de les dépersonnaliser. On enseigne à un militaire à ne pas penser qu'il a tué quatre hommes dans un tank, mais qu'il a tué un tank. Un tank n'a pas de famille qui l'attend à la maison. Ainsi, je me suis menti à moi-même en m'imaginant qu'elles étaient seules au monde, qu'elles étaient des pestiférées qui voulaient détruire ma vie. Le plus gros des mensonges était de croire que je leur faisais une faveur. Comme leur dépendance aux drogues était à mes yeux un lent suicide, et que les suicidés ne vont pas au paradis, je croyais les aider. Il y avait même le mensonge altruiste : en tuant des toxicomanes, je nuisais aux barons de la drogue et peut-être même aux marchands d'armes. Enfin, il y avait le mensonge ultime : je croyais sauver des vies innocentes en empêchant les hommes de contracter le VIH et d'infecter leurs épouses, leurs petites amies. L'esprit peut engendrer des mensonges pour légitimer n'importe quoi. Aujourd'hui, j'ai beaucoup de mal à me cacher derrière ces excuses ou à me justifier. L'unique événement ayant mis en perspective ce que j'ai fait fut les attentats du 11 septembre 2001. Voir dans les rues de New York les photos de tous les disparus recherchés par leurs proches, des jours après l'effondrement des tours, m'a fait comprendre que mes victimes avaient elles aussi été des visages sur des affiches, que ces femmes manquaient à de vraies familles.

— Selon vous, quelle est la différence entre vos anciennes petites amies, votre mère, votre sœur et les femmes que vous avez tuées ?

— Une prostituée est un vagin en location. Dans mille ans, pour supprimer complètement l'élément humain, les hommes utiliseront probablement des androïdes pour cette besogne. Avec les prostituées que j'ai connues, il n'y avait pas d'affection ni même un semblant d'affection. Il s'agissait pour elles de gagner l'argent pour leurs prochaines doses. Je n'étais pas très différent avec elles. Je voulais voir et sentir un corps nu à côté du mien, n'importe quel corps. La moitié du temps je payais pour une pénétration et l'autre moitié pour une fellation. Quand j'étais avec mes petites amies et qu'elles n'avaient pas envie de faire l'amour, une professionnelle me permettait de me soulager. De plus, aucune de mes petites amies n'était portée sur le sexe oral. Alors, plutôt que de les embêter avec ça, j'allais voir une prostituée. Utiliser un être humain pour le sexe ne m'a jamais causé de problèmes moraux ni le moindre sentiment de culpabilité. »

Tout comme Rifkin, John Eric Armstrong s'en prenait aux prostituées. Pourtant, il avait tout de l'homme « parfait ». Après sept années dans la Navy, il s'est retiré à l'âge de 25 ans, en 1999, avec des médailles d'honneur. Il avait rencontré sa femme et avait un avenir des plus prometteurs. Ayant toujours montré une nature calme, il voulait devenir policier et prendre soin de sa famille. Pourtant, de 1993 à 2000, il a étranglé des prostituées, possiblement dans plusieurs pays.

Dans sa jeunesse, Armstrong avait beau participer à des activités parascolaires, il était isolé, rejeté et soumis à des brimades. De plus, son père l'abusait sexuellement et battait sa mère. À 5 ans, il a trouvé son petit frère mort dans son berceau à l'âge de 2 mois et 1 jour, frappé du syndrome de mort subite du nourrisson, mais John Eric Armstrong croit toujours que son père a tué l'enfant.

Personne ne s'imaginait que, après avoir joué avec son enfant et embrassé sa femme enceinte, ce roux à lunettes parcourait les rues de Dearborn Heights, Michigan, en quête de proies faciles.

Armstrong compte parmi les tueurs en série qui aiment tuer. Il recherchait les décharges d'adrénaline, comparant le meurtre à un plaisir de drogué, parlant même d'« euphorie ». « C'était une sensation forte que de tuer. J'aimais voir le choc et la surprise dans leurs yeux pendant que je les étranglais. Je voyais leur essence vitale se retirer jusqu'à ce qu'elles meurent. » Un jour, il est allé jusqu'à contacter les autorités policières pour leur dire qu'il avait découvert un cadavre. Cette erreur allait mener à son arrestation.

Reconnu coupable de cinq meurtres commis en 1999 et 2000 dans le Michigan, l'homme de 1,90 m affirme avoir tué des prostituées partout où il s'était trouvé avec la Navy entre 1993 et 1999 : Washington, Hong-Kong, Thaïlande, Hawaï, Moyen-Orient. En tout, il aurait donné des détails sur une trentaine de meurtres. Cependant, après plusieurs enquêtes infructueuses et cinq sentences à vie, dont une sans possibilité de libération conditionnelle, les autorités ont abandonné les recherches. On ne saura donc jamais si Armstrong dit vrai.

Les prostituées sont des machines à sexe qui ne valent rien, m'a dit Armstrong. Elles se dégradent juste pour le sexe et la drogue. Une de mes professeurs au collège nous l'avait très bien expliqué : les prostituées sont là pour faire ce que notre femme ou notre petite amie ne fait pas au lit. Moi, je les voyais comme de la merde. Si elles se respectaient, elles ne feraient pas ce qu'elles font. Alors, si personne ne se préoccupait d'elles, pourquoi l'aurais-je fait ? Je me foutais vraiment de mes victimes et de ce qu'elles pouvaient endurer.

De son côté, Joel Rifkin savait que ce qu'il faisait était mal.

« Joel, si vous n'aviez pas été arrêté, auriez-vous pu faire cela encore longtemps ?

— Je faisais des efforts pour arrêter. Je cherchais même des propriétés pas chères dans le Sud. Je voulais m'acheter un terrain pour y mettre un *mobile home* ou un chalet. Et puis, dans le Sud, on voit rarement les prostituées dans les rues. Cela se passe dans les bars routiers, ou dans les parkings de ces bars. De plus, le souteneur est toujours sur place et veille au grain. Tous ces facteurs m'auraient sans doute empêché de recommencer.

— Aviez-vous un casier judiciaire avant cela ?

— Oui. J'ai été condamné pour trouble à l'ordre public et sollicitation d'une prostituée.

— Avez-vous déjà pensé à vous tuer ?

— Oui, le soir de l'accident. J'avais les flics aux trousses et dans un virage les freins de la camionnette ont lâché. J'ai continué quand même et, quand je suis arrivé à une intersection en T, il y avait devant moi un grand arbre et un lampadaire. Puisque j'aime les arbres, j'ai visé le lampadaire et j'ai accéléré. Je l'ai fauché et il est tombé sur la camionnette. Je ne portais pas ma ceinture de sécurité, j'aurais pu passer à travers le pare-brise.

— C'est ce que vous vouliez ?

— Oui, j'ai pensé qu'il n'y avait pas de raison de continuer. Il y avait un corps dans la camionnette, je savais que j'étais cuit.

— Comment se fait-il que vous conduisiez sans plaques d'immatriculation ?

— Je les avais enlevées pour faire toutes sortes de réparations et j'avais oublié de les remettre. Pendant ce temps, j'avais un cadavre dans le garage.

— Est-ce vrai que l'accident s'est produit devant le palais de justice ?

— Oui. Une des ironies de mon procès.

— Vous êtes-vous vraiment endormi en plein procès ?

— Oui. Le premier jour.

— Pourquoi ?

— Parce que le procureur, dans son introduction, inventait des trucs. C'étaient que des conneries, alors je me suis dit : "Nah, je n'ai pas besoin d'entendre tout ça." Et je me suis endormi !

— Vous ne vous inquiétiez pas de ce qu'on pouvait en dire ?

— Non. Bien sûr, les journaux ont mis ça en première page.

— Comment a réagi votre mère lorsqu'elle a appris que vous étiez coupable de meurtres ?

— Je ne sais pas. C'est l'une des petites choses qu'elle cache. Ma mère est très discrète. Ma sœur aussi. Cependant, je sens qu'elles m'aiment beaucoup, inconditionnellement. Ces événements nous ont rapprochés. Je suis très surpris par les relations que nous avons, compte tenu des raisons pour lesquelles je suis ici. Un tas de gars n'ont plus aucun rapport avec leur famille. Vous arrivez ici et votre famille dit : "O.K., ça y est, c'est fini." Donc, je leur suis très reconnaissant pour ça…

— Si vous pouviez remonter dans le temps, changeriez-vous quelque chose ?

— Aujourd'hui, je prends du Paxil, un antidépresseur. C'est le seul médicament contre l'anxiété sociale. Si je n'en prenais pas, nous ne pourrions pas avoir cette conversation. Vous auriez un tas de "heu", de grognements, ho, ah. Ç'a beaucoup changé ma personnalité. Je suis certain que si ç'avait existé lorsque j'allais à l'école, rien de tout cela ne serait arrivé. J'aurais été capable de dire aux gars d'aller voir ailleurs et je n'aurais pas été asocial. Tout est une question de *timing*. Si je pouvais remonter dans le temps avec le Paxil ? Ouais ! Ce serait génial. Je changerais les choses pour le meilleur et je rencontrerais plus de gens. J'aurais eu besoin de rester à l'école et d'avoir une bonne vie sociale au lieu d'aboutir chez les prostituées. J'ai tout raté parce que je ne suis allé à aucun cours pendant mon dernier semestre. J'ai juste arrêté.

— Que faisiez-vous, alors ?

— Je dormais. J'étais vraiment dépressif et je ne pouvais plus fonctionner.

— Vous considérez-vous comme un homme violent ou agressif ?

— Non. Je ne donne même pas de coups de poing dans les bagarres. Je me mets en boule et me laisse frapper.

— Que pensez-vous de l'amour ?

— C'est une illusion pour moi.

— Et de l'amour en général ?

— L'amour est une chose rare et extraordinaire. Mystérieuse.

— Êtes-vous religieux ?

— Né juif, j'ai été confié à une agence d'adoption juive, avec le souhait de ma mère biologique que je sois élevé dans le judaïsme. Mon père adoptif était juif de naissance et ma mère adoptive s'est convertie. Mais nous étions plutôt laïcs. Nous n'allions pas à la synagogue, nous ne mangions pas casher et nous nous habillions comme le reste du monde. Toutefois, nous vivions dans un quartier juif. Il faut comprendre que le judaïsme est à la fois une religion et une culture. Un juif est un juif de la naissance jusqu'à la mort, même s'il n'est pas pratiquant. Personnellement, je crois davantage à l'évolution et à la géologie qu'à la Genèse avec Adam et Ève, le Déluge, ces trucs-là. Les juifs orthodoxes croient que le monde a 5768 ans, alors que, on le sait, il est vieux de quelques milliards d'années. Si le monde est la parfaite création de Dieu, je me demande alors pourquoi certaines espèces s'éteignent. Étaient-elles des erreurs, ou Dieu s'est-il lassé d'elles ? La Bible et la religion ne m'ont jamais expliqué les dinosaures, ni les crânes d'hominidés, ni les milliards d'étoiles. Malgré tout, je trouve un grand réconfort dans les rituels et les traditions du judaïsme.

— Vous sentez-vous seul ?

— Je me suis toujours senti moins seul ici que dehors, même quand j'étais enfermé 23 heures par jour. Ici, il y a une camaraderie. On est tous dans le même pétrin. On s'ennuie tous terriblement, nos familles nous manquent pendant les vacances, alors on parle, on se raconte des histoires, on se fait des blagues et on discute de sport. Je me réjouis tout de même, à 10 heures, d'entendre sonner la cloche du silence. J'aime avoir un peu de temps pour rester seul et tranquille.

— D'après vous, qu'est-ce que les gens ne comprennent pas dans votre affaire ?

— Je ne pense pas qu'ils soient capables de faire la différence entre ma personne et l'énormité de mes crimes. Un homme comme moi peut encore faire des choses positives pour la société, mais on préfère nous écarter complètement. Par exemple, j'aime dessiner, mais la loi m'interdit de vendre mes œuvres. Bon, je peux comprendre. Mais nous n'avons pas même le droit de les donner aux organisations caritatives. Pour moi, c'est n'importe quoi. La plupart des prisonniers seront libérés un jour ou l'autre, et il me semble qu'on devrait dès maintenant les encourager à penser aux autres. Pour favoriser la réinsertion sociale. Mais les gens veulent que les criminels, surtout ceux qui ont tué, soient totalement exclus de la société. J'ai tué, oui, mais je peux quand même ressentir les choses et me préoccuper de ce qui se passe hors de ces murs.

— Y a-t-il quelque chose que vous aimeriez faire pour la société ?

— J'aimerais fonder La Maison Ohola[20], où d'anciennes prostituées pourraient finir en paix leur cure de désintoxication tout en se préparant à réintégrer la société. J'ai soumis cette proposition aux autorités, qui font la sourde oreille, mais je n'ai pas perdu espoir. »

---

20. Ohala : prostituée présumée du livre d'Ézéchiel, mais il s'agirait en fait d'une personnification de la Samarie.

Joel Rifkin a toujours fait couler beaucoup d'encre ou bien par ses meurtres, ou bien en poursuivant le pénitencier pour l'avoir enfermé 23 heures sur 24 pendant plus de 4 ans, et maintenant en voulant mettre sur pied cet établissement d'utilité publique pour les prostituées, ses victimes.

« Pourquoi souhaiteriez-vous aider les prostituées, aujourd'hui ?

— En prison, tous les jours des prisonniers ou des gardiens me disent : "Comment as-tu pu faire ça ? Tu n'es qu'une merde !" J'ai compris que j'ai détruit la vie de ces femmes, mais aussi ma propre vie. C'est juste une manière de rendre à la société un peu de ce que je lui ai pris.

— Pour terminer, comment décririez-vous un tueur en série ?

— Le meurtre en série, c'est une sorte de dépendance. Je pense que c'est une maladie mentale encore mal connue. Mais je ne sais pas si les gens veulent vraiment la connaître. Tant que ça reste un crime, ils savent quoi en faire. Tout le truc Hannibal Lecter… Hollywood en a fait des millions de dollars. »

Il n'était que 14 h et Rifkin avait répondu à toutes mes questions. Sachant que je devais publier mon article très bientôt, il m'a proposé de développer certaines réponses par écrit.

Je l'ai laissé manger les dernières gâteries qu'il ne pouvait pas emporter avec lui. Soudain, je me suis rendu compte que je ne m'étais jamais fait photographier avec les hommes interviewés. J'ai donc demandé aux gardiens de nous prendre en photo, Rifkin et moi, mais ils m'ont dit que c'était interdit. Alors, ils l'ont photographié, lui, d'un côté de la table, puis m'ont photographiée, seule, de l'autre côté de la table. Je n'aurais qu'à ajuster ces deux photos l'une à l'autre pour montrer que nous avions été assis face à face. Sur ce, j'ai remercié Rifkin et les gardiens, et je suis partie.

J'étais, encore une fois, contente de l'entrevue et des réponses de Joel Rifkin qui m'en avait beaucoup appris sur les motifs des meurtriers récidivistes.

De retour à la maison, j'ai entrepris la rédaction de l'article et j'ai remis les photos à mon rédacteur en chef. Quelques jours trop tard, je recevais les réponses de Rifkin à des questions supplémentaires. Il écrivait à la machine.

Bonjour Nadia,

Merci pour le dîner et l'interview plus qu'agréable. Vous êtes très bonne dans ce que vous faites. En fait, j'apprécie rarement une entrevue.

J'espère que ça ne vous dérange pas, mais je triais mes papiers et j'ai rassemblé un dossier de presse pour vous. J'espère juste que ça arrivera à temps. J'inclus dans l'enveloppe des copies en couleurs de deux de mes dessins. Elles sont un peu abîmées par l'eau, mais ce sont les seules qu'il me restait. Il y a aussi un résumé de mon projet, La Maison Ohola, et des articles de journaux sur le sujet.

Au fait, vous êtes la première personne qui ne m'a pas demandé de réciter la liste des victimes de 1 à 17. Je vous en remercie. Les gens qui veulent le savoir n'ont qu'à faire des recherches, c'est facile à trouver. J'ai aussi repensé aux trous de mémoire que j'ai eus pendant notre conversation.

Cela dit, j'ai toujours trouvé les femmes intimidantes, et encore plus celles qui ont une grande confiance en elles-mêmes (comme vous).

Je me dépêche de vous envoyer tout ça avec le courrier du matin. J'espère que tout est clair. J'espère vous lire à nouveau rapidement, et passez de bonnes vacances.

Paix,
Joel

J'ai réécrit à Joel Rifkin à quelques reprises, mais il éprouvait alors des problèmes personnels et six mois pouvaient s'écouler avant qu'il me réponde. Néanmoins, dans ses lettres, il réitérait son désir d'aider les prostituées.

CHAPITRE 6

Richard Cottingham : Le décapiteur

« Les experts vous diront que le viol n'est pas pour le sexe, mais pour le pouvoir et le contrôle. Ils ont raison à moitié. Il est vrai que le sentiment de puissance est ce que le tueur en série recherche en premier lieu. Jouer à être Dieu est un aphrodisiaque pour lui. Et, quand vous tenez l'existence d'une personne entre vos mains et que cette personne le sait, vous devenez Dieu à ses yeux. Mais c'est par le sexe, et seulement par le sexe, qu'il atteint la toute-puissance absolue. Voilà où les experts échouent dans leur tentative de comprendre le tueur en série. »

NOM : Richard Francis Cottingham

SURNOM : The Torso Killer

DATE DE NAISSANCE : 25 novembre 1946

ÉTAT CIVIL : Divorcé

DURÉE DES MEURTRES : Plus de 14 ans

NOMBRE DE MEURTRES : 6 femmes, (mais possiblement près d'une centaine de femmes)

STATUT : Incarcéré dans l'État du New Jersey depuis 1980

D ans un hôtel de New York, des femmes étaient retrouvées sans mains ni tête. L'une d'elles avait la région génitale en feu. Tailladés au couteau, les corps nus couverts de sang rouge et noir étaient étendus sur un lit ou sur le plancher. D'autres femmes étaient retrouvées menottées et bâillonnées avec du ruban adhésif, au bord des routes du New Jersey.

Ces martyres avaient toutes croisé le Torso Killer, ce monstre que les autorités américaines ont recherché désespérément durant les années 1970 et jusqu'en 1980. Sans scrupules, il violait, torturait et décapitait ces femmes.

Pendant ce temps, Richard Cottingham avait fière allure. Au début de la trentaine, informaticien depuis 13 ans, il était père dévoué de 3 charmants enfants, époux d'une charmante femme. Intelligent et résolu, il respirait le bonheur. Les siens et tout son entourage lui vouaient une admiration sans bornes. Nul n'aurait pensé que ce sourire séduisant cachait une autre personnalité. Un esprit très sombre. Une bête sanguinaire qui n'avait aucune pitié pour ses proies. Affublé d'une perruque et de lunettes, il sollicitait les prostituées qu'il droguait avant de les plonger dans les pires cauchemars. En outre, il allait lui-même me révéler des actes inédits.

Pourtant, rien de l'enfance de Richard Cottingham ne laissait présager ce destin. C'est la raison pour laquelle les autorités l'appelaient l'« Énigme ». Cottingham était fier de ce surnom. Tout comme Keith Jesperson et Ted Bundy, certains tueurs en série aiment beaucoup passer pour l'exception à la règle. Ils aiment faire croire aux gens que rien ne les prédisposait au mal. Pourtant, les enquêtes des autorités et les recherches des spécialistes révèlent qu'ils auraient tous subi de grands traumatismes pendant l'enfance et l'adolescence – sévices sexuels, humiliations, abandon, rejet, etc. Cottingham m'a finalement avoué qu'il y avait effectivement des événements dont il n'avait pas encore pu parler.

Richard Cottingham, lui, avait de bons parents, même si son père était souvent absent du foyer. L'enfant élevait des pigeons et pleurait lorsque l'un d'eux était blessé. Il n'a jamais été victime d'abus sexuels. Il a fréquenté de bonnes écoles et avait une intelligence supérieure à la moyenne.

Et puis, un jour, il a quitté un établissement scolaire où il était admiré de tous pour se retrouver dans une école où il serait rejeté. C'est alors qu'il est rentré dans sa coquille et qu'il est devenu solitaire. La famille Cottingham a déménagé encore une fois, quelques années plus tard, mais il était trop tard. Dans la tête du jeune Richard, le mal était fait. Il aurait pu avoir l'estime des élèves de sa troisième école, mais il ne la désirait plus. À ses yeux, c'était fini. Sous sa carapace, il méditait des desseins infernaux.

Arrêté en 1980 et condamné à 268 ans de prison pour 5 meurtres, il n'a jamais avoué sa culpabilité. Pendant 29 ans, les détectives l'ont maintes fois interrogé pour lui faire admettre ces homicides et d'autres pour lesquels il est soupçonné, mais le sexagénaire incarcéré au pénitencier de Trenton a toujours refusé de parler. C'était donc tout un défi pour moi.

Sans m'illusionner, je lui ai tout de même écrit. Lorsque j'ai reçu sa lettre, je m'attendais à un refus poli, mais voici ce qu'il m'avait écrit :

> Habituellement, je refuse les demandes d'entrevue. Sachez que, le jour où j'ai reçu votre lettre, *20/20*[21] m'a sollicité une interview. Je ne leur ai pas répondu. J'ai refusé beaucoup de propositions lucratives. Pour deux raisons. La première : j'ai toujours gardé ma vie secrète. La seconde : j'ai trois enfants que je me suis juré de protéger. Je ne peux le faire qu'en restant muet.

Il avouait ne pas savoir pourquoi il m'avait répondu. Peut-être, pensait-il, parce que je vivais au Canada et non dans son pays. Peut-être parce qu'il correspondait déjà avec une fille de l'Ontario et qu'elle ne l'avait jamais trahi. Il ne savait pas. Cela dit, il n'était pas prêt dans l'immédiat à répondre à mes questions, et il ne me promettait rien non plus. Il devait d'abord prendre le temps de me connaître.

Ce que Cottingham ignorait, c'est qu'il me jetait le plus grand défi, celui de le faire parler, ce que personne n'avait jamais réussi. Nous ignorions tous deux où cette correspondance nous amènerait.

En faisant une exception en ma faveur, il esquissait une ouverture. Mais je devais être patiente avec lui. La première année de notre correspondance, il sous-entendait des choses. Par exemple, qu'il avait tué beaucoup plus de personnes qu'on ne le croyait. Je le devinais à des bouts de phrases comme : « ce serait beaucoup trop long à énumérer », ou : « vous ne vous rendez pas compte de l'ampleur de votre question ».

Cottingham voulait que je détruise ses lettres ou que je les classe sous un faux nom dans mes dossiers. Si les enquêteurs découvraient qu'il m'écrivait, disait-il, ils pourraient remonter jusqu'à moi pour me demander ses lettres.

Toujours est-il que, sans répondre explicitement à mes questions, il me révélait tout de même des indices importants. Il ne mentionnait jamais de cas particuliers et ses récits pouvaient recevoir plusieurs interprétations. Mais je ne voulais pas lâcher prise. Plus le temps passait, plus je voulais réussir à le faire parler.

Cottingham aimait me poser des questions embarrassantes. Il disait vouloir en savoir plus sur moi, que c'était un échange. S'il se confiait à moi, je devais en faire autant. J'avais peur qu'il me pose des questions vraiment très personnelles, mais il ne l'a pas fait. Ou alors,

---

21. Magazine d'information de la chaîne ABC (American Broadcasting Corporation).

les rares fois où c'est arrivé, j'ai pu éluder la question ou répondre banalement.

Pendant que j'écrivais à Cottingham, je le faisais aussi avec d'autres tueurs en série, mais je ne leur avais pas mentionné correspondre avec d'autres *serial killers*. Le Dr Jean-Roch Laurence de l'université Concordia m'avait conseillé d'agir ainsi, pour que chacun se sente important. Cela dit, ils étaient tous importants à mes yeux, mais auraient-ils aimé savoir que je correspondais avec 19 meurtriers sériels?

Quand Cottingham m'a posé la question, je lui ai avoué que j'écrivais aussi à d'autres, et il s'est senti plutôt jaloux. J'ai pensé que c'était un pas dans la bonne direction, que cela signifiait qu'il voudrait se rapprocher davantage de moi. J'espérais toujours pouvoir écrire mon article sur lui, mais la date de tombée approchait à grands pas, alors je lui en ai parlé et il m'a répondu ceci:

Je sens que nous avons atteint le point où je dois prendre une décision. Pourtant, je suis encore incertain. Mais, compte tenu de votre date de tombée, il serait injuste de ma part de vous faire poursuivre cette correspondance pour rien. De mon côté, le temps n'est pas important. Et j'aime avoir de vos nouvelles. La majorité des femmes qui m'écrivent sont des folles ou des putes, ou sont aussi perverses et immorales que moi. Mais je peux parler librement avec elles. Je peux plonger dans l'intimité, être sexuel, vulgaire, etc. Je suis désolé, mais vous écrire est plutôt une corvée. Je dois toujours être sur mes gardes, surveiller mon langage et mes pensées. C'est pourtant une bonne chose, Nadia. Parce que vous êtes une gentille dame. Le meilleur genre de personne à qui je puisse espérer parler. Mais c'est aussi beaucoup de travail pour moi. Si je le fais, c'est pour vous.

Finalement, Cottingham a accepté de me rencontrer, à la condition que l'article soit écrit en français. J'ai donc soumis une demande d'entrevue aux autorités de la prison, mais elles ont refusé, sous prétexte que des membres des familles des victimes pourraient lire mon article. Frustré, Cottingham m'a dit que les autorités auraient sans doute accepté si l'entrevue avait été menée pour la télévision. On lui avait déjà demandé, paraît-il, s'il acceptait d'être interviewé par des journalistes de la télévision. Quoi qu'il en soit, je sentais Cottingham déçu de ne pouvoir me rencontrer. Néanmoins, j'avais un article à écrire et je lui ai envoyé la liste de mes questions, sans savoir s'il y répondrait par écrit. Au bout du compte, il a répondu à la plupart d'entre elles.

Quel genre d'enfant étiez-vous ?

Dès l'enfance, j'étais toujours dans le feu de l'action. J'étais éveillé et intelligent, mais aussi timide et très sensible. J'étais très bon à l'école lorsque je m'en donnais la peine. À l'âge de 7 ou 8 ans, j'avais déjà deux petites amoureuses. Elles s'étaient même battues pour moi ! J'avais souci de plaire, mais au fond je me suis toujours senti solitaire, séparé des autres. Paradoxalement, j'avais aussi l'impression de pouvoir diriger les gens, de pouvoir les contrôler.

Quelles étaient vos ambitions ?

Même enfant, je devais toujours être le meilleur dans tout ce que je faisais, ou alors je ne le faisais pas. De façon subliminale, j'étais un manipulateur compulsif. Les choses devaient se faire à ma façon, ou pas du tout.

Comment s'est déroulée votre enfance ?

Assez normalement. Solitaire, parfois heureux, parfois triste, jusqu'en septième année. Je m'intégrais partout et je m'entendais particulièrement bien avec les filles. Elles me couraient après et j'étais facile à attraper. Mais, même à cette époque, j'étais le patron et elles devaient faire ce que je leur demandais, sinon je les larguais. J'avais grand besoin de témoignages d'attention, mais je faisais comme si cela m'était égal. Je me liais surtout avec des filles, mais j'avais quand même de bons amis.

Quels événements vous ont marqué pendant votre enfance ?

Quand j'avais 11 ou 12 ans, nous avons déménagé et je me suis retrouvé dans une école catholique où l'on séparait les garçons des filles. Tous se connaissaient et je restais à l'écart. Je n'étais plus le centre du monde et je me sentais loin des filles. Par la suite, j'ai fréquenté une école secondaire publique. Je n'étais plus le séduisant garçon timide d'autrefois, mais un adolescent maladroit et introverti. Par contre, j'étais si doué pour le vol à l'étalage que je n'ai jamais été pris sur le fait. Si je m'étais fait pincer à un jeune âge, j'aurais appris une leçon et mon destin aurait peut-être été différent.

* * *

Eh bien, ma chère dame, si vous doutiez encore de mon engagement, sachez qu'on passe à la télé, en ce moment, un film érotique, et me voici en train de taper sur cette machine à écrire infernale (avec un œil sur la télé) pour vous envoyer ceci le plus vite possible. Nous voyons rarement ce genre de film, sauf parfois lors de la journée des films espagnols (les films espagnols ne sont pas classifiés).

*   *   *

Nadia, pour analyser mon enfance, vous devez comprendre le contexte historique. C'était très différent de ce que vous avez pu connaître et encore plus différent de ce que les jeunes vivent aujourd'hui. À cette époque, on ne pouvait se procurer des drogues qu'au centre-ville. Les durs étaient ceux qui fumaient des cigarettes. Une mauvaise fille était celle qui se laissait toucher un peu. Je n'avais jamais vu un fusil et je ne connaissais personne qui en avait un. Les jeunes étaient tous rentrés à 22 h et se disputaient rarement avec leurs parents à ce sujet. Les minijupes n'existaient pas ; les collants sont apparus au milieu des années 1960. Les filles s'habillaient plus décemment qu'aujourd'hui et les garçons étaient généralement plus respectueux envers elles. Nous leur tenions les portes et payions tout lors de nos rendez-vous galants. Nous achetions beaucoup de fleurs et de bonbons. Ce que je veux dire, c'est que les normes ont changé et qu'un «mauvais» enfant de l'époque paraîtrait tout à fait normal aujourd'hui. On ne mettait pas les jeunes en prison et on ne les poursuivait pas comme s'ils étaient des adultes. On nous laissait toujours la possibilité de nous amender et les crimes étaient moins violents qu'aujourd'hui.

Quelqu'un a-t-il ressenti ou perçu ces problèmes ?
Personne n'était près de moi à ce point. Personne n'avait donc le moindre soupçon. En plus d'être un bon voleur, je jouais bien la comédie. De toute façon, je ne cherchais pas d'aide.

Passiez-vous vos frustrations sur autre chose (pyromanie, maltraitance des animaux, etc.) ?
Je n'ai jamais ressenti le besoin ou le désir d'incendier des bâtiments. Mes meurtres ne peuvent pas être attribués à quelque chose d'aussi simple que la frustration, la rébellion ou un comportement antisocial. C'est pourquoi la plupart des gens qui me connaissaient ne me croient toujours pas coupable. Plusieurs policiers m'ont également fait part d'une opinion semblable au moment de mon arrestation. Les journaux parlaient de moi comme d'une énigme. Maintenant, tout le monde s'en fout. Ils doivent me considérer comme coupable, sinon

leur confiance en le système de justice en serait ébranlée. Quant aux animaux, j'élevais autrefois des pigeons. Quand l'un d'eux avait une aile brisée et qu'on devait le tuer, je ne pouvais pas le faire moi-même. Je pleurais pendant des jours. J'avais également l'habitude de me lever tôt pour nourrir les cerfs, au milieu de l'hiver, quand la neige était épaisse et qu'ils souffraient de la faim. Nous habitions à la campagne.

Eh bien, Nadia, ça fait déjà plus de six heures que je travaille à mes réponses. Je commence à être fatigué, étourdi et frustré... Oups, vous venez de me faire admettre que je peux devenir frustré (sourire). Parfois, je suis frustré parce que je n'arrive pas à bien transposer mes idées sur papier.

De retour au travail.

J'ai cette maudite souris qui vient dans ma chambre chaque nuit. Elle me fait penser un peu à vous. Dure jusqu'aux os. Je dis ça avec respect... Je ne vous compare pas à une souris. Mais, si je vois que c'est une femelle, devinez comment je vais l'appeler ?

Blâmez-vous quelqu'un d'autre pour tous ces meurtres ?
Seulement moi-même. Quoique, pas tout à fait. Mais, puisque je vous ai promis que mes réponses seraient 100 % franches et honnêtes, je dois admettre que je blâme partiellement quelqu'un d'avoir créé la situation qui m'a propulsé sur le chemin qu'on connaît. Sans ça, ma vie aurait bien pu tourner autrement.

Avez-vous violé vos victimes ?
Ai-je violé mes victimes ? Tout dépend de votre conception du viol. Il y a une définition juridique, technique du viol, et il y a la zone d'ombre que je créais et qui prête à confusion. Par exemple : j'emmène une fille prendre un verre. Elle est bientôt saoule, moi pas. Et nous avons ensuite des relations sexuelles. Elle est consentante, ou du moins ne s'y oppose pas. Par contre, si elle avait été sobre, elle n'aurait jamais consenti au sexe. Maintenant, si mon but est de la saouler, puis de l'entraîner au lit pour coucher avec elle, est-ce un viol ? Ou est-ce seulement que la fille est une idiote ? Selon une interprétation stricte de la loi, cela pourrait peut-être être un viol. Cela dit, je n'ai jamais forcé une fille à coucher avec moi. Je n'avais pas à le faire. J'étais capable de les manipuler et de créer des situations compliquées dont elles ne pouvaient plus se sortir que par le

sexe. Et nous finissions toujours par être amis. Cela peut être difficile à comprendre, mais ces filles finissaient toujours par m'aimer, et demandaient souvent à me revoir. Et je ne parle pas que des prostituées. J'étais le maître de la tromperie. Je pouvais tromper un trompeur. Je pouvais charmer une bonne sœur pour lui faire enlever sa culotte. Les prostituées me pensaient riche et voyaient en moi une proie facile. Les proxénètes me prenaient pour un policier et m'offraient parfois des filles gratuitement. Pendant des années, ma femme m'a considéré comme le mari parfait. Et je l'étais. Mes collègues n'avaient aucune idée de mes activités nocturnes. Je pratiquais l'art d'être celui que les gens pensaient que j'étais ou voulaient que je sois. Donc, au regard de la loi, et sans doute selon votre interprétation, je serais coupable de plusieurs centaines de viols. À mes yeux, ce n'était qu'un jeu.

Comment vous percevez-vous ?
Je vois ma vie comme celle de l'« architecture du mal pur ». Non désiré, non demandé, non apprécié et non aimé. Je ne pense pas qu'on puisse naître et vivre de cette façon. Je crois que certains événements traumatisants, qui se produisent tôt dans la vie, dirigent l'évolution d'une personne. Ce qui est traumatisant pour un individu ne l'est pas nécessairement pour un autre. Je crois que certains sont plus enclins à être influencés par les traumatismes de l'enfance. Par la suite, ma vie est devenue incontrôlable, sous l'emprise d'une force si puissante que les conséquences en devenaient insignifiantes. Et mon incapacité à « vouloir » contrôler ces impulsions est ce qui m'a fait comme je suis.

*   *   *

Je vais m'arrêter ici et vous envoyer ces réponses. Espérons que je pourrai continuer demain, mais je crois que je m'ouvre trop. Nadia, je n'ai pas besoin de m'expliquer ou d'expliquer mes actes. Je suis une personne trop secrète pour cela. Je dois d'abord penser à mes enfants. C'est pour eux que je n'ai jamais plaidé coupable. Si je l'avais fait, j'aurais pu sortir après 30 ans, soit dans 3 ans. Mais je voulais que mes enfants puissent croire que leur cœur leur disait la vérité. Maintenant, j'ai peur que, s'ils « googlent » mon nom, ils tombent sur votre article en français.

Always,
Richie

Hey Nadia,

Je pense que vous devez être toute une pêcheuse. Ce doit être ce bon air frais canadien. Parce que, bon Dieu, vous savez vraiment comment accrocher quelqu'un et le tirer doucement. Tellement lentement qu'il ne se rend pas compte qu'il est pris. C'est un art en soi et je vous en félicite. Grâce à vous, je me tracasse parce que je suis peut-être trop long à vous écrire. Ou au contraire je crains de ne pas développer suffisamment certaines de mes réponses. Ce n'est pas moi, ça.

Dans votre dernière lettre, vous parlez des meurtres et vous me demandez : « Pourquoi ne me dites-vous pas ce que vous avez fait et quelles étaient vos motivations ? » Nadia, vous ne vous rendez pas compte de l'ampleur de votre question. En plus, je suis moi-même horrifié quand je regarde en arrière et vois ce qui s'est passé. J'étais une autre personne dans une autre vie. Et je ne récapitulerai pas tous mes meurtres, ce serait beaucoup trop long à énumérer. Par contre, je peux vous dire ceci : j'ai été trouvé coupable de cinq meurtres qui ont tous eu lieu l'année avant mon arrestation, quand j'ai traversé ma grande crise émotionnelle. Sachez maintenant que j'ai commencé à devenir cette autre personne environ 12 ans auparavant. Faites le calcul. C'est largement supérieur à votre âge ou à la taille de votre soutien-gorge. Oups, me voilà encore… Savez-vous que les hommes pensent au sexe 20 fois à la minute ? Mais je crois que vous voyez où je veux en venir.

Nadia, 11 fois, j'ai relâché des femmes. Elles avaient été capables d'accomplir ce qu'il fallait pour avoir la vie sauve. Elles m'avaient promis de ne jamais raconter ce qui leur était arrivé. Que je sache, elles ont toutes tenu parole. C'est l'une des rares choses dont je sois vraiment fier. Interviewer une de ces femmes serait une bonne histoire pour vous.

Vous demandiez-vous ce qui se passait dans la tête de vos victimes ?
J'avais de longues discussions intimes avec elles. Je ne restais jamais avec une femme moins de 12 heures et la plupart du temps nous étions ensemble toute une journée ou plus. Nous apprenions à nous connaître. Elles en venaient à comprendre ce que j'attendais d'elles et l'acceptaient presque toujours de leur plein gré. Je ne dirai pas qu'on ne me mentait jamais, car c'est probablement arrivé, mais j'en connaissais sûrement plus sur ces femmes que leurs meilleures amies ou que leurs conjoints. Un peu à cause de la peur, je dois l'admettre, car elles avaient compris que, plus nous parlions, moins nous passions de temps à faire autre chose. Aussi parce qu'elles savaient que je ne répéterais rien à personne. Finalement, l'ironie est que la plupart de ces femmes m'ont aimé. Frappées du syndrome de

Stockholm, certaines voulaient me sauver ou m'aider à combattre mes démons. Et plusieurs avaient exprimé le désir de me revoir après avoir été relâchées. (Oui, une fois j'ai revu une femme que j'avais relâchée et nous avons eu une relation intéressante.) Cela m'a pris des années pour comprendre comment une telle chose pouvait se produire. J'en étais fasciné. La pensée humaine, quoique si forte et si ferme devant le danger, est en même temps très fragile et facilement manipulable dans certaines circonstances. Donc, oui, ce qui se passait dans la tête de ces femmes m'importait.

Qu'est-ce qui vous passait par la tête pendant un meurtre?
Dans les minutes précédant le meurtre, je m'assurais que j'avais pensé à tout. Mais, immédiatement avant l'acte, j'entrais dans une zone étrange où j'avais l'impression de disparaître. J'avançais dans la fameuse lumière blanche dont parlent les mourants. C'était toujours paisible et calme, comme un temps de réflexion. Peu de gens dans le monde peuvent affirmer qu'ils connaissent l'avenir, ou plus précisément qu'ils connaissent avec certitude l'avenir de quelqu'un. C'est un sentiment tellement puissant qu'il en est indescriptible (j'essaie de ne pas dire des choses comme «se sentir comme Dieu», parce que personne ne connaît ce sentiment).

Pendant l'acte lui-même, rien ne me traversait l'esprit. Par la suite, j'avais même du mal à me souvenir de quoi que ce soit. Peut-être était-ce de l'autohypnose. Ou un état zen. Cela dit, je voulais éviter les souffrances inutiles. Sauf quelques-unes, ces femmes n'ont pas eu conscience qu'elles mouraient. Je faisais simplement ce qu'il fallait pour assurer ma sécurité, pour les empêcher de me dénoncer[22].

Je me conformais à ce scénario éprouvé, que j'avais peaufiné au fil des années. Physiquement, j'étais là. Mentalement, je m'étais détaché du processus. Si je ne l'avais pas fait, je n'aurais pas pu passer à l'acte. Je ne me considère pas comme un homme cruel ou méchant, mais plutôt comme un homme qui a fait des choses cruelles et méchantes.

Le Dr Dassylva est aussi de cet avis: les tueurs en série ne sont pas cruels dans leur intégralité. La preuve, certains peuvent adorer leurs enfants, leur famille, leurs proches. «Quels que soient les crimes qu'ils ont commis, si sordides et odieux soient-ils, d'autres dimensions de leur personne peuvent être plus positives.»

---

22. Ces motifs étaient aussi ceux de Bobby Joe Long, autre meurtrier sexuel.

Je me laissais « téléguider », mais ensuite j'étais triste et dégoûté de moi-même. Je n'éprouvais aucun plaisir dans l'acte lui-même, seulement dans le processus de sélection des victimes et pendant les heures que nous passions ensemble, alors que j'apprenais à les connaître intimement.

Après un meurtre, j'étais submergé d'émotions, mais je ne paniquais jamais. D'abord, je devais effacer toutes les traces susceptibles de me trahir. Ensuite, je repassais en esprit tous les événements, les heures que j'avais passées avec la victime. J'essayais d'identifier le moment précis où j'avais su que je ne la relâcherais pas. La plupart du temps, ce n'était qu'une phrase qu'elle m'avait dite au cours d'une longue conversation. Une simple pensée qui décide du sort d'un être humain. Parfois, je sentais qu'il serait trop dangereux de la laisser filer. La plupart du temps, je savais si on me racontait des foutaises ou si on me disait la vérité. Parfois je posais des questions pièges et j'en notais bien les réponses. Des heures plus tard, je reposais la même question. Si on me mentait, je le savais. C'est extrêmement difficile de cacher la vérité à quelqu'un qui vous travaille longtemps. Tout simplement parce qu'un mensonge en appelle d'autres et qu'on finit par s'y empêtrer. Dès que je relevais un mensonge, je perdais toute confiance. Le mensonge pouvait être insignifiant, mais c'était une erreur fatale.

Un jour, par exemple, une fille m'avait dit qu'elle était végétarienne. Le lendemain, alors que nous étions tous les deux un peu réchauffés, je lui ai demandé si elle connaissait tel restaurant renommé pour ses steaks et ses hamburgers. Elle m'a répondu : « J'adore ces hamburgers au fromage bleu et au bacon ! » J'ai su à cet instant que je ne pourrais pas la laisser partir. Un mensonge insignifiant, mais qui lui a coûté la vie.

Une des raisons pour lesquelles je ne vous ai pas posé beaucoup de questions, c'est que, si vous me mentiez, je disparaîtrais à jamais. Je préférerais que vous me disiez que c'est trop personnel et que vous ne répondrez pas, mais vous risqueriez gros : notre correspondance pourrait se terminer sur-le-champ. Puisque, si vous voulez que je m'ouvre pleinement à vous, vous devriez en faire autant. Par mes questions, je vous mettrais alors dans une situation intenable. Or, je sais que vous ne voulez pas que nous débordions le cadre professionnel. C'est votre boulot. Votre carrière. Ce que vous faites de votre vie. Je respecte cela. Vraiment. Mais, pour moi, c'est une occasion de connaître quelqu'un de très intéressant.

Always,
Richie

Il m'a été difficile de gagner la confiance de Richard Cottingham, mais j'étais contente d'avoir réussi à le faire parler de lui-même, malgré sa méfiance. En fait, il m'a fallu nourrir pendant plus d'un an une correspondance intensive avant qu'il commence à se laisser aller et à me répondre autrement que par des questions.

De mon côté, j'avais collecté assez de matière pour captiver les lecteurs de la revue, majoritairement des hommes âgés de 18 à 45 ans.

Néanmoins, je voyais que le meurtrier voulait s'ouvrir davantage. Sans le savoir, il me poussait à le questionner sur sa vie, même si mon travail était terminé. Je voulais mieux comprendre les choses et je sentais Cottingham sur le point d'avouer ce que je voulais savoir, d'expliquer pour la première fois de sa vie les motifs profonds de ses actes les plus odieux. J'étais une drogue pour lui, et lui me retenait par des ficelles.

Il était intelligent et me lançait toujours des défis. Certes, il aimait les plaisanteries sexuelles, mais elles ne m'atteignaient pas. Nous jouions au chat et à la souris, et je n'allais certainement pas tout lâcher pour quelques grossièretés. Mais, qui était le chat ? Qui était la souris ?

CHAPITRE 7

Les aveux télévisés de Cottingham

« La plupart des filles qui sont mortes, c'était juste pour sauver mes fesses, pour être certain que ça ne me reviendrait pas en pleine figure six mois plus tard. En fait, je recherchais la sensation de toute-puissance. Tenir le destin de quelqu'un entre ses mains est un puissant aphrodisiaque. Nous parlions souvent pendant des heures et je savais ce qui se passerait plus tard, mais elles l'ignoraient. Et j'avais la possibilité de changer ça aussi. »

Certains des tueurs en série avec lesquels je corresponds ont refusé d'être interviewés par d'autres journalistes. Par exemple Gary Grant, Richard Cottingham et quelques autres. Pourquoi ? Je n'en sais rien. Probablement parce qu'ils sentent qu'ils me connaissent et me font confiance.

Un jour, la compagnie de production française Patrick Spica Productions a sollicité une entrevue télévisée à Cottingham. Aussitôt, celui-ci m'a écrit à ce sujet, y voyant une occasion de nous rencontrer. J'ai donc pris contact avec les producteurs pour leur dire que Cottingham acquiescerait à leur demande, à la condition que je mène l'interview. Nous nous sommes entendus et l'on m'a assigné la tâche de lui faire avouer sa responsabilité pour les cinq meurtres pour lesquels on l'avait condamné.

Tout s'est déroulé si rapidement que Cottingham n'a pas eu le temps de se préparer mentalement. Comme il était toujours long à répondre aux lettres, je lui ai écrit de me téléphoner pour que nous discutions de l'entrevue. Pour ce faire, il m'a envoyé un formulaire à remplir pour le pénitencier.

Quelques jours plus tard, le téléphone a sonné. Une voix féminine enregistrée m'a alors demandé si j'acceptais de régler le coût de la communication. J'ai répondu par l'affirmative et j'ai ensuite entendu une voix masculine grave : « Bonjour, Nadia.

— Bonjour, Richard ! Comment allez-vous ?

— Bien. C'est juste que… ça fait plus de quinze ans que je n'ai pas parlé au téléphone. »

Il semblait si nerveux ! Il hésitait, comme intimidé, incertain de ce qu'il devait dire. Nous avons donc discuté de l'entrevue et il m'a prévenu qu'il y mettrait fin brusquement si je lui posais des questions qu'il n'aimait pas. Je lui ai suggéré de plutôt m'avertir, le cas échéant, pour que nous passions à la question suivante. Il devait comprendre que je ne pouvais deviner ses réactions et que je lui poserais forcément quelques questions difficiles. Il comprenait.

L'une de ses conditions était qu'il ne voulait pas être menotté. J'étais tout à fait d'accord. Si j'avais été capable d'interviewer Shawcross, un cannibale, seule avec lui dans une petite pièce, je n'aurais aucun mal à interviewer Cottingham sans ses menottes, en présence du cameraman et de la réalisatrice. Il m'a répété qu'il faisait ça pour moi, même s'il ne se sentait pas prêt. Je l'ai remercié.

Deux mois plus tard, je rencontrais la réalisatrice, Barbara Necek, et le chef opérateur, Franck Vrignon, au restaurant de leur hôtel à Montréal. Nous étions tous les trois au début de la trentaine. Le lendemain, je donnais une conférence au Département de psychologie de l'université Concordia sur les tueurs en série. Franck en a profité pour me filmer. Le surlendemain, nous avons pris l'avion pour New York, et quelques jours plus tard nous étions à Trenton, dans le New Jersey. La prison de Cottingham est de style traditionnel, comme celle de Joel Rifkin. L'un des murs d'enceinte est couvert d'œuvres picturales. Le hall de cette prison est immense, rempli de chaises. Quelques employés étaient à leur bureau. À la droite, se trouvait le détecteur de métaux.

Nous avons rencontré une dame qui nous a remis nos laissez-passer, ensuite le directeur des communications nous a priés de le suivre. Près de son bureau, il nous a présenté sa secrétaire. Elle avait les ongles les plus longs que j'ai vus de ma vie. Ils pouvaient mesurer 15 centimètres et avaient poussé en spirales. Nous avons laissé nos manteaux dans une salle, puis nous avons pénétré dans une pièce isolée, de la grandeur d'une chambre à coucher. Dans cette pièce se trouvait une cellule grillagée que nous n'allions pas utiliser. Le directeur et Barbara se sont assis près de cette cellule et Franck et moi nous sommes installés. J'ai demandé au directeur s'il pouvait nous laisser seuls avec Cottingham, mais c'était interdit. J'ai sorti de mon sac mon magnétophone miniature et de quoi écrire, puis j'ai pris place sur une chaise de plastique blanche, pensive, fixant du regard la chaise bleue devant moi. Barbara m'a alors demandé si j'étais nerveuse. Oui, je l'étais. Non pas parce que j'allais rencontrer un tueur en série, mais plutôt parce que Cottingham n'avait jamais accordé d'interview aux médias. Comment réagirait-il ? Se vexerait-il facilement de certaines questions ? Deviendrait-il agressif ? Comment se comporterait-il envers Barbara et Franck ? Je m'étais beaucoup investie dans ce projet et j'espérais que tout se passerait bien. La veille, Barbara et moi avions établi une série de questions. Elle voulait que j'interroge Cottingham sur ses crimes, mais je souhaitais plutôt sonder ses motivations profondes. Finalement, nous avions dû en arriver à un compromis, puisque nous n'avions que deux heures pour mener à bien l'entrevue. J'avais eu six heures avec Shawcross, quatre avec Rifkin. Comment pourrais-je tirer rien d'intéressant à Richard Cottingham en si peu de temps ?

Soudain, un gardien a lancé : « Cottingham arrive ! » Je le voyais enfin, après plus de deux ans d'attente ! Je me suis levée et j'ai regardé le sexagénaire s'approcher dans le couloir, appuyé sur une canne. Avec son ventre proéminent, son épaisse moustache, sa longue barbe blanche et ses cheveux neigeux, on aurait dit le Père Noël.

Je lui ai serré la main, souriante. Oui, je souriais. J'étais contente de le voir, après tout ce temps, toutes ces lettres, sans jamais avoir atteint tout à fait mon but. Maintenant, il était là, assis devant moi, de l'autre côté de la table.

« Bonjour, Richard.

— Bonjour, Nadia. »

Franck a attaché un micro à la chemise de Cottingham et s'est ensuite installé pour la prise d'images. Pendant ce temps, Cottingham me posait des questions sur notre voyage. Je lui ai dit simplement que nous avions dormi au Travel Inn Motor Hotel[23]. Il a hoché la tête, un petit sourire malicieux aux lèvres.

« Alors, *Mister* Cottingham, puis-je vous appeler Richard ? Vous pouvez m'appeler Nadia. »

C'est ainsi qu'a commencé l'entrevue. Plus de deux heures plus tard, tout était terminé et Cottingham nous quittait, escorté par un gardien. J'aurais voulu passer plus de temps avec lui pour approfondir certaines questions, mais j'étais tout de même très satisfaite des résultats, Barbara Necek aussi.

Après avoir tourné quelques plans dans le froid, à l'extérieur de la prison, Barbara, Franck et moi sommes allés manger ensemble, puis l'heure est venue de nous dire au revoir.

---

23. En 1979, Richard Cottingham avait abandonné deux corps mutilés dans une chambre de cet hôtel de New York.

De retour à Montréal, j'ai pris contact avec Christine Gagnon, experte et formatrice en synergologie, discipline qui permet de décrypter le langage corporel non verbal. Madame Gagnon a travaillé avec différents corps policiers et avec les autorités de l'armée canadienne. De plus, elle m'avait été recommandée par mon agent de conférences. J'avais donc espoir en elle. Je voulais qu'elle m'initie à la synergologie et qu'elle analyse avec moi l'entrevue avec Cottingham. Je voulais bien sûr savoir s'il m'avait menti ou dit la vérité.

Quelques jours plus tard, je recevais des producteurs français la vidéo de l'entrevue complète que nous avions tournée avec Richard Cottingham[24], et Christine Gagnon est venue chez moi pour me faire part de ses observations.

« D'abord, Richard, pourquoi avez-vous accepté de m'accorder cette entrevue ?

— Je vous le devais, par respect. C'est la première fois en 29 ans que je parle à quelqu'un. Pourtant, j'étais bien résolu à ne jamais le faire. Mais vous avez été très honnête avec moi, simple, directe et ferme. Et... Je ne sais pas pourquoi. Je ne sais vraiment pas. On m'a dit que cette entrevue pourrait aider des gens, qu'elle serait diffusée hors des États-Unis, donc que ma famille n'en serait pas affectée. Même si je sais que ça finira dans Internet de toute façon. »

S'il veut dissimuler sa nervosité, il ne trompe personne : la sueur lui dégouline dans le cou, sur le front, au bout de quelques mèches de cheveux.

« Comment vous sentez-vous ?

— Maintenant ? Je suis dans une position très difficile. Vous savez, ce n'est pas agréable d'être enfermé à jamais.

— Si vous pouviez nous expliquer qui vous êtes réellement, que diriez-vous ?

— Eh bien, je vis ma vie comme je le peux, vous savez. Avec de petits problèmes. Je suis de loin la carrière de mes enfants. Je vis au jour le jour, parce qu'il n'y a pas grand-chose à faire ici, à part regarder la télévision ou lire les journaux. Comme vous voyez, c'est une prison facile, ce n'est pas ce que les gens s'imaginent. »

---

24. Le documentaire s'intitule *Serial Killers : Dans la tête des tueurs en série.*

Cottingham se frotte le front (*signe qu'il réfléchit*) et ferme les yeux (*retourne dans ses idées, ses émotions*), manifestement inconfortable, mais il continue :

« Je reçois beaucoup de lettres et j'y réponds. Je joue avec les gens (rires), des trucs comme ça. Je vivrai simplement ma vie, jusqu'au moment fatidique.

— Quels événements ont fait de vous l'homme que vous êtes ?

— Je ne pense pas qu'il y ait eu un événement particulier, c'est plutôt la façon dont j'ai grandi et tout ce qui est arrivé à cette époque. J'aime relever les défis. Je suis un parieur, j'ai toujours parié. C'est dans mon sang. »

Il soulève les épaules en signe d'impuissance.

« J'aime courir des risques. J'essaie tout ce qui s'écarte des normes. Cela m'a amené à une chose et à une autre, jusqu'à ce que je devienne un effronté. Pourtant, quand j'étais jeune, je n'étais pas un fauteur de troubles. J'étais plutôt solitaire, anonyme. Mais je dois toujours gagner et avoir le dessus, quoi que je fasse. J'ai essayé d'être le meilleur en tout... »

Il essaie d'effacer des images de son esprit en passant la main sur ses yeux.

« ... même si parfois c'est impossible. Mais j'ai tout surmonté... Si je le voulais, j'y parvenais. Cela dit, je suis aussi paresseux. Donc, si je m'ennuie, je me secoue et je passe à autre chose. »

Christine Gagnon a alors remarqué que Cottingham se protège constamment : « Il se tient les bras croisés comme pour former un bouclier. Évidemment, il n'a pas l'habitude des caméras, et il est corpulent, ce qui pourrait expliquer en partie sa posture. Comme il n'est pas à l'aise dans son corps, il ne bouge pas beaucoup. La raison principale à cela, c'est qu'il veut s'assurer que ce qui filtre de ce bouclier est bel et bien la bonne chose pour lui. Et, surtout, il ne contrôle pas vraiment la situation, donc il se protège. »

« Et pourquoi ressentiez-vous le besoin d'être toujours le meilleur ?

— Je ne sais pas. C'est mon maquillage, ma personnalité, la façon dont j'ai été éduqué. Mon père était comme moi. Il travaillait tout le temps et s'en sortait plutôt bien.

— Était-ce parce que vous aviez une faible estime de vous-même?

— Pas quand j'étais enfant. Par contre, vers la fin de l'adolescence, j'ai pu avoir une mauvaise opinion de moi-même pendant quelques années. J'ai dû surmonter cette difficulté.

— Quand avez-vous commencé à enlever des femmes?

— Il y a des choses dont je ne peux pas parler. Parce que personne ne sait quand tout a commencé.

— C'est justement ce que je voudrais savoir.

— C'est ce que tout le monde veut savoir!»

Christine Gagnon remarque le ton de Cottingham: «Il maîtrise parfaitement sa voix, le timbre, la tonalité, de manière à sécuriser son interlocuteur et à détendre la situation.»

«Les policiers, surtout, veulent savoir ça, continue Cottingham, pour remonter dans le passé et recouper leurs informations. Ils n'ont pas la moindre idée du moment où tout a commencé, parce qu'ils ne savent rien de moi, du moins ils ne savaient rien jusqu'à trois semaines avant mon arrestation. Cela dit, je n'ai jamais enlevé personne. Je m'arrangeais tout simplement pour que les femmes aient envie d'être avec moi, que ce soit une prostituée qui voulait mon argent ou une nouvelle amie qui rentrait avec moi à la maison. Des trucs comme ça. Mais, durant mon infâme carrière, je n'ai jamais assommé une seule femme pour la kidnapper.

— Et l'infirmière?

— Quoi, l'infirmière?

— N'êtes-vous pas entré en force dans son appartement?»

Long moment d'hésitation. Cottingham cherche ses mots. Christine remarque:

«Il analyse ce qu'il s'apprête à dire. C'est sans doute un moment délicat dans le contrôle du dévoilement.»

«Eh bien, je ne vois pas de quelle infirmière vous voulez parler.

— Maryann Carr[25].

---

25. Maryann Carr était infirmière et technicienne en radiologie.

— Oh, O.K. Eh bien, voyez-vous, j'avais deux petites amies qui étaient infirmières à cette époque. (Rires) Je connaissais Maryann Carr depuis un certain temps et elle m'avait invité à entrer chez elle. C'est une information inédite. Autrefois, nous avions habité dans le même immeuble et c'est là que nous nous étions connus. J'avais aussi rencontré son mari, mais il ne s'en est jamais souvenu. Je voyais Maryann de temps à autre, nous buvions un verre ou deux.

— Aviez-vous eu des rapports sexuels avec elle, ou était-ce purement amical ?

— On est un peu sortis ensemble, on s'est un peu amusés dans la voiture, mais on n'est jamais allés jusqu'au bout. Par contre, ça se serait produit si je n'avais pas fait ce que j'ai fait. C'était une gentille fille et elle me ressemblait beaucoup. Elle dupait son mari, mais pas méchamment. Je veux dire qu'elle était juste ce qu'elle était. Elle recherchait les sensations fortes.

— Pourquoi l'avez-vous tuée ?

— Je ne sais pas. Vous voyez, un tas de trucs se sont produits et elle est devenue un fardeau. J'étais, pour ainsi dire, un exutoire pour elle. J'étais le type dangereux, le mauvais garçon. Son mari, lui, voyageait beaucoup, mais quand il était à la maison il ne sortait pas Maryann. Elle était donc souvent assise chez elle, sans avoir rien à faire. Parfois elle sortait prendre un verre avec ses amies, parfois elle y allait seule, et… c'est juste arrivé.

— Qu'est-il arrivé ? A-t-elle dit quelque chose que vous n'avez pas apprécié ? »

Cottingham frotte ses épais sourcils blancs (*revoit des images*). Il est mal à l'aise.

« Non… C'est juste qu'elle savait où je travaillais et qu'elle m'appelait. Et elle vivait près de chez moi, donc nous fréquentions les mêmes magasins. Je savais qu'un jour je la croiserais alors que je serais avec ma femme et mes enfants. Elle témoignait plus d'attachement pour moi, que moi pour elle. Et puis, une nuit, ç'a dégénéré. »

Aux yeux de Cottingham, ce premier meurtre avait été la seule solution pour protéger son mariage. Pourtant, ses victimes subséquentes n'étaient nullement ses maîtresses.

«Comment choisissiez-vous vos victimes?

— Sans aucun critère particulier…»

Christine a soutenu que, à cet instant, Cottingham disait vrai.

«Certaines étaient juste, vous savez, des opportunités à saisir. En fait, beaucoup se trouvaient simplement au mauvais endroit au mauvais moment. Si j'étais descendu quelques rues plus bas, ou si je n'étais pas sorti cette nuit-là, ou si je n'étais pas entré dans tel bar, rien ne se serait produit.

— Vos meurtres étaient-ils prémédités?»

Christine a alors remarqué que Cottingham n'avait pas envie de creuser cette question, car il remue sur sa chaise et change la position de ses mains. Son regard est fuyant. Ce sera l'une des rares fois où il bougera.

«Ils étaient prémédités, en ce sens que je savais qu'éventuellement quelque chose arriverait. Mais pas assez prémédités pour que je puisse dire: "Je vais sortir ce soir et tuer quelqu'un." C'est vraiment une longue, longue histoire, trop longue pour ce type d'interview. Et beaucoup de ces femmes ont elles-mêmes contribué à leur propre mort.

— De quelle manière?»

La synergologue m'a dit: «Cottingham nous dévoile systématiquement le début d'une manipulation par la parole. Chaque fois qu'il veut éluder une question ou qu'il ne sait plus comment se tirer d'affaire, il se lance dans une "explication de la vie" et il incline la tête du côté droit, signe d'une rigidité dans le discours attribuable à la difficulté imprévue de devoir s'expliquer.»

«Si certaines d'entre elles n'avaient pas fait certaines choses, rien ne serait arrivé. D'ailleurs, je suis sorti avec des centaines de femmes à qui je n'ai jamais fait de mal. Je ne voulais pas tuer toutes les femmes que je rencontrais. Je n'étais pas comme ça. Souvent, je sortais avec elles durant des mois. Souvent, aussi, pour deux ou trois rendez-vous. D'autres fois, une femme mourait la nuit où je la rencontrais.

— Que faisaient-elles pour vous contrarier?

— Elles ne me contrariaient jamais. Ce n'était pas comme ça. C'est très difficile à expliquer.

— Que faisaient-elles pour que vous vous disiez : "Ça y est, c'est le moment" ?

— C'était quand j'avais peur pour ma propre sécurité, quand je savais que si je les relâchais elles iraient à la police. Pour me protéger, je les tuais. D'autres fois, je savais qu'elles ne diraient rien. À la vérité, elles avaient presque toujours l'occasion de sauver leur vie. Et c'était le jeu auquel je jouais. Si elles étaient futées, elles pouvaient s'en tirer.

— Comment saviez-vous qu'elles ne parleraient pas ?

— J'ai le don de deviner les gens. Vous devez comprendre : je faisais ça depuis des années, pratiquement chaque semaine.

— Vous tuiez une victime chaque semaine ?

— Toutes les deux semaines, en moyenne.

— Pendant combien d'années ?

— Je ne peux pas vous le dire. Plus de 10 ans. »

Selon Christine Gagnon, il s'agissait là d'un « faux non » ; Cottingham aurait pu m'en révéler davantage. Christine apprendrait vers la fin de l'entrevue qu'elle avait tout à fait raison.

« Mais quel est votre problème avec les femmes ?

— C'est une sorte de… J'aime les femmes ! »

Pour en savoir plus sur les crimes de cet homme, nous avions rencontré à New York les détectives Alan Grieco et Ed Denning, aujourd'hui à la retraite, qui l'avaient arrêté en 1980. Ils se souvenaient bien de l'interrogatoire. D'abord, Cottingham avait tout nié. « Mais, à un moment donné, nous a raconté Denning, Cottingham a eu les larmes aux yeux, puis il a dit : "J'ai un problème avec les femmes." C'est la seule phrase qu'il a prononcée. »

« Vous les aimez ?

— Oui, je les aime ! C'est une de ces choses qu'on ne peut expliquer. Quand j'allais dans un bar, j'en ressortais rarement sans une femme. Je savais comment les séduire sur le plan psychologique. Et j'allais toujours vers les plus belles, car la majorité des hommes ont peur d'elles et préfèrent tenter leur chance avec des filles plus ordinaires. »

Tout en disant ces mots, Cottingham agitait les mains, était plus expressif, signe qu'il était à l'aise avec ce sujet (*et qu'il voulait en discuter davantage*).

«J'ai appris ça très tôt : aborde les plus belles. Au bout de 10 ou 15 minutes, je savais ce qu'elles recherchaient. Cela dit, je n'avais pas l'idée, au départ, de les tuer ni même de leur faire du mal. Mais, parfois, je les tuais, et personne n'en savait rien. La police n'avait aucun indice, j'échappais aux radars.»

Cottingham s'est alors mis à parler des rumeurs qui couraient à son sujet dans Internet.

«Aucun de mes crimes n'a été perpétré dans une benne à ordures, je ne sais pas d'où vient cette histoire. Un jour, des collègues de travail ont raconté que je les avais emmenés dans un bar gay, et pendant des années j'ai reçu des cartes et des lettres de gays, mais ça n'avait rien à voir avec l'homosexualité, c'était un bar de travestis, le *Guilded Grape*. Tout le monde était habillé en femmes et je voulais choquer les gars, alors je les ai emmenés un vendredi soir et ils ne savaient pas qu'ils dansaient avec des hommes. Ensuite, des gens ont raconté que j'étais gay ou bisexuel, mais c'étaient des racontars. Personne n'a jamais rien su de ma vie privée.

— J'ai lu que vous disiez à des prostituées qu'elles devaient être punies. Pourquoi ?

— Ce n'est jamais arrivé.

— Jamais arrivé ?

— C'est la prostituée avec qui j'ai été arrêté qui a dit ça. En fait, elle ne travaillait que depuis quatre ou cinq jours, et elle n'a même pas dit à la police qu'elle se prostituait. C'est une des raisons pour lesquelles j'ai été pris, parce qu'elle ne se comportait pas comme une prostituée. J'ai été stupide…»

Le langage corporel de Cottingham (mouvement de la tête vers la gauche et axe sagittal inférieur, clignements des yeux et recul), montrait qu'il s'était vraiment trouvé maladroit le soir de son arrestation.

«…Elle a raconté qu'elle m'avait rencontré dans un bar de New York et que je l'avais battue, et ainsi de suite. Mais elle mentait. Le lendemain, elle a avoué être une prostituée et avoir loué la chambre. Je ne l'avais pas entraînée de force. C'était un jeu et elle n'avait pas réagi de la bonne manière.

— Expliquez-moi la différence entre elle et les autres prostituées.

— Elle se prostituait, mais pas comme une prostituée normale. Elle agissait comme vous pourriez agir.

— Donc, elle n'a pas voulu faire ce que vous demandiez ?

— Si. Elle faisait tout ce que je voulais. Ce qui s'est passé, c'est que j'avais mis un faux revolver sous le lit. Je savais qu'elle s'en emparerait à un moment donné et j'étais curieux de voir ce qu'elle en ferait. Eh bien, elle a saisi l'arme et a commencé à me tirer dessus. Quand elle a compris que c'était un faux revolver, elle me l'a jeté au visage. »

Cottingham souriait et Christine a dit : « Cette histoire lui plaît. Il lève la main très haut pour la première fois. Il est dans l'action. »

« Une femme de ménage a entendu la fille crier. Or une prostituée normale n'aurait pas fait ça, elle n'aurait pas paniqué. Elle aurait pointé l'arme sur moi, pris mon argent, et serait partie.

— Mais vous vous arrangiez quand même pour tuer des prostituées.

— J'ai tué des tas de prostituées.

— Pouvez-vous me dire pourquoi ?

— Eh bien… Non. »

D'après la synergologue, c'était un « vrai non ».

« Non ?

— Chacune était différente. Les situations étaient différentes. Il y a toutes sortes de prostituées, de la fille de la rue jusqu'à l'escorte. Et je suis sorti avec des prostituées presque toutes les nuits pendant 15 ans, parfois 2 par nuit. Et c'était un jeu pour moi.

— Quel jeu ?

— Mon jeu.

— Et quel était votre jeu ? »

Cottingham lâche un petit rire. Selon Christine, il n'a aucune idée de ce que peut être son jeu.

« Je… Les prostituées sont probablement les personnes les plus fortes au monde. Vous savez, elles ont une vie rude. Elles ont l'habitude de se faire battre. Et elles doivent gagner tant d'argent par nuit. Si tu veux qu'une prostituée sorte avec toi, tu dois payer d'abord. C'est une règle qu'elles apprennent dès le premier jour :

l'argent d'abord. Mon jeu était de voir si je pouvais les amener à passer la nuit entière avec moi pour rien. De les payer après. Ainsi, je créais un suspense. J'avais toujours sur moi une grosse somme d'argent et je pouvais paraître très vulnérable. Après deux ou trois minutes avec elles, je pouvais voir à quel point elles étaient droguées ou avares. Souvent, c'était l'avarice. Dans leur esprit, elles allaient me rouler et voler tout mon argent. Je leur proposais d'abord d'aller boire un verre. Si elles refusaient, je les quittais et trouvais quelqu'un d'autre. En règle générale, les prostituées ne vont jamais dans un bar pour boire. Mais, parfois, j'en embarquais une et je la saoulais un peu. Elle croyait qu'elle me saoulait, mais je peux boire sans fin. Ensuite, je jouais la comédie : "Bon, je vais partir." "Oh non!" Et elle me suivait, se fourrait toute seule dans ce guet-apens et ne pouvait plus reculer.

— Pouvez-vous être plus explicite au sujet des meurtres ? Par exemple, ces deux corps sans tête et sans mains retrouvés à New York. Que s'est-il passé et pourquoi les avez-vous mutilés ? »

Christine Gagnon a alors énuméré les forces et les faiblesses de Cottingham : « Grâce à son excellente capacité d'analyse abstraite et à son argumentation fluide, il est prêt à toute éventualité. Détendu et calme, il maîtrise son intonation et entre rapidement en relation avec l'autre, mais il analyse sans cesse cette relation. Sous le stress, il rationalise ses émotions à l'extrême et devient froid comme un robot. S'il perd le contrôle, il peut exploser violemment, puisqu'il retient trop longtemps les émotions accumulées et qu'il ne sait pas comment les extérioriser. C'est pourquoi il est capable des pires excès. »

« Pour passer inaperçu des années durant, on ne doit pas mettre la puce à l'oreille de la police. Parce que, une fois qu'ils ont remarqué trois ou quatre meurtres identiques, ils appellent à la rescousse les forces opérationnelles. Donc, mon truc était de brouiller les pistes. Par exemple, si je rencontrais une fille dans le New Jersey, on la retrouvait à New York. Deux corps de police s'affrontaient alors, ne partageant aucune information, ne se mettant d'accord sur rien. Ce n'est plus comme ça maintenant, on a l'ADN et ce genre de trucs, mais, durant les années 1960 et 1970, les autorités d'États différents ne se parlaient pas. S'ils découvraient à New York le corps d'une personne du New Jersey, ils pouvaient perdre deux ou trois semaines avant de l'identifier, sauf si c'était une prostituée et qu'elle avait été arrêtée auparavant – ils avaient alors ses empreintes. Mais une fille

normale comme vous n'aurait pas eu de casier judiciaire. Pendant ce temps, les preuves disparaissaient.
— Comment êtes-vous arrivé à leur couper la tête et les mains ?
— Très facile.
— Comment ? »

Christine : « Cottingham est en hypercontrôle. Or, "contrôle" signifie "rigidité sous stress". Il ne bouge plus. Mais cela nous aide à détecter ses fréquentes microréactions. Les microréactions sont de brefs mouvements subreptices du visage et du corps qui dévoilent les pulsions du moment. »

« Avec une scie à métaux. »

Arrivés à New York quelques jours auparavant, Barbara, Franck et moi étions descendus au Travel Inn Motor Hotel de la 42e Rue Ouest, dans Midtown Manhattan, où Cottingham avait tué, décapité et démembré deux prostituées en 1979. On m'avait dit que le quartier était un peu miteux et que beaucoup de prostituées travaillaient dans cet hôtel, mais cet établissement m'avait paru tout de même bien tenu. J'ai voulu avoir la chambre 417, celle de Cottingham, mais elle était occupée, alors j'ai dû me contenter de la 418. Si le hall de l'hôtel avait l'air rassurant, les corridors étaient plutôt lugubres avec leurs murs vieux rose, leur papier peint fané et leurs tapis bruns usés. En passant devant la chambre 417, j'ai frissonné. J'entendais des voix à l'intérieur. Si seulement ces clients avaient su ce qui s'était passé autrefois dans leur chambre !
En entrant dans la 418, je me suis sentie tout de suite angoissée. La chambre, qui n'avait certainement pas été rénovée depuis plus de 30 ans, était identique à celle que l'on peut voir sur les photos de la police, et je m'imaginais Cottingham et ses victimes sur le lit, sous mes yeux. Assise sur le bord du lit, contemplant le mur qui me séparait de la chambre 417, j'ai compris que je ne pouvais pas dormir là. Heureusement, Franck a eu la gentillesse de changer sa chambre pour la mienne, mais nous avons tout de même tourné des scènes dans la 418.
Cottingham continuait :

« J'ai fait ça uniquement pour empêcher leur identification. La fille que j'ai eue en premier, je lui parlais souvent dans un certain bar et je savais que la serveuse aurait pu me reconnaître.

— Il y avait deux femmes dans la chambre. Les aviez-vous emmenées ensemble ?

— Non.

— Donc, quand vous avez emmené la seconde femme, il y avait déjà un corps dans la chambre 417, c'est ça ?

— Non. Il y avait une fille vivante. En fait, j'avais loué la chambre pour le week-end et la première prostituée avait accepté d'y passer les deux jours pour une certaine somme, mais je lui avais dit qu'elle n'aurait pas l'argent avant la fin du week-end. Puis, le samedi, je lui ai dit que je voulais deux filles et je suis sorti sans elle, mais je savais qu'elle ne bougerait pas de la chambre. J'ai donc trouvé une autre fille pour lui proposer une partie à trois. Je lui ai dit que l'autre nous attendait à mon hôtel, et c'est ainsi que nous avons fait la fête toute la nuit, à boire et tout. Elles ont fumé des joints, pas moi, je ne me drogue jamais. À un moment donné, la première prostituée m'a dit : "La *barmaid* m'avait dit de ne pas sortir avec vous, parce que vous portez une perruque." Oui, je portais une perruque en longs cheveux blonds. J'ai alors compris que j'étais en danger.

— Comment les avez-vous tuées ?

— Les prostituées, en général, prennent n'importe quelle drogue qu'on leur donne. J'avais des tranquillisants, des somnifères, et elles les avalaient. Après, elles s'endormaient, tout simplement. Je ne les torturais pas et ne leur disais pas qu'elles allaient mourir. Elles ne paniquaient pas. Aucune n'a essayé de s'échapper, puisqu'elles perdaient conscience.

— Alors, pourquoi les menottiez-vous ?

— C'est… difficile à dire. En fait, je n'ai pas menotté beaucoup de femmes. Certaines, je devais… D'autres, non.

— Pourquoi menottiez-vous certaines femmes ?

— Parfois, certaines prostituées devenaient folles quand elles voyaient que des heures s'étaient écoulées et qu'elles n'avaient toujours pas eu mon argent. Elles craignaient que leur proxénète les tabasse, alors elles réclamaient leur argent. Et, vous savez, certaines sont prêtes à se battre furieusement. Certaines sont très instables. Parfois, donc, la situation s'envenimait tant que je devais les menotter. Mais c'était rare.

— Et quelle est votre fascination pour les seins ? J'ai lu que vous les mordiez.

— C'est un autre fait inexact. J'ai très rarement mordu la poitrine d'une femme. Vous devez comprendre que tout ce que les autorités savent de moi provient des quelques victimes pour lesquelles je me suis fait prendre. À la vérité, il n'y avait pas de routine. Et puis il m'est arrivé, quand je me trouvais avec deux femmes, de demander à l'une de mordre les seins de l'autre, justement pour brouiller les pistes. Je savais que la police relèverait les empreintes dentaires sur la victime, mais ce ne serait pas les miennes.

— Êtes-vous en train de dire que vous ne mordiez jamais les seins de vos victimes ?

— Oh non. J'ai pu le faire, mais ce n'était pas une obsession. J'ai probablement fait tout ce qui est possible de faire, à un moment ou l'autre. Vous savez, on parle de centaines de femmes.

— Qu'avez-vous fait d'autre ?

— Tout ce qu'un homme voudrait faire avec une femme. Bien sûr, avec les prostituées, c'est facile, elles font n'importe quoi pour de l'argent. Elles ont l'habitude des exigences délirantes. C'est différent avec une femme au foyer ou une fille normale que vous rencontrez dans un bar. Et une femme mariée n'est pas comme une célibataire. J'agissais donc différemment selon les situations, selon les femmes. De plus, tout dépend de l'endroit où vous êtes. Vous pouvez faire plus de choses à l'hôtel que sur la banquette de votre auto ou que chez une femme.

— Quels étaient vos fantasmes ?

— C'est une question difficile. Vous posez des questions difficiles. »

Christine m'a alors dit : « Chaque fois que Cottingham ressent un malaise, il s'humecte les lèvres de la langue. Nous observons aussi un tic de l'œil droit lors d'un stress rationnel, comme quand il doit tout à coup contrôler son discours. »

« Aviez-vous le fantasme de tuer des gens ?

— Non. La plupart des filles qui sont mortes, c'était juste pour sauver mes fesses, pour être certain que ça ne me reviendrait pas en pleine figure six mois plus tard. En fait, je recherchais la sensation de toute-puissance. Tenir le destin de quelqu'un entre ses mains est un puissant aphrodisiaque. Nous parlions souvent pendant des heures et je savais ce qui se passerait plus tard, mais elles l'ignoraient. Et j'avais la possibilité de changer ça aussi. Cela dit, je suis très rarement entré dans un bar en me disant que telle fille mourrait ce soir-là. D'ailleurs, beaucoup de ces filles arpentent toujours les rues aujourd'hui. Comme je l'ai dit, j'avais deux petites amies quand j'ai été arrêté, deux infirmières. Je ne les ai jamais battues, jamais touchées, jamais blessées. »

Cottingham fait non de la tête et son œil droit clignote.

« Je ne tuais que quand je me sentais en danger. Alors, je ne pensais plus qu'à moi.

— Vous parliez de toute-puissance. Pouvez-vous m'expliquer ce sentiment que vous recherchiez et que vous aimiez ?

— Vous ne pourriez pas comprendre. »

« Il est très à l'aise, a remarqué Christine. Sa jambe est détendue. »

« Vous me l'expliquiez dans une lettre où vous parliez du pouvoir. »

Cottingham est soudainement déstabilisé.

« Je ne sais pas… C'était le sentiment de toute-puissance au milieu d'une situation que je contrôlais parfaitement. Tout était chorégraphié, pour ainsi dire. Je savais où aller, quand agir. J'avais des nerfs d'acier. Je suis sorti de l'hôtel avec les têtes, à trois heures et demie du matin, pour m'en débarrasser. Vous connaissez l'endroit. À l'époque, Time Square était l'antre du péché, ce n'était pas propre comme aujourd'hui. Je marchais dans la rue quand j'ai croisé deux flics. Ils m'ont demandé ce que je faisais là. J'ai répondu sans sourciller que je restais à l'hôtel et que j'allais chercher quelque chose à manger. Je savais qu'ils me croiraient. Ils n'ont pas cherché à savoir ce qu'il y avait dans le sac, ne m'ont pas demandé de produire une pièce d'identité, rien. J'étais capable de faire des choses comme ça. Je pouvais faire croire aux gens ce qu'ils avaient envie de croire.

— Pourquoi avez-vous tranché les seins d'une femme ?

— Pour faire différent. Elle était déjà morte, ce n'était pas comme si elle était en vie. Je voulais faire quelque chose de sensationnel, qui ne serait relié à aucun autre meurtre. »

Pendant notre séjour à New York, Barbara, Franck et moi nous sommes rendus au siège social du journal *The Record*, dans le New Jersey, qui avait longtemps couvert le dossier Cottingham, où je suis tombée sur une photographie que je n'avais jamais vue. Une photographie épouvantable. À vrai dire, toutes les photos prises sur la scène des crimes de Cottingham sont horribles (des corps décapités, j'en avais vu), mais, celle-ci, qui montrait le cadavre d'une femme aux seins disséqués, était particulièrement saisissante. On y percevait, plus que sur d'autres photos, le plaisir pervers de Cottingham. Les seins étaient bien étalés sur la tête de lit; le cou était marqué d'un sillon d'étranglement très net; le corps entier était couvert de sang séché, de croûtes rouges et noires. Cottingham semblait toujours tuer les femmes par étranglement. Cependant, sa «signature» (acte généralement propre au meurtrier) pouvait varier d'un cadavre à l'autre. Parfois, la victime était menottée et bâillonnée, parfois elle portait des marques de couteau sur le corps, parfois des membres manquaient.

«Vous avez quand même eu le cran de scier des corps.
— Ce n'est pas difficile. Je veux dire… Si vous deviez mourir aujourd'hui d'une manière suspecte, on pourrait vous autopsier. Le médecin légiste vous découperait pour vous ouvrir, il vous ôterait le cerveau, le foie et tout. Mais vous seriez déjà morte. C'est juste une carcasse, ce n'est plus une personne vivante.»

Christine a alors remarqué l'impatience de Cottingham. Désencrage du talon *(signifie «perdre pied»)*, mouvements répétitifs de la jambe droite *(gestes d'impatience, désir de partir)*, tic à l'œil droit, bouche fermée *(n'en dira pas plus)*.

Cottingham était de ces tueurs qui commettent des actes de plus en plus cruels. Il recherchait les émotions fortes et, au fil du temps, prenait de plus en plus de risques. Comme dans bien des cas, ses fantasmes et son besoin de toujours repousser les limites pouvaient se lire sur le corps de ses victimes.

«Aimiez-vous torturer ces femmes?
— Les torturer mentalement, oui.»

C'est exactement ce que nous avait dit le Dr Louis V. Napolitano, qui nous avait invités pour une entrevue chez lui, au New Jersey, dans sa splendide demeure de style colonial. Il nous a raconté qu'il avait croisé la route de Richard Cottingham à deux reprises, indirectement. La première fois, il avait appris qu'une de ses anciennes étudiantes, Maryann Carr, avait été assassinée et retrouvée à l'extérieur d'un hôtel. Il s'était alors mis en rapport avec le médecin légiste responsable du dossier. Le Dr Napolitano se souvenait bien d'elle et il en avait les larmes aux yeux. Selon lui, Cottingham prenait du plaisir à faire souffrir ses victimes. La preuve en est que les taillades qu'il leur infligeait au couteau n'étaient pas assez profondes pour leur faire réellement mal physiquement. Mais Cottingham devait se réjouir de leur épouvante. Sous l'emprise de l'émotion, le Dr Napolitano reproduisait les gestes de Cottingham avec un couteau imaginaire. Depuis cette entrevue, j'ai reparlé plusieurs fois de Cottingham et des autres tueurs en série avec le Dr Napolitano. Il tenait à ce que je rédige un livre sur tout ce que j'avais appris au sujet de ces meurtriers.

« Sur deux ou trois victimes, poursuivait Cottingham, ils ont relevé des marques de couteau sur la poitrine. Pour moi, ce n'était qu'un jeu. Pour les filles, par contre, c'était terrifiant. Et c'était une manière d'exercer mon emprise sur elles. »

Le Dr Pinard m'a un jour expliqué le sadisme : « Le sadisme consiste à tirer du plaisir des souffrances qu'un individu inflige à quelqu'un. Cela dit, il y a plusieurs formes de sadisme, et toutes ne vont pas jusqu'au meurtre. Des gens peuvent harceler moralement quelqu'un, uniquement pour être désagréables et l'évincer. D'autres recherchent des partenaires sexuels masochistes. Dans les formes plus sévères du sadisme, le degré d'excitation recherché peut aller croissant. C'est ce qu'on appelle l'escalade paraphilique et c'est comme une drogue dure, d'une certaine façon. Le plaisir habituel ne suffit plus. Sur le plan physiologique, on pense qu'un problème de dopamine pourrait expliquer le sadisme. »

« Comment vous sentiez-vous, Richard, lorsque vous tuiez des femmes ?
— Pas de sentiment.
— Rien ?
— Rien.
— Et après ?
— J'oubliais. Comme si de rien n'était. Je m'étais simplement mis dans un certain état qui m'avait permis d'agir comme si j'avais été télécommandé. Je savais quoi faire pour me protéger, pour m'en sortir, pour gagner du temps, et les choses arrivaient, simplement. Après, je pouvais avoir des remords si j'y pensais, alors j'essayais juste de ne pas y penser.
— Donc, vous aviez des remords.
— Oh oui.

— Chaque fois ?

— Non

— Quand ?

— Ça dépendait de la fille. Beaucoup étaient de mauvaises filles, des dures, accros à la drogue, des prostituées. Un tas de fois, elles m'auraient tué si elles en avaient eu l'occasion. Je m'arrangeais pour leur laisser croire qu'elles pouvaient me voler facilement deux mille dollars, et je voyais comment elles réagissaient. Des filles ont tenté de s'échapper nues de la chambre après avoir saisi mes pantalons. Elles auraient pu se rendre comme ça jusque dans la rue avec mon portefeuille. Parfois, je faisais mine de m'endormir pour voir ce qu'elles feraient. Ma réaction dépendait de celle de la fille.

— Pourquoi dites-vous que certaines vous auraient tué ?

— Une prostituée vous tuera pour vous voler, si elle pense pouvoir vous rouler. N'oubliez pas que je pouvais avoir sur moi trois ou quatre mille dollars. Aujourd'hui, ça représenterait peut-être quinze mille dollars. C'était énorme, plus que dans leurs rêves, et ces filles n'étaient pas des tendres. Si elles pensaient qu'elles seraient blessées, elles ne se laissaient pas faire. Si elles pouvaient vous frapper à la tête ou vous poignarder, elles le faisaient.

— Auriez-vous continué à tuer si vous n'aviez pas été arrêté ?

— Certainement. Je voulais être le meilleur dans tout ce que je faisais. Dans ce monde, il est rare que quelqu'un puisse être le meilleur dans un certain domaine. Vous pouvez être un excellent artiste, mais c'est très difficile d'être le meilleur artiste au monde.

— Donc, vous vouliez être le meilleur meurtrier ?

— Le meilleur tueur en série, oui. Même si je ne me considérais pas comme un tueur en série.

— Vous avez tué combien de personnes, à peu près ?

— Je sais *exactement* combien j'en ai tué.

— Combien ? »

Cottingham se met à rire. Je lui demande :

« Approximativement.

— Plus de 85, moins de 100. »

Les détectives Alan Grieco et Ed Denning nous ont accompagnés jusqu'à cet hôtel de Hasbrouck Heights (New Jersey), où Cottingham s'était fait arrêter. Ils l'avaient coincé alors qu'il sortait de l'hôtel en courant, après que sa dernière victime avait crié assez fort pour alerter les employés. Maryann Carr avait auparavant été retrouvée morte dans le parking du même hôtel, et une autre prostituée, dans une autre chambre. «Il avait l'air d'un bon père de famille, nous a dit Grieco. À première vue, on ne l'aurait jamais cru capable de crimes si barbares.» Grieco croit Cottingham responsable de beaucoup d'autres homicides. «Il serait très facile de lui en attribuer au moins 25. De 1977 à 1980, il a été condamné pour cinq meurtres, un enlèvement et une tentative de meurtre. On pense qu'il aurait commis au moins trois autres enlèvements, des voies de fait et des agressions sexuelles. Les victimes avaient été laissées pour mortes au bord de la route.» En outre, Cottingham aurait aussi fait mention d'une victime étranglée dans sa voiture en 1967 au New Jersey, d'un cadavre qu'il aurait jeté sur le bas-côté de l'autoroute Garden State Parkway, d'un corps abandonné du côté de Long Island, et de deux jeunes autostoppeuses qu'il aurait prises au New Jersey et laissées pour mortes à New York. «Finalement, a dit Grieco, nous sommes sans doute loin du compte avec ces 25 victimes supposées. Il y en a certainement eu davantage.» Ed Denning, qui ne s'exprimait pas beaucoup à la caméra, pensait que Cottingham pouvait avoir commis de 40 à 50 meurtres.

«Pourquoi ne voulez-vous pas révéler le nombre exact de vos meurtres? Vous pensez à vos enfants, je le sais, mais, entre nous, un homme qui n'est pas coupable écrit généralement beaucoup de lettres aux juges, à des avocats, à des journalistes, pour les persuader de son innocence, chose que vous ne faites pas.
— J'étais coupable. J'ai accepté mon sort.»

Effectivement, Richard Cottingham était coupable. La veille, nous avions rejoint à son bureau Dennis Calo, le procureur au procès de Cottingham au New Jersey. Le petit homme mince à lunettes, coiffé d'un chapeau de cow-boy et vêtu d'un complet gris foncé et d'une cravate bleue, nous avait emmenés au palais de justice où s'était tenu le procès. Nous avons eu la chance de consulter le compte rendu de ce procès, des milliers de pages, dans la salle même où Cottingham avait été jugé, 30 ans auparavant. Le front soucieux, Calo se souvenait que Cottingham, au cours de son procès, le regardait en souriant, ce qui l'irritait beaucoup. Nous nous sommes ensuite dirigés vers les bancs du jury. Calo s'est mis à parler des proches des victimes, bouleversés, qui avaient dû témoigner. Tout d'un coup, l'homme s'est tu, puis il s'est excusé, les yeux mouillés de larmes. Un silence profond planait sur le tribunal.

« Richard, pourquoi ne voulez-vous pas avouer la vérité aux familles des victimes ? Cela pourrait les aider à tourner la page.

— Je voudrais bien, mais c'est très difficile, car nous connaissons seulement les familles des victimes pour le meurtre desquelles j'ai été condamné. Personne ne connaît les autres familles. Je ne les connais pas. Elles ne me connaissent pas.

— Si j'obtenais la liste de toutes vos victimes et que je retraçais toutes les familles, seriez-vous prêt à leur parler ?

— Oui, mais je ne sais pas si c'est une bonne idée. Vous parlez d'événements qui se sont produits il y a 30, 40 ans. La plupart des membres de ces familles sont décédés, ou ils ne s'en soucient plus. En gros, le temps s'est chargé de tout ça.

— Mais… Comment pouvez-vous affirmer une chose pareille ? Il peut y avoir des enfants, des frères et des sœurs, neveux et nièces.

— Mais ils ne savent pas que j'ai un rapport avec quoi que se soit.

— Non, ils ne savent pas que c'est vous, mais ils savent tout de même que quelqu'un, un inconnu, a tué une personne qu'ils aimaient. C'est cette incertitude qui est si difficile à supporter pour les proches. Donc, si vous aviez la chance de parler à la famille d'une victime, le feriez-vous ?

— Ce que vous dites est purement théorique, parce que vous ne pourrez jamais retracer tous ces gens.

— Et si je réussissais ?

— Impossible.

— On parie ? »

Cottingham m'avait lancé un défi, mais il ne se doutait pas que je possédais les photographies de plusieurs femmes et jeunes filles disparues près de chez lui, à l'époque où il tuait. Il ne savait pas non plus que j'avais consulté le compte rendu de son procès, que j'avais rencontré le procureur Calo, les journalistes du *Record*, et les détectives Grieco et Denning qui m'avaient donné la liste de ses victimes présumées.

« Si j'y arrivais, voudriez-vous parler aux familles ?

— Si elles veulent me parler, oui. Mais c'est quelque chose que vous ne pouvez pas faire.

— Dans ce cas, si vous croyez que plus personne ne se soucie des victimes, pourquoi niez-vous toujours votre culpabilité ?

— Je n'ai jamais dit à personne que je ne suis coupable de rien. Seulement, je n'ai jamais plaidé coupable. Nuance. Je me suis dit que je laisserais mes enfants se faire leur propre idée là-dessus. Il y a beaucoup de personnes à mon travail qui ne croient toujours pas que j'aie pu faire tous ces trucs. En fait, même après mon arrestation, pendant longtemps les journaux ne m'ont pas cru coupable, faute de preuves. Donc, ce que le procureur a fait, c'est qu'il a créé un monstre, en faisant venir ma petite amie au procès. Ça n'avait rien à voir avec les meurtres, c'était juste pour montrer que je trompais ma femme. Il voulait que les jurés s'apitoient sur elle et sur mes trois petits enfants. Des collègues de travail sont venus raconter que je sortais tous les soirs et que je buvais, que cinq ou six filles m'appelaient chaque nuit. Qu'est-ce que ç'avait à voir avec le reste ? Il y avait aussi la prostituée à qui je n'avais rien fait de mal. Elle est venue de son plein gré. Elle avait loué la chambre d'hôtel, je ne l'avais certainement pas attirée là. Et je ne lui ai rien fait qu'elle n'ait accepté pour de l'argent.

— Pensez-vous que les gens vous considèrent comme un monstre ?

— Je ne crois pas que les gens pensent à moi. Je n'ai parlé à personne depuis des années, mais j'ai gardé toutes les coupures de presse.

— Et vous, vous considérez-vous comme un monstre ?

— Non. Je dois être malade d'une certaine manière. Les gens normaux ne font pas ce que j'ai fait. Mais, vous savez, tout le monde doit mourir un jour. Certaines personnes meurent avant d'autres. Comment justifiez-vous ça ? Un enfant de 3 ans peut mourir d'une balle perdue. Vous ne savez jamais quand vous allez partir. Et peut-être est-ce Dieu qui décide. Si je rencontrais une fille au coin d'une rue, que faisait-elle là ? Et pourquoi, moi, me trouvais-je à cet endroit à cet instant ? Qui sait pourquoi les choses arrivent ? Je n'ai que très rarement mené les filles par la peur. Habituellement, elles restaient avec moi de leur plein gré.

— Habituellement, mais pas toujours.

— Eh bien… Parfois, je crevais un pneu d'une voiture dans le parking d'un centre commercial et j'attendais tout près. Quand la femme revenait, je l'aidais à changer son pneu, et lorsqu'elle me remerciait j'entrais dans la voiture.

— Et après, que faisiez-vous ?

— Je les emmenais dans un motel ou dans un appartement que je louais.

— Contre leur volonté ?

— Oui. Celles-là ne me suivaient pas de leur plein gré. J'ai mis au point toutes sortes de stratagèmes, j'en changeais constamment. Voilà pourquoi, pendant des années, personne n'a su qu'un tueur en série sévissait dans la région.

— Pourquoi vous en preniez-vous à elles ?

— Pour voir si je pouvais le faire, si je pouvais m'en sortir. Souvent, je profitais simplement d'une occasion. Ce n'était pas planifié, ce n'était pas une femme que je connaissais. C'était juste le hasard. Telle femme croisait ma route à tel moment, et ça y était.

— Et comment vous sentiez-vous lorsque vous les violiez ? »

L'œil de Cottingham se remet à clignoter.

« Je ne les violais pas. Je n'ai jamais eu à frapper une femme pour avoir du sexe.

— Comment vous y preniez-vous ?

— Je les mettais dans une situation où le sexe leur rendrait la liberté. Par exemple, je pouvais dire à une femme : "Tu vas devoir me donner beaucoup d'argent." Bien sûr, elle n'avait pas d'argent, alors je lui demandais : "Que vas-tu me donner, alors ?" Elle finissait par me proposer de coucher avec elle.

— Vous commettiez ces meurtres pour le sexe ou pour le contrôle ?

— Ni l'un ni l'autre. Quatre-vingt-dix-neuf pour cent du temps, c'était juste pour me protéger. Si je sentais que telle personne irait à la police, je la tuais. Si je savais qu'elle ne dirait rien, elle vivait.

— De quoi vouliez-vous vous protéger ?

— J'avais peur de me faire prendre

— Vous faire prendre pour quoi ?

— Pour avoir fait des choses.

— Par exemple ?

— Pour kidnapping, ou pour avoir accosté les prostituées, leur avoir volé leur argent. Et puis je voulais protéger mon impunité, alors je ne pouvais laisser une fille filer chez les flics. Ils auraient eu une bonne description de moi, m'auraient recherché et auraient sans doute fini par me coffrer.

— Pouvez-vous me citer un autre cas où vous avez senti que deviez tuer quelqu'un ?

— On peut parler de Maryann Carr. Un soir, alors que son mari était parti pour quelques jours, nous nous sommes vus. À un moment donné, je lui ai dit : "Après ce qui vient de se passer, je suppose que tu vas aller prévenir la police." Elle a dit : "Non, tout ce que je veux c'est rentrer chez moi, prendre un bain et dormir." Et elle a ajouté cette parole fatale : "Je parlerai aux flics demain matin." Si elle n'avait pas dit ça, elle aurait survécu.

— Mais que lui aviez-vous fait pour qu'elle veuille porter plainte ?

— Elle voulait s'en aller chez elle, mais je ne le lui permettais pas. À ce moment, elle a compris que ce n'était pas qu'une petite affaire d'adultère. Je ne l'ai pas battue, rien, elle n'avait pas de marques sur elle, mais je la retenais contre son gré et elle s'est énervée.

— Comment étaient vos relations avec les femmes en général ?

— Comme je l'ai dit, j'avais un don. Vous savez, j'avais un physique intéressant quand j'étais plus jeune.

— Et que faisiez-vous aux femmes pour les dominer ?

— Vous voulez tous les détails, n'est-ce pas ?

— C'est exact.

— C'était surtout psychologique. Je pouvais leur faire faire presque tout ce que je voulais par des menaces implicites, ou parfois carrément par des menaces de mort. C'était un jeu. Je les plongeais dans une situation délicate dont le dénouement dépendait de leurs actes. Le sexe n'était pas ma principale préoccupation. C'était agréable, ne vous méprenez pas, mais c'était surtout pour mieux les manipuler.

— Et quel genre de satisfaction en retiriez-vous ?

— Je ne sais pas.

— Comment vous sentiez-vous ?

— Je me sentais super bien. C'est difficile à décrire à quelqu'un qui n'a probablement jamais… On se sent presque comme le bon Dieu. On maîtrise complètement le destin de quelqu'un. La toute-puissance… Il n'y a rien de comparable à cette décharge d'adréna-line. Et il y a toujours le danger de se faire prendre, même si on est très prudent. Tout peut arriver n'importe quand. On risque sa vie chaque fois. Pourtant, j'avais une famille, une belle vie, un bon boulot. J'étais un homme respectable, mais j'aimais tout mettre en jeu. Quelle sensation, de chaque fois s'en sortir ! On dit qu'il n'y a rien de tel que le meurtre parfait. Eh bien, j'avais plus de 80 meurtres parfaits à mon crédit. Personne n'en savait rien et j'étais certain qu'on ne me démasquerait jamais.

— Aujourd'hui, en éprouvez-vous des remords ?

— Bien sûr. Si je pouvais revivre ma vie, je ne referais probablement pas toutes ces choses.

— Avez-vous le remords d'avoir été capturé ou d'avoir fait souffrir les victimes et leurs familles ?

— Pour les victimes. Je n'avais pas le droit de faire ce que j'ai fait. Ces choses horribles. J'essaie de ne pas trop y penser, mais de temps en temps je me souviens d'une femme que j'avais oubliée pendant des années. Évidemment, vous vous sentez désolé. Mais c'est difficile : il y en a trop. C'est difficile de se rappeler chaque personne, ce qu'elles ont dit, à quoi elles ressemblaient. Donc, c'est difficile d'éprouver du remords. Mais je regrette mes agissements. C'est triste que j'aie pu faire ça, que j'aie pu aimer le faire. C'est triste que la société laisse des gens comme moi s'en sortir. Vous savez, personne ne s'en soucie vraiment, jusqu'au moment où ça éclate publiquement, dans les journaux, où les médias étalent tout. Autrement, ils s'en fichent. C'est triste.

— Richard, seriez-vous capable de me tuer ? »

L'œil droit de Cottingham clignote de nouveau. Selon Christine Gagnon, il est vigilant, car il sent un piège.

« Serais-je capable de vous tuer ? Non. »

Christine : « C'est un vrai non ! »

« Pourquoi pas ?

— Parce que je vous aime bien. Vous êtes forte. Vous ne prenez pas de merde. Je vous respecte. Vous seriez le type de femme que j'aimerais comme petite amie. Je ne sais pas pour vous. Mais, comme je l'ai dit, j'ai eu beaucoup de petites amies. Du jour où je me suis marié, j'ai été infidèle. J'étais un sale mari. Je suis responsable de tout ce qui a mal tourné dans notre mariage. Quand j'allais dans un bar, j'en ressortais presque toujours avec une nouvelle fille. C'était un truc d'ego. Maintenant, pourquoi étais-je capable de faire ça, je ne sais pas. C'était peut-être juste mon côté mauvais garçon, ou la façon que j'avais de me présenter. Quoi qu'il en soit, je me sens désolé pour tout. Désolé aussi d'avoir été pris. Quoique j'en suis heureux, aussi, dans un sens, parce que j'ai enfin cessé de faire ce que je faisais. Sinon, j'aurais probablement continué. Par contre, si je sortais aujourd'hui, je ne le referais jamais plus.

— Pourquoi gardiez-vous des souvenirs de vos victimes ?

— Je ne faisais pas ça. Ce sont encore des mensonges. La fille qui a eu sa poitrine enlevée, on a retrouvé son pendentif chez son petit ami. Ce n'était pas moi qui le lui avais dérobé. »

Pourtant, dans les médias, on avait soutenu que Cottingham s'était constitué un véritable petit « trésor » avec les effets personnels de ses victimes. Pour en avoir le cœur net, nous avions demandé aux détectives Grieco et Denning de nous conduire à l'ancienne demeure de Cottingham, où il avait vécu avec sa femme et ses trois enfants, dans un quartier tranquille. C'était une maison blanche à étage et à toit plat, recouverte d'aluminium, aux fenêtres décorées de persiennes noires. Par rapport aux photographies de jadis, elle n'avait nullement changée.

Pendant que Franck filmait la maison, Barbara est allée sonner. Une femme corpulente d'une cinquantaine d'années nous a ouvert. Nous lui avons expliqué les raisons de notre passage et elle a semblé surprise. Manifestement, elle n'était pas au courant de l'histoire de Cottingham. Elle nous a expliqué que la chambre du sous-sol, où Cottingham autrefois conservait son « trésor », était fermée à clé. Le fils de cette dame y logeait, mais il n'était pas là.

Nous étions sur le point de partir quand la femme nous a présenté sa fille de 20 ans, tout excitée par l'événement. Le sourire aux lèvres, elle voulait connaître le nom du meurtrier, puis elle s'est précipitée sur son ordinateur pour faire des recherches sur le Web. Entre-temps, la mère avait appelé son fils pour qu'il revienne à la maison. Peu après, il était là, et, ravi, il nous faisait visiter le sous-sol. Au bas des marches, à gauche, se trouvait une petite salle de bains, et la chambre était un peu plus loin. Les détectives ont alors désigné l'endroit où le coffre-fort se trouvait autrefois, dans le salon. Cottingham y cachait des objets (des « souvenirs ») ayant appartenu aux victimes — bijoux, vêtements, clés, etc.

Plus tard, Grieco et Denning nous ont montré des photographies de Cottingham et de sa famille qu'ils avaient gardées pendant toutes ces années. Sur l'une d'elles, Cottingham tient un bébé dans ses bras. Sur une autre, il prend place sur un manège, ses deux autres enfants blottis contre lui. Des images pleines d'amour.

« Donc, vous dites que vous n'aviez pas de "trésor".

— Non. Ma femme et moi divorcions à ce moment-là. Nous vivions au rez-de-chaussée d'une petite maison et avions aussi l'usage des trois pièces du sous-sol. À un moment donné, j'ai changé la serrure d'une des portes en bas et j'y ai rangé mes affaires.

— Quelles affaires?

— Tout ce que je ne voulais pas que ma femme me prenne. Et puis, un jour, j'ai rencontré une jeune fille de 17 ans, exceptionnellement intelligente et forte. Elle n'avait nulle part où vivre, alors je lui ai loué un studio à New York, près des Nations Unies. Il n'y avait pas de distributeurs de billets à l'époque, mais il y avait des kiosques à l'extérieur de certaines banques, où les clients pouvaient obtenir des informations sur leur compte. La jeune fille et moi marchions un jour dans la rue quand nous avons entendu une dame parler à l'interphone d'un de ces kiosques. Elle avait introduit sa carte de crédit dans la machine, mais n'arrivait pas à taper son code secret. Puis la dame est partie, oubliant sa carte de crédit. Je m'en suis emparé et mon amie et moi sommes allés nous amuser dans les centres commerciaux. On achetait tout ce qu'on voulait, des bougies, des vêtements, des bijoux, des accessoires décoratifs, n'importe quoi. Finalement, toutes les factures additionnées atteignaient 19 000 $. Ça débordait de l'auto et nous avons dû mettre beaucoup de ces affaires dans la chambre au sous-sol, chez moi.

— Mais comment avez-vous pu vous retrouver avec ses effets personnels?

— C'est qu'un jour elle a disparu. Je sortais avec elle depuis sept mois et elle faisait le trottoir. Je lui ai appris à être une bonne prostituée. Je n'étais pas son mac, je ne lui prenais pas d'argent, mais je lui ai montré à reconnaître tous les flics, à s'habiller pour entrer dans la haute société, *The Plaza* et tout. Et, un jour, elle a juste disparu. Elle est partie pour la Californie, abandonnant ses affaires à New York, mais j'ai tout gardé. Quand les policiers m'ont arrêté, ils ont découvert cette chambre au sous-sol, pleine de vêtements féminins, mais ils n'ont jamais dit à personne que ces vêtements portaient encore leurs étiquettes.

— J'ai lu quelque part qu'il y avait une dent dans un coffre, dans cette pièce. Est-ce vrai?

— Oui.

— À qui appartenait-elle?

— À ma fille. Une dent d'une enfant de 3 ans. C'est ce que je vous disais. Quand ils ont trouvé ces trucs, les médias en ont fait tout un plat: "Une dent cachée dans un coffre-fort!" "Un diamant en bague!" "Le tueur conservait des vêtements de ses victimes!"

"Une chambre au trésor !" Mais, à vrai dire, aucun de ces objets n'a été déposé comme pièce à conviction au tribunal.

— Un jour, vous m'avez demandé de faire des recherches sur le Web à propos d'une fille. Qui est-elle ?

— C'est une fille avec qui j'ai eu affaire, je pense, mais je n'en suis pas certain. Un cas sur lequel la police m'a posé des questions et je me demande si c'est une fille que j'ai tuée ou pas.

— Vous souvenez-vous de son nom ?

— Non. Si c'était une prostituée, elle ne m'aurait pas dit son vrai nom. Et, les autres, il y a trop longtemps et elles sont trop nombreuses. Je ne me souviens jamais vraiment des noms. »

Tout à coup, sans même s'être présentée à Cottingham, Barbara lui a posé des questions auxquelles il a répondu succinctement, presque brusquement, sans la regarder. Manifestement, il n'appréciait pas l'intervention de la réalisatrice. De mon côté, j'ai pris quelques photos de Cottingham, ensuite j'ai demandé au relationniste de me photographier avec lui. Me regardant, Cottingham m'a dit : « On ne peut pas faire grand-chose en deux heures, mais j'imagine que vous avez ce que vous vouliez.

— Oui, merci.

— De rien. »

Alors que nous nous apprêtions à laisser partir Cottingham, la réalisatrice lui a posé une autre question : « Richard, est-ce la première fois que vous voyez Nadia ?

— Oui

— Qu'en pensez-vous ?

— C'est une très belle jeune femme. Très charmante et très intelligente.

— Merci, ai-je répondu, quelque peu gênée.

— Êtes-vous ému de la voir pour la première fois ? a demandé Barbara.

— Oh oui ! C'est une femme forte. J'ai essayé longtemps de la manipuler par mes lettres, mais je n'y suis pas arrivé. Elle sait ce qu'elle veut. »

En me regardant, il a poursuivi : « Vous savez, vous, comment me manipuler, mais vous avez été honnête et c'est ce que j'ai aimé. Comme je vous ai dit, tant que vous ne me mentirez pas, je vous parlerai. » Et il a ajouté : « Vous savez, je dois faire attention à ce que je dis, parce qu'ils pourraient m'accuser encore une fois s'ils avaient de nouveaux indices...

— Richard, a demandé Barbara, auriez-vous accordé cette interview à un homme?
— Probablement pas, non.
— Pourquoi?
— Je n'aurais eu aucune raison de le faire. Je n'aurais pas correspondu avec un homme, donc je n'aurais pas appris à le connaître.»

Sur ce, le gardien a lancé: «O.K. On est prêt. Cottingham en premier.» Richard s'est levé pour se diriger vers la porte et je lui ai serré la main droite de mes deux mains.

«Merci beaucoup, Richard.
— Merci à vous. On reste en contact.»

C'était la fin de la vidéo. J'étais contente de constater que Cottingham ne m'avait pas menti, si l'on excepte quelques moments d'hésitation et de retenue. Bien sûr, si j'avais pu connaître quelques notions de synergologie avant l'entrevue, j'aurais pu lui poser d'autres questions.

Ensuite, j'ai envoyé à Cottingham les photographies des jeunes filles qui s'étaient retrouvées sur la liste des meurtres non élucidés avant son incarcération.

Et puis, peu après, un enquêteur du New Jersey a vu notre documentaire dans Internet. Lorsqu'il a pris connaissance des aveux de Cottingham, il a demandé à le rencontrer et l'entrevue a été fructueuse: Cottingham a avoué un meurtre antérieur à son premier assassinat avéré, et il a été officiellement inculpé de ce crime. La famille de cette victime était présente au tribunal, y compris ses deux enfants qui, paraît-il, ont injurié Cottingham.

Je sentais que j'avais contribué à quelque chose d'utile. J'avais aidé des enfants éplorés à enfin lever le voile sur le mystère de l'assassinat de leur mère. Puissent-ils avoir le courage de tourner la page.

CHAPITRE 8

Jack Trawick, exécuté en 2009

« Je dois admettre qu'on développe une dépendance aux décharges d'adrénaline consécutives aux meurtres. En fait, le meurtre en série est une toxicomanie : la chimie du cerveau est altérée, comme les besoins physiologiques et émotionnels. »

NOM : Jack Harrison Trawick

DATE DE NAISSANCE : 18 février 1947

DURÉE DES MEURTRES : Au moins 14 ans

NOMBRE DE MEURTRES : Inculpé pour 2 meurtres ; en a avoué 5

STATUT : Incarcéré en 1994 ; mis à mort par injection létale en 2009 en Alabama

---

Jack Trawick agressait ses victimes pour le plaisir sexuel. Il avait été reconnu coupable de deux meurtres, mais en aurait avoué trois autres. Comme Arthur Shawcross, il avait fait la guerre.

Selon le Dr Dassylva, ce type d'agresseur jouit de voir quelqu'un souffrir, mais c'est un mécanisme pathologique par rapport à sa propre souffrance. C'est une façon de composer avec des malaises, des souffrances, avec les échecs de sa vie. C'est ce qu'en psychologie on appelle une compensation. « Les gens normaux souffrent aussi, a dit le Dr Dassylva, mais ils ne feront pas souffrir quelqu'un d'autre pour se sentir mieux. Ils n'érotisent pas la souffrance d'autrui. »

Certains tueurs en série commettent des meurtres en haine d'une certaine personne, par exemple leur mère ; d'autres peuvent projeter sur une victime l'image d'une tierce personne. Certains ont des paraphilies (pratiques sexuelles déviantes), comme le footballeur Randall

Woodfield, un exhibitionniste. D'autres seront excités par des appels téléphoniques obscènes. Russell Williams[26] portait des sous-vêtements féminins qu'il dérobait à ses victimes lors de ses entrées par effraction. Mais comment explique-t-on le développement de telles déviances ? Pour le savoir, j'ai pris contact avec Ron Hinch, professeur de criminologie à la University of Ontario Institute of Technology, qui a publié des ouvrages sur les tueurs en série.

« Plusieurs spécialistes ont essayé de répondre à cette question et plusieurs théories existent, m'a dit Ron Hinch. L'un de mes livres sur les déviances répertorie huit théories et leurs nombreuses variantes. Les théories traditionnelles (ou scientifiques), très populaires avant les années 1970, sont toujours invoquées de nos jours. Quant aux théories modernes (ou humanistes), populaires aussi durant les années 1960 et très prisées durant les années 1970 et 1980, elles ont évolué dans plusieurs directions. Certaines théories scientifiques considèrent les déviances comme des caractéristiques de l'individu et en décrivent les causes biologiques (endocriminologie, maquillage génétique, etc.). Les tenants de ces théories tiennent les déviances pour des faits objectifs, indiscutables. [...] Les humanistes auront tendance à percevoir la déviance comme faisant partie du processus. Et ce processus se retrouve au cœur des interactions de la plupart des gens, et ce, sur une base quotidienne, d'où l'énorme disparité existant entre ce qui est considéré ou non comme une déviance. Il est également possible que ce processus soit le fruit d'une manipulation des institutions sociales visant à imposer une certaine définition du crime et de la déviance au profit de certains individus plus puissants qui bénéficient ainsi du fait que certains comportements sont étiquetés comme déviants (criminels) alors que d'autres sont tolérés ou ignorés. Les choses que ces gens détestent sont déviantes et celles qu'ils apprécient sont « normales ». Russell Williams, lui, pénétrait dans des maisons pour s'emparer de sous-vêtements féminins qu'il érotisait, mais, habituellement, le fétichisme traditionnel[27] ne pousse pas ses adeptes à commettre des vols par effraction, des séquestrations et des agressions, comme Williams l'a fait.

---

26. Ancien colonel de l'armée canadienne, arrêté en Ontario en 2010 et inculpé de 88 chefs d'accusation, dont des entrées par effraction, plusieurs agressions sexuelles et deux meurtres. Il purge une peine de prison à vie.
27. Le fétichisme traditionnel ne se limite pas aux sous-vêtements. La satisfaction sexuelle peut être recherchée par le contact ou la vue de tout autre objet, les souliers par exemple, que le meurtrier érotise.

Cela dit, Cottingham et Trawick retiraient à leur manière du plaisir sexuel de leurs meurtres. Cottingham promenait la lame d'un couteau sur le corps nu des femmes ; Trawick les violait sauvagement. Hickey, ainsi que d'autres experts, soutient que les meurtres sexuels sont plus fréquents que nous ne le croyons, mais que beaucoup ne seront jamais reconnus pour tels, puisque nombre de victimes ne seront jamais retrouvées.

Une excellente description du meurtre sexuel se trouve dans le livre *Les meurtriers sexuels : Analyse comparative et nouvelles perspectives*[28] que m'avait prêté le Dr Pinard. À la page 27, on lit :

> Meloy (2000) a formulé l'hypothèse selon laquelle la coercition et la violence seraient des stimuli conditionnels qui déclencheraient une réponse conditionnelle d'excitation sexuelle chez les meurtriers sexuels. Afin d'illustrer ce processus de conditionnement classique, nous considérerons le cas d'un adolescent qui visionne des films d'horreur où des femmes nues sont tuées par des monstres. À l'étape 1, la vue d'une femme nue constitue un stimulus inconditionnel qui déclenche une réponse inconditionnelle d'excitation sexuelle. Quant au comportement violent à l'endroit d'une femme (stimulus neutre), il ne déclenche aucune réponse inconditionnelle d'excitation sexuelle. Si le stimulus inconditionnel (femme nue) est associé de manière répétée au stimulus neutre (comportement violent contre une femme), celui-ci devient un stimulus conditionnel (étape 2). Il en résulte que, à l'étape 3, la violence exercée contre une femme (stimulus conditionnel) suffit à provoquer une réponse conditionnelle d'excitation sexuelle.
>
> MacCulloch, Snowden, Wood et Mills (1983) soulignent que la progression des fantasmes et des délits vers un niveau de violence plus élevé pourrait s'expliquer par un processus d'habituation. En effet, la répétition d'un fantasme sexuel ou d'un délit sexuel violent entraîne une baisse de la réponse d'excitation sexuelle. Les meurtriers sexuels auraient donc recours à des stimuli (fantaisies, délits) de plus en plus violents afin de maintenir un niveau élevé d'excitation sexuelle.

Les tueurs en série motivés par le sexe auraient donc constamment vécu dans les fantasmes. Or l'isolement favorise ce fantasme, et son intensification permet de passer à l'acte dans la réalité. La pornographie jouerait aussi un rôle important dans ce phénomène. N'ayant pas

---

28. Voir la bibliographie. Le Dr Benoît Dassylva a contribué à l'édition anglaise de cet ouvrage.

eu la chance de connaître l'intimité sexuelle normale, ces hommes iraient chercher de force ce qu'ils veulent. Jack Trawick était certainement le type de sadique sexuel qui prend tout le plaisir qu'il veut, sans le moindre sentiment de culpabilité.

Dès ma première lettre à Trawick, je lui avais soumis des questions, et il m'avait répondu sans tarder.

« À votre santé »[29],

Je connais un peu le français, assez pour m'attirer des ennuis, mais pas assez pour me sortir du pétrin.

Je crois que j'étais un enfant assez normal. Né dans la classe moyenne supérieure. Mes parents avaient tous deux une profession. Ils avaient tendance à me gâter un peu et cela me rendait paresseux. Je m'intéressais beaucoup au sexe, au-delà même de certaines limites habituelles, difficiles à franchir. Mon quotient intellectuel était au-dessus de la moyenne, mais l'école ne m'intéressait pas.

Tout au long de mon enfance (encore aujourd'hui), j'ai aimé tout ce qui touchait à la mécanique. Mon père était un ingénieur en design de structures. La plupart de mes jouets étaient de vieilles maquettes de mon père. J'aimerais bien encore pouvoir me graisser les mains de temps en temps.

Je n'avais pas vraiment de rêves ni d'ambitions. Cependant, j'imaginais que tout (une vie professionnelle, une maison, une famille) viendrait à moi. J'ai été plutôt surpris.

Dès le début, j'ai adoré le football et le baseball. Mais la course était ma véritable passion. Mon meilleur ami d'enfance, mon voisin, avait mon âge. Il s'appelait Stanley et avait trois sœurs plus vieilles que lui. Depuis lors, toutes les filles sont devenues mon seul centre d'intérêt.

Un jour, mon père est décédé. Le revenu familial s'en est trouvé coupé de moitié – fini les excès, la vie de luxe. Nous n'étions pas pauvres, mais n'avions plus droit aux fins de semaine à Paris, fêtes spéciales, etc.

Qu'est-ce qui est excitant, qui donne du plaisir, est savoureux et gratuit ? Le sexe ! Et que fais-tu si ton partenaire n'est pas sexuellement aussi ouvert que toi ? Tu prends simplement ailleurs ce que tu veux. Au diable, les conséquences.

---

29. En français dans la lettre.

Ayant raté tous mes cours après l'école secondaire, j'ai été enrôlé de force dans l'armée américaine. La vie de militaire m'a eu – les meurtres sont acceptés, dans certaines circonstances. En fait, tuer est l'ultime extase !

Alors, à ce point dans ma vie, le monde a hérité d'un homme frustré, pourri, gâté, friand de sexe, et qui usait du meurtre pour obtenir ce qu'il considérait comme des trophées.

Je ne suis pas certain de savoir ce que je peux faire pour vous aider, tout dépend de vous. Passez une belle journée. Restez loin des ennuis.

« Vogue la galère ![30] *»*
J2007

Chère Nadia,
Le courrier aux États-Unis, spécialement dans l'appareil institutionnel, a été tellement ralenti qu'il rampe. Vous avez posté votre lettre le 5 décembre, je l'ai reçue le 18 décembre. Un canard unijambiste aurait pu marcher de Montréal à Atmore en moins de 13 jours.

En tout cas, j'espère que vous passez les plus belles fêtes de votre vie. J'ose espérer que, quand vous recevrez cette lettre, nous serons toujours en 2008. Bonne année !

Questions

Un événement particulier vous a-t-il poussé à commettre votre premier meurtre ?

J'étais dans l'armée pendant la guerre du Vietnam. Aucun militaire ne peut être réellement moral. Tous les soldats sont soumis à la loi du plus fort (c'est pourquoi ils sont munis d'armes meurtrières). Il n'y a aucune armée non violente. Si vous apprenez aux gens à tuer pour des raisons vagues, ne soyez pas surpris s'ils tuent n'importe quand. Je ne blâme personne – c'est seulement un fait. Les poissons nagent. Les oiseaux volent. Les tueurs tuent.

Des professionnels vous ont-ils aidé quand vous étiez jeune ?

À l'époque (j'ai plus de 60 ans), la psychothérapie était surtout un jeu de devinettes. Des gens prétendaient connaître toutes les réponses. La

---

30. En français dans la lettre.

vérité est que, même aujourd'hui, excepté pour certaines drogues fortes qui altèrent notre humeur, la psychothérapie est un spectacle. Pour panser le bobo, il faut faire des pirouettes. Jamais dans l'histoire de l'humanité n'a-t-on pu convaincre un tueur de ne pas tuer.

Quelqu'un a-t-il jamais senti que vous aviez des problèmes?
Non. Je n'ai jamais vraiment présenté les symptômes classiques de la psychopathie pendant mon enfance. Pas de crime, pas de violence envers les animaux. J'étais le produit d'une famille de la classe moyenne. J'étais assez populaire à l'école secondaire; autant que je le voulais. Bla bla bla... ennuyeux, ennuyeux, plat, ennuyeux.

Blâmez-vous quelqu'un d'autre que vous-même pour vos actes?
Non, je ne blâme personne pour mes actions.

Pourquoi ces crimes?
Les meurtres sexuels sont au summum des émotions humaines. Souvenez-vous de votre meilleure et plus intense expérience sexuelle. Multipliez cette expérience physique et émotionnelle par mille et vous vous approcherez peut-être de ce que j'ai ressenti quand j'ai tué. Je dois admettre qu'on développe une dépendance aux décharges d'adrénaline consécutives aux meurtres. En fait, le meurtre en série est une toxicomanie: la chimie du cerveau est altérée, comme les besoins physiologiques et émotionnels.

Lors d'un cours à l'université, Stéphane Leclerc nous a parlé de la pulsion du meurtrier sexuel:

> C'est sûr que l'individu sait que sa pulsion n'est pas raisonnable, mais, quand elle se manifeste, il s'en fiche. La morale ne compte plus. Ce qu'il veut, c'est assouvir cette pulsion. Sinon, il en souffrira et pourra même exploser. C'est comme le type qui souffre de schizophrénie. À certains moments, il est assailli par des affects puissants qui le sidèrent, le font souffrir. Se manifestent alors en lui des signes blancs (immobilité soudaine du corps, silence lourd, regard dans le vague, etc.). S'il ne veut pas exploser au-dedans, il ne lui reste que le délire, la causalité délirante pour exprimer l'affect. C'est lui (le délire) qui devient la réponse comportementale appropriée pour survivre au contexte. Il a recours à la causalité délirante dans le but de relier les effets-affects et de les expulser hors du

corps, de l'esprit. C'est la même chose avec le tueur en série. Il va le faire parce que ça vient assouvir sa pulsion. C'est comparable à l'orgasme : quand quelqu'un se masturbe, il finit par satisfaire complètement son désir, qui s'apaise, jusqu'à ce que la pulsion revienne.

Pouvez-vous me raconter votre premier meurtre ?
Tout dépend de ce que vous entendez par «premier meurtre». Mon dictionnaire définit le meurtre comme «l'action délibérée de tuer un être humain». Les militaires qui ont tué sont-ils des meurtriers ? En 1945, l'Amérique a laissé tomber deux bombes atomiques sur les Japonais, vaporisant des milliers d'innocents. Est-ce que ces gens ont été assassinés ? La première fois que j'ai tiré avec une arme automatique et tué d'autres êtres humains – sans raison –, n'était-ce pas l'acte délibéré de tuer ? Oh, attendez une minute. Je comprends. Si vous tuez délibérément un être humain pour des raisons politiques ou économiques, ce n'est pas un meurtre, même si la victime est bel et bien morte.

Quoi qu'il en soit, mon premier meurtre civil a été simple. La victime, une fugueuse de 18 ans, une femme blanche, s'est retrouvée au mauvais endroit au mauvais moment, comme on dit (mais, pour moi, elle était à la bonne place au bon moment). Néanmoins, entre l'instant où je l'ai aperçue et le moment où j'ai balancé son corps partiellement dénudé dans un fossé, il ne s'est pas écoulé 15 minutes. Je savais que j'y arriverais. Je savais que j'aimerais ça et que je m'en sortirais sans me faire prendre. Pendant 20 ans, personne ne m'a interrogé à propos de ce meurtre. Pourtant, je l'ai appris ces dernières années, il y avait eu un témoin. Le problème était que ce témoin était une adolescente de race *noire*. En 1972, en Alabama, aucune personne de race noire, encore moins une jeune femme, ne pouvait témoigner contre un «bon» jeune homme blanc. En plus, la victime vivait avec le frère du témoin. Une Blanche de 18 ans vivant avec un Noir, en 1972, en Alabama. Les autorités devaient penser qu'elle avait eu ce qu'elle méritait. Oh, et son copain a été arrêté et accusé de meurtre. Voilà comment ma carrière de tueur a débuté.

Qu'est-ce que ces crimes vous ont apporté ?
Le summum du plaisir.

Vous demandiez-vous ce qui traversait l'esprit de vos victimes?
On ne peut être un tueur efficace si on a de la compassion pour sa victime. Les victimes ne sont qu'objets.

Certains tueurs, mais pas tous, considèrent les victimes comme des objets. Ted Bundy, auteur d'au moins 36 meurtres[31], disait ne pas discuter avec sa victime longtemps, car il finissait par la percevoir comme un être humain.

À quoi pensiez-vous pendant les meurtres?
Comment c'est délicieux.

À quoi pensiez-vous après les meurtres?
Merde, j'espère que ma femme n° 1 n'apprendra pas que j'ai une petite amie (et je crois que je vais manquer mes cours demain).

Éprouviez-vous du plaisir sexuel en commettant des meurtres?
Le sexe est le facteur premier qui motive les tueurs sexuels. Le sexe est la cerise sur la crème fouettée sur le gâteau.

Une femme de mon groupe Facebook m'avait déjà demandé: «Quels plaisirs peuvent éprouver les meurtriers qui agressent sexuellement leurs victimes? Est-ce le fait d'être le "dominant" qui leur donne ce plaisir? Cherchent-ils à s'exprimer par la cruauté, faute de savoir verbaliser un mal de vivre profond?»

Je lui avais répondu: «En résumé, tout dépend du type d'agresseur. Si un tueur en série recherche le pouvoir, par exemple, il ne commettra pas nécessairement d'agression sexuelle. S'il le fait, c'est parce qu'il perçoit que ce type d'agression lui permettra de dominer sa victime au suprême degré. Dans le cas du tueur en série sexuel, le but premier est l'agression sexuelle, mais en faisant tout aussi mal à la victime. Ce n'est pas un plaisir sexuel normal. À cause d'expériences négatives, il a appris à aimer faire mal à autrui, à apprécier la souffrance qui l'excite sexuellement.»

Il est important de comprendre que l'agression n'est pas personnelle: l'agresseur recherche une victime quelconque pour s'affirmer. Il choisira donc toute personne qu'il juge plus faible que lui.

Dès l'âge de 8 ans, Jack Trawick aurait été victime d'abus sexuels perpétrés par des membres de sa propre famille.

---

31. Source: http://maamodt.asp.radford.edu/Psyc%20405/serial%20killers/Bundy, %20Ted%20-%202005.pdf

Comment vous sentiez-vous lorsque vous commettiez ces agressions sexuelles?
Le viol est le contrôle ultime. Ce contrôle est vraiment enivrant.

Voyiez-vous ces meurtres comme une mission?
Non. Mes motifs étaient égoïstes.

Comment commettiez-vous les crimes?
Je cherchais une victime et je l'attaquais pour mon salaud de plaisir.

Comment sélectionniez-vous vos victimes?
Par hasard.

Avez-vous cru que vos victimes méritaient ce que vous leur faisiez subir? Avez-vous la même opinion aujourd'hui? Pourquoi?
Évidemment, mes victimes n'ont pas mérité cette destinée. Du moins, pas avec moi dans le rôle de l'exécuteur.

Vos crimes étaient-ils prémédités ou impulsifs?
Mes crimes étaient prémédités du fait que j'étais toujours prêt à agir. Mais je n'ai jamais choisi une victime en particulier, fait des plans, etc.

Voilà enfin un tueur en série qui a répondu honnêtement à cette question. Richard Cottingham, lui, avait répondu que ses meurtres n'étaient pas prémédités, mais il n'avait pas dit un mot sur les accessoires qu'il gardait toujours dans sa voiture : sa perruque, son faux revolver, ses menottes. Certes, Cottingham n'a pas tué toutes les prostituées avec lesquelles il a eu des relations sexuelles, mais il était toujours prêt à passer à l'acte.

Aviez-vous pensé aux conséquences criminelles de vos gestes?
Tout criminel sait que l'éventualité d'être arrêté fait partie du jeu. *Don't do the crime if you can't do the time*[32]. Mais la peine capitale n'arrêtera jamais personne. Il n'y a pas plus de trois prisonniers ici qui ont été condamnés à la peine de mort (dans le pays – environ 3 200). Les exécutions servent simplement à venger les familles des victimes. Ce soir, vous apprendrez sans doute au journal télévisé que quelqu'un s'est tué dans un accident de voiture. Que ressentirez-vous ? Peut-être

---

32. Traduction libre : Ne commets pas de crime si tu ne veux pas te faire arrêter.

un léger malaise. C'est bien triste, mais le monde n'arrêtera pas de tourner, pas vrai ? Savez-vous combien de personnes meurent chaque jour dans le monde ? Dans les 150 000. Une partie de la vie est la mort.

Aviez-vous déjà songé à vous arrêter ?
Oui, je me suis dit qu'il fallait que ça cesse, mais la dépendance était si forte que vivre sans ces crimes me semblait bizarre. Les tueurs en série savent que les crimes mènent leur vie, mais aucun ne désire se faire prendre. S'ils le voulaient, ils se rendraient d'eux-mêmes aux autorités.

Il est vrai que la majorité des tueurs en série désirent rester en liberté. Cependant, quelques individus ont parfois souhaité se faire prendre. Par exemple Williams Heirens (surnommé Lipstick Killer), qui avait écrit au rouge à lèvres sur un mur du salon de l'une de ses victimes :

Pour l'amour du
ciel attrapez-moi
avant que je tue encore
Je ne peux pas me contrôler

Wayne Adam Ford s'était lui-même livré à la police, en pleurs, pour avouer quatre meurtres. Pour prouver qu'il était réellement un meurtrier, il avait apporté le sein découpé de l'une de ses victimes dans un sac de plastique.

Avez-vous déjà songé à la douleur que vous avez infligée
aux autres ?
Oui, je suis sensible à la douleur que j'ai causée. Mais, que puis-je faire, maintenant ? Quelqu'un m'a déjà demandé si je comprenais la peine que je causais à la mère d'une victime. Eh bien, par mon exécution, le grand État de l'Alabama fera souffrir ma mère de la même manière. Est-ce que quelqu'un s'en préoccupe ? J'en doute.

Comment perceviez-vous vos victimes ?
Nos routes n'auraient jamais dû se croiser. Ces gens n'ont pas mérité leur sort, pourtant ça leur est tombé dessus.

Quelle différence y avait-il entre vos victimes et vos femmes ?
Marié deux fois. Encore fou amoureux de mon épouse n° 1, et je serai toujours le bienvenu chez elle. Épouse n° 2 s'est noyée dans un « acci-

dent» de bateau. Il n'y avait aucune différence entre ma femme nº 2 et mes victimes. Épouse nº 1 et ma fille ne sont pas parfaites, mais presque. Mais la vérité est qu'elles auraient pu faire partie des statistiques elles aussi.

Vous considérez-vous comme une personne violente ?
Je peux certainement être violent et extrêmement agressif.

Que pensez-vous de l'amour ?
L'amour est une émotion fantastique. Rien n'est meilleur qu'un amour juste. Rien n'est pire que l'amour qui va de travers.

*Commettriez-vous d'autres meurtres si vous étiez
libéré aujourd'hui ?*
Oui, je continuerais, si j'étais relâché. La dépendance à l'adrénaline est simplement trop grande.

Comment percevez-vous les tueurs en série ?
Un tueur en série est une personne qui tue d'autres êtres humains, pour une raison précise, pendant un certain laps de temps. En cela, il est comme n'importe quel bourreau de l'État, n'importe quel militaire. Le meurtre, c'est : tuer délibérément quelqu'un. Mais cette définition ne s'applique pas aux gardiens, bourreaux, militaires, policiers qui ont la gâchette facile.

La peine de mort reste en vigueur aux États-Unis, dans 34 États. Elle avait été abolie en 1967, mais a été rétablie dans plusieurs États à compter de 1976, et par l'État fédéral en 1988. Cependant, les condamnés à mort d'aujourd'hui ne sont pas nécessairement exécutés ; ils peuvent simplement rester incarcérés à jamais. Il y a quelques années, j'avais pris contact avec trois des quatre membres des Chicago Rippers, ces individus condamnés, entre autres, pour agressions sexuelles et 18 meurtres. Ils rôdaient en camion et kidnappaient des femmes qui se promenaient à pied. Le seul qui n'a pas été condamné pour meurtre est Robin Gecht. Il affirme ne pas avoir fait partie du clan, mais, au dire des trois autres, il en aurait été le chef. J'avais voulu enquêter, mais Edward Spreitzer répétait ce que Gecht disait et Thomas Kokoraleis ne répondait jamais aux lettres des journalistes. Andrew Kokoraleis, le frère de Thomas, qui aurait pu éclaircir certains faits, a été le dernier prisonnier exécuté en Illinois en 1999. En 2010, 46 condamnés à mort ont été supprimés. Mais la peine capitale a été abolie dans plusieurs États à cause, entre autres, des erreurs judiciaires. Sur un site consacré à la peine de mort[33], on peut lire ceci : « Depuis que les exécutions ont repris aux États-Unis en 1976, plus de 100 personnes ont été libérées des couloirs de la mort après avoir été innocentées. D'autres ont été exécutées malgré de sérieux doutes sur leur culpabilité. » Et : « Le 1er mars 2005, il y avait dans les couloirs de la mort 72 délinquants qui étaient mineurs au moment de leurs crimes. Ce jour-là, la Cour suprême des États-Unis [...] a déclaré la peine de mort illégale pour les délinquants mineurs. Depuis 1976, 22 condamnés à mort ont été exécutés aux États-Unis pour des crimes qu'ils avaient commis alors qu'ils étaient mineurs. »

Chère Nadia,

Excepté pour des rendez-vous normaux (du genre romantique), je ne sortais pas souvent le soir. Quel genre de Bonhomme sept-heures[34] recherche ses victimes lors d'une journée printanière ensoleillée, dans des lieux agréables ? Quelqu'un qui réussit. (Drôle de réussite, hein ? D'où est-ce que je vous écris ?)

Je ne suis évidemment pas dans les couloirs de la mort parce que je chantais trop fort dans la chorale de l'église. (À la fin des années 70, je me suis joint à cette chorale pour me lier avec des filles, et une ou deux sont devenues des victimes, mais cette histoire serait plus morbide qu'intéressante.)

Sachez que notre temps ensemble achève. À la fin de l'été ou au début de l'automne, la Cour suprême des États-Unis donnera son opinion et dictera les règles sur l'exécution par injection – et les États qui le souhaitent pourront alors exécuter les condamnés comme dans une machine à maïs soufflé. Dès lors, mes jours seront comptés. Tic – tac – tic – tac. Don't do the crime if you can't do the time.

Affectueusement,
J2008

Chère Nadia,
Comment va la vie dans l'univers des feuilles d'érable ? J'espère que vos proches se portent aussi bien que possible. La petite vie simple peut être difficile. Personne ne souhaite avoir trop de problèmes.

---

33. Source : http://www.revoltes.org/peine-de-mort-etats-unis.htm
34. En France : croquemitaine ou père Fouettard.

Alors, j'espère que votre été est follement merveilleux et enchanteur !

Ici, les problèmes se bousculent à l'horizon. Mon dernier recours à la Cour suprême des États-Unis sera entendu le premier lundi du mois d'octobre 2008. S'il est déclaré irrecevable, la Cour suprême du pays ordonnera à la Cour suprême de l'Alabama de fixer la date de mon exécution. La Cour suprême de l'Alabama accorde à peu près toujours 90 jours de grâce. Alors, je pourrais être exécuté en janvier ou février 2009. Mais la Cour suprême de l'Alabama pourrait ne pas m'accorder cette période de grâce. Mon cas comporte certains problèmes constitutionnels, mais je suis coupable et beaucoup de gens me détestent (aussi stupide que cela puisse paraître). Les États-Unis et les cours indépendantes sont imprévisibles. Qui peut savoir ce qui va se passer ? Sachez seulement que je pourrais bientôt entamer mon chant du cygne.

La Cour suprême a jugé que les injections létales ne violent pas la constitution des États ni celle du pays. Les injections sont donc légales et morales.

Je crois que ça y est. Je voulais vous dire que chaque jour qui passe me rapproche de l'inévitable. Toute bonne chose a une fin – mais qui a dit que c'était une bonne chose ?

Votre ami et collègue,
J2008

J'aurais souhaité mener une enquête plus approfondie sur son enfance et sur les meurtres dont il avait fait mention. En fait, je voulais qu'il me parle des agressions sexuelles qu'il avait subies, enfant. Je lui ai donc écrit plusieurs autres lettres, mais il ne m'a jamais répondu.

Jack Trawick avait été exécuté par injection létale le 11 juin 2009.

CHAPITRE 9

Patrick Kearney :
L'homme qui tuait des hommes

« Vous m'avez demandé si j'aimerais participer à une étude. Peut-être. Mais j'aimerais aussi escalader le mont Everest. En fait, si l'on m'autorisait à escalader l'Everest, je confesserais que je suis le Zodiac Killer. »

NOM : Patrick Wayne Kearney

SURNOMS : The Freeway Killer ; The Trash Bag Killer

DATE DE NAISSANCE : 29 septembre 1939

ÉTAT CIVIL : Divorcé

DURÉE DES MEURTRES : De 1962[35] à 1977

NOMBRE DE MEURTRES : 28 hommes

STATUT : Incarcéré dans l'État de Californie depuis 1977

Patrick Kearney a été condamné pour les meurtres de 21 hommes commis en Californie durant les années 1970. Mais il affirme en avoir tué 28. Lorsqu'il se querellait avec son amant, il se mettait en quête de victimes dans les bars d'homosexuels. Il lui arrivait aussi de faire monter dans son auto des autostoppeurs et les invitait chez lui. Il tuait ses victimes d'une balle dans la tête, puis violait leur cadavre. Comme ses victimes lui rappelaient des jeunes qui l'avaient fait souffrir, il les battait parfois. Par la suite, il démembrait les corps avec sa scie à métaux et s'en débarrassait dans des sacs de poubelle. Selon lui, ses plus jeunes victimes avaient 5 et 8 ans ; les autres

---

35. 1962, d'après Tony Stewart, auteur de *The Trash Bag Murderer*. L'année des premiers meurtres de Kearney varie selon les sources.

pouvaient avoir jusque dans la mi-vingtaine. Lors de son arrestation, il a dit aux policiers que les meurtres l'excitaient et lui inspiraient un sentiment de dominance[36].

Kearney n'a jamais accordé d'entrevue à personne, mais il était prêt à me parler d'autres tueurs en série, à me transmettre leurs coordonnées et à m'aider à comprendre le phénomène. Par contre, il refusait de répondre à des questions personnelles. Il a toujours refusé de parler de son passé.

J'avais lu que, enfant, Patrick Kearney était maigre et souvent malade. Il était, lui aussi, harcelé par les autres élèves à l'école. Il aurait commencé à vouloir tuer des gens à l'adolescence.

Alors que Patrick avait 13 ans, son père, un officier de police, lui aurait acheté une carabine de calibre .22 et lui aurait appris à tuer les porcs efficacement, en réduisant le saignement. Il s'agissait de leur loger une balle derrière l'oreille gauche. C'est ainsi que Patrick tuerait ses victimes plus tard[37].

Pendant nos deux premières années de correspondance, Kearney m'a fait découvrir toutes sortes de choses : des formules mathématiques, les unités et les constantes astronomiques, la formule de Black-Scholes, etc. Il parle plusieurs langues, apprises à l'armée, et m'écrit souvent en français. Il m'a transmis les coordonnées de plusieurs tueurs en série étrangers et des renseignements intéressants sur certains d'entre eux.

En une centaine de pages manuscrites, Kearney n'a effleuré les meurtres qu'à deux reprises, par des allusions qui auraient pu échapper à nombre de lecteurs. Par exemple, il m'a dit un jour qu'il avait beaucoup voyagé au Canada. Quand j'ai voulu connaître les raisons de ces voyages, il m'a répondu que l'un de ses « associés » était un Canadien. Que voulait-il dire par là ? Il m'a répondu : « Je crois que "associé" est le mot français le plus proche de *crime partner*. »

Les autorités soupçonnaient David Hill, l'amant de Kearney, d'être complice des multiples meurtres, mais les preuves manquaient pour l'inculper. Pourtant, selon Tony Stewart, qui les a connus, Hill savait très bien ce qui se passait. Auteur de *The Trash Bag Murderer* (publié à compte d'auteur, seulement trois mois avant notre communication), Stewart a passé plusieurs années à faire des recherches sur Patrick Kearney. Il a corroboré ce que je croyais déjà savoir et m'a appris plusieurs choses sur le passé de Kearney et Hill.

---

36. Source : http://www.trutv.com/library/crime/serial_killers/predators/patrick_kearney/10.html
37. Voir *The Trash Bag Murderer* de Tony Stewart.

J'ai rencontré Patrick Kearney quand j'avais 11 ans. Je travaillais alors pour un courtier immobilier, Reid Wilson, qui m'a présenté à lui. Kearney était ingénieur à Hughes Aircraft à Culver City, Californie, et demeurait à deux pâtés de maisons de chez nous. Ma famille était pauvre, alors mon frère et moi cherchions toujours du travail dans le voisinage. Kearney m'a proposé de tondre sa pelouse pour trois dollars par semaine. Finalement, j'ai fait toutes sortes de petits travaux pour lui pendant cinq ans, jusqu'à ce que nous déménagions à Lawndale.

Kearney avait l'air amical et je n'avais jamais rien remarqué d'étrange dans son comportement. Il semblait calme et gentil, il parlait doucement. Mais cette amabilité de façade n'était qu'un piège. D'ailleurs, mon frère l'a échappé belle à deux reprises. La première fois, Kearney et Hill l'ont poursuivi en camion. Kearney était au volant et Hill, penché par la fenêtre de la portière, essayait d'attraper mon frère qui courait de toutes ses forces. Peu après, mon frère m'a dit : « Les gars pour qui tu travailles me poursuivent sans cesse ! » Ce commentaire m'avait semblé bizarre à ce moment-là, parce que Kearney avait toujours l'air si gentil.

J'ai revu Kearney quelques années plus tard, à l'âge de 19 ans. Je faisais de l'auto-stop pour rentrer chez moi et il m'a pris. Il se souvenait de moi. Je lui ai dit que je cherchais quelqu'un qui voudrait bien m'acheter de la bière, car je n'avais pas 21 ans. Il a alors insisté pour m'en offrir une. Une fois chez lui, il s'est mis à agir étrangement. Il m'a dit qu'il était médecin et qu'il voulait écouter battre mon cœur avec son stéthoscope. C'était très bizarre, mais je l'ai laissé faire, même si je ne suis pas gay. Du cœur, il s'est mis à descendre, et quand il s'est trouvé à la hauteur du nombril, j'ai dit nerveusement qu'il était tard et que je devais partir. Je sentais qu'il allait tenter quelque chose, quand la porte d'entrée s'est ouverte. C'était David Hill. Là-dessus, Kearney m'a ramené chez moi, et c'est tout. Aujourd'hui, j'ai le sentiment que Hill m'a peut-être sauvé la vie ce soir-là.

Le psychiatre qui a examiné Kearney après son arrestation a noté un Q.I. de 180. Un génie. Néanmoins il pouvait tuer, violer et découper des enfants en morceaux. Il ne s'est jamais repenti de ses crimes.

En fait, un tueur en série sur quatre travaillerait avec un partenaire. Et j'ai remarqué que les meurtres perpétrés en duo sont en général plus cruels et plus violents. Parfois, l'un préfère violer la victime et l'autre, la tuer. L'amour, ainsi que la menace et la peur, peut aussi pousser une femme à se lier avec un tueur en série. Dans de rares cas, des femmes ont agi pour des avantages pécuniaires. Il y a même eu des duos mère et fils. Des quatuors, comme les *Chicago Rippers* qui ont violé et tué

18 femmes. Mais la majorité des équipes sont constituées de deux hommes. J'avais approché David Gore, qui capturait des femmes pour son cousin Fred Waterfield. Ce dernier donnait à Gore 1000 $ par victime. Gore y avait pris goût et pouvait être encore plus cruel que son cousin. Ils ont tué six femmes, et cinq autres ont réussi à s'enfuir. Dean Corll remettait 200 $ à deux adolescents en échange de victimes masculines qu'il violait et tuait. Le trio est responsable de la mort de 27 garçons âgés de 13 à 20 ans.

Cela dit, l'argent est rarement le motif pour lequel des tueurs font équipe, comme le démontre l'histoire de Roy Norris et Lawrence Bittaker, qui ont tué cinq femmes en cinq mois. Ils les martyrisaient, les violaient, et enregistraient leurs cris de souffrance. Je me demandais comment s'était déroulée la première expérience de deux complices, alors j'ai posé la question à Roy Norris.

Nadia,

[...]

Pendant le procès de Larry [Lawrence Bittaker], le procureur a dit à la cour et au jury que nous avions planifié ces crimes en prison. C'est faux. C'est une des diverses déclarations délibérément exagérées pour le sensationnalisme et les gros titres. Pendant que nous étions en prison, Larry et moi ne savions pas que nous nous reverrions après sa libération sur parole. En fait, j'avais pensé m'installer et me marier pour avoir des enfants – avec une fille de chez nous, avec qui je correspondais. Elle m'avait laissé croire que «ça» pouvait être possible.

S.V.P., comprenez que j'ai une personnalité plutôt solitaire. Je me risque rarement du côté des émotions si je peux l'éviter. Manquant de confiance, d'estime de soi et de bon sens, je peux être influencé par quelqu'un de plus fort.

Larry gagnait beaucoup plus d'argent que moi et payait l'herbe que nous fumions. Un jour, un petit groupe d'adolescentes, avec lesquelles Larry s'était lié d'amitié, lui ont vendu du PCP. Nous en avons tous fumé et je ne me souviens plus de la suite des choses.

Le lendemain matin, les filles avaient disparu, et Larry et moi avons fumé le PCP qui restait. Je ne me rappelais rien de la veille, sinon quelques vagues images, et Larry m'a appris que nous avions enlevé et assassiné une jeune fille, un crime pouvant entraîner la peine capitale.

Nous n'avions jamais parlé de rien de ce genre et j'ai pensé que nous avions agi sous l'influence du PCP. Le lendemain, je me suis rendu au poste de police de Torrance, et le surlendemain à celui des shérifs de Carson, mais je n'ai pas eu le courage d'y entrer pour me livrer aux autorités. J'espérais que ce «premier crime» serait le dernier, mais un jour Larry s'est mis à parler de recommencer. Je me suis senti pris au piège, car il s'était lancé en affaires, avait fait de moi son partenaire et s'était incrusté dans ma vie en liant connaissance avec ma mère, ma sœur et des amis de Long Beach. C'est ainsi que j'ai commencé à fumer de l'herbe tous les jours, pour cesser de penser au meurtre.

J'aurais dû refuser de m'impliquer davantage, mais Larry avait une forte personnalité et il était plus intelligent que moi. Je ne suis jamais arrivé à le contredire ou à m'opposer à ses projets.

La dernière victime, la cinquième, c'est moi qui l'ai assassinée. Après, j'ai dit à Larry que je ne pouvais plus continuer, que je ne le supporterais plus. Je m'attendais à ce qu'il me descende d'une balle de .38, mais il a accepté d'arrêter les meurtres.

Cependant, quelques jours plus tard, Larry m'a annoncé que je n'étais plus son associé en affaires, qu'il allait désormais travailler avec un autre gars. J'ai encore cru qu'il allait me tuer. Du coup, c'est moi qui ai décidé de le supprimer. Je suis allé voir mon ami Joe pour qu'il me procure un Saturday night special[38]. Il m'a demandé ce que je voulais en faire, alors je le lui ai dit, et Joe, qui connaissait aussi Larry, m'a dénoncé à la police. Trente ans plus tard, je suis toujours en prison, mais je considère toujours Joe comme un ami. Il a mis fin à mes crimes.

[…]

Je demande pardon à tous ceux que j'ai fait souffrir.

Roy Norris

Pour en revenir à Patrick Kearney, il a été le seul inculpé pour ces crimes. Soudainement, le deuxième paragraphe de l'une de ses lettres avait attiré mon attention : «Vous m'avez demandé si j'aimerais participer à une étude. Peut-être. Mais j'aimerais aussi escalader le mont Everest. En fait, si l'on m'autorisait à escalader l'Everest, je confesserais que je suis le Zodiac Killer.»

Rares sont les tueurs en série qui changent soudainement de types de victimes, mais certains le font, par exemple Bobby Joe Long et Arthur Shawcross. Quant au Zodiac, il a tué cinq personnes et en a blessé plusieurs autres. Il s'attaquait à des couples et n'a jamais été

---

38. Revolver bon marché.

arrêté. Il tuait à coups de revolver, comme Patrick Kearney, ce qui n'est pourtant pas un *modus operandi* (mode opératoire) fréquent chez les meurtriers sériels. Le fait que Patrick Kearney a été marié à une femme et qu'il est homosexuel pourrait expliquer pourquoi il aurait pu tuer des femmes. Kearney et le Zodiac ont le front dégarni et portaient des lunettes semblables, un peu faussées. Le Zodiac était imberbe, Kearney portait une courte barbe qu'il a laissée pousser au fil des ans – pour ne pas trop ressembler aux portraits-robots du Zodiac? Kearney a tué de 1962 à 1977 et le Zodiac, de décembre 1968 à octobre 1969. Le Zodiac opérait dans la grande région de San Francisco, ce qui, à première vue, disqualifierait Patrick Kearney, qui vivait à Los Angeles, mais ce dernier, le Freeway Killer, pouvait rouler longtemps après ses querelles avec David Hill, et il trouvait souvent ses victimes sur l'autoroute. De plus, en novembre 1970, le reporter Paul Avery, qui couvrait l'affaire du Zodiac pour le *San Francisco Chronicle*, a reçu une lettre dans laquelle l'auteur anonyme attirait son attention sur les similarités entre les meurtres du Zodiac et celui d'une jeune fille de 18 ans survenu 4 ans auparavant dans la région de Los Angeles.

Au début, je me demandais pourquoi Kearney n'avait tout simplement pas avoué ces meurtres, s'il était le Zodiac. Puis, j'ai connu un enquêteur qui investiguait sur les meurtres non résolus de deux tueurs en série, même si ces derniers étaient incarcérés pour plusieurs autres meurtres. Il m'a expliqué que certains tueurs cachent des meurtres pour différentes raisons: parce qu'ils ont honte d'avoir tué un type inhabituel de victime; pour dissimuler un secret (leur pédophilie, par exemple, ou le meurtre d'une ancienne amie); etc. John Eric Armstrong m'a écrit qu'il ne divulguerait jamais le nombre de ses victimes. C'est son secret et il l'emportera dans la tombe. Richard Cottingham ne veut pas parler de ses autres victimes, de peur de défrayer la chronique à nouveau et de nuire à sa famille. Kearney, lui, ne veut peut-être pas qu'on sache qu'il a déjà tué des femmes. De plus, s'il est réellement le Zodiac, les aveux de ses 28 meurtres ont pu détourner les soupçons et lui éviter des accusations supplémentaires. Quoi qu'il en soit, le Zodiac n'a jamais refait surface et Kearney est incarcéré depuis 1977.

N'ayant pas la même écriture que le Zodiac, Patrick Kearney aurait pu écrire ses messages de la main gauche et commettre sciemment des fautes d'orthographe. Kearney adore tout ce qui est compliqué, comme réduire des formules mathématiques. N'aurait-il pas pu concevoir les messages codés que le Zodiac envoyait aux autorités et aux médias? L'utilisation de ces cryptogrammes a fait penser aux enquêteurs que le meurtrier avait été à l'armée, où l'on emploie parfois ce langage chiffré. Or Kearney a été dans l'armée.

Le Zodiac paraissait grand et imposant. Kearney était mince, mais mesurait 1,90 m. Aurait-il l'air imposant avec un imperméable et des bottes de pluie, comme le Zodiac ? De plus, la ressemblance est assez frappante entre les photos de Kearney et le portrait-robot du Zodiac. Et les deux hommes auraient pu avoir le même âge.

Tout comme Ed Gein, qui déterrait des morts et fabriquait des abat-jour avec la peau de ses victimes, Kearney est un nécrophile. Il agressait sexuellement ses victimes après les avoir tuées, ce qui témoignerait d'un besoin de domination absolu. Le Zodiac n'a jamais agi ainsi, mais il est possible qu'il ait tout de même tiré du plaisir sexuel de ses meurtres, en se masturbant par exemple, comme le faisait David Berkowitz après ses fusillades.

Bien entendu, ce ne sont que suppositions. J'ai demandé au profileur de la Sûreté du Québec, Éric Latour, si Kearney pouvait être le Zodiac. D'après lui, c'est peu probable, à cause des différences entre les types de victimes, les modes opératoires, les lieux des meurtres, mais aussi parce que Kearney est plutôt introverti.

Kearney a cessé de m'écrire quelque temps après m'avoir parlé du Zodiac. Et puis, un jour, après un an et demi de silence, il a répondu à mes plus anciennes lettres. Quelle ne fut pas ma surprise d'apprendre qu'il était maintenant disposé à me parler de son enfance ! J'ai appris plus tard, par un contact commun, qu'il m'avait réécrit pour que je taise certaines découvertes que j'avais faites. Dès lors, il m'a toujours écrit en français[39], pour se protéger de son entourage.

Quand je suis né, mes parents étaient au début de la vingtaine. Enfant très introverti et très solitaire, je pouvais passer des heures à regarder les fourmis dans l'herbe au lieu d'aller jouer avec les autres enfants. De toute façon, mon père ne l'aurait pas permis.

Jusqu'à l'âge de 5 ans, mes parents m'enfermaient au sous-sol de notre maison. Je n'avais ni livres ni jouets. Je passais mon temps dans mon lit, à me balancer d'avant en arrière, signe d'un trouble obsessionnel compulsif. J'avais l'impression d'être bercé ou de me trouver sur un cheval à bascule. Je chantonnais en même temps et je vivais dans un monde imaginaire, seul rempart contre l'univers oppressant. Je n'ai pas abandonné

---

39. J'ai tout de même dû améliorer quelque peu son style pour rendre ses lettres plus aisées à lire.

ce comportement avant l'âge de 18 ans et je me demande aujourd'hui si je n'étais pas un enfant autiste.

À cette époque, je mouillais souvent mes draps, et mon père me tirait du lit par les pieds, disant qu'il me jetterait en prison, et, terrifié, je le croyais, car il était agent de police. Un jour, il a menti sur mon âge en falsifiant des documents, pour m'envoyer à l'avance à l'école primaire. Voilà pourquoi j'ai toujours eu presque un an de moins que mes camarades de classe, qui ne m'ont jamais beaucoup aimé. J'ai essayé, quelques fois, de rendre visite à d'autres enfants, mais leurs parents ne m'aimaient pas non plus.

Une fois, à l'école, nous devions aller voir un film, mais la maîtresse a dit que « Pat » ne pouvait y aller, « car il est mauvais ». Ils sont donc partis sans moi et je suis rentré à la maison. C'est alors que j'ai croisé un garçon de 3 ans sur le trottoir. Comme mon père et ses amis ne parlaient toujours que des enlèvements d'enfants, j'ai pensé que c'était ce qu'il fallait faire, alors j'ai emmené ce garçon avec moi chez ma grand-mère, où nous sommes entrés par une fenêtre. À 5 ans, j'avais kidnappé un gamin.

J'ai été flatté d'apprendre que vous me trouviez « intelligent », mais j'ai longtemps pensé le contraire. J'ai toujours eu l'impression d'être considéré comme un être étrange. À l'école et dans la vie, je n'ai jamais eu beaucoup d'amis. À l'école, j'avais une peur bleue des autres élèves et je mangeais toujours seul à la cantine. D'ailleurs, j'étais toujours à la recherche d'un lieu où me cacher.

La majorité de mes camarades me méprisaient, car je passais mon temps à dessiner, à écrire et à lire dans mon coin. Évidemment, j'étais rempli de ressentiment et de mépris pour leur bêtise et leurs moqueries. Je vivais complètement dans l'univers que j'étais en train de me créer. J'étais un passionné de jeux de rôles, d'histoires de monstres et de fantômes. Je ne travaillais que les matières qui m'intéressaient, les maths, l'anglais, les langues étrangères. Les professeurs étaient pour la plupart très autoritaires, souvent cruels, grossiers, et n'hésitaient pas à nous corriger à coups de règle et de gifles. Je ne leur plaisais pas, mais je ne savais pas pourquoi.

Mon entrée dans l'adolescence n'a pas été facile. Je ne portais pas de beaux vêtements, j'avais des cheveux ridicules et je souffrais d'acné. J'essayais tout de même de me rendre intéressant en faisant toutes sortes de pitreries, mais tout le monde se moquait de moi, et c'est ainsi que j'ai fait l'apprentissage de la haine.

Les enfants peuvent effectivement faire des bêtises quand ils sont incapables de verbaliser ce dont ils ont besoin. Comme Gary Grant, lorsqu'il a brûlé les manteaux de fourrure de sa mère.

J'ai donc grandi entre une mère faible, femme au foyer, et un père policier tyrannique, et souvent je me demandais si cet homme était mon père légitime. Malgré cela, pour exister à ses yeux, je lui montrais mes dessins et mes livres, lui exposais mes connaissances scientifiques, mais rien n'y faisait, il me répondait que je n'avais qu'à travailler à l'école.

La biologie et l'anatomie m'ont toujours fasciné et je disséquais tous les animaux que je trouvais, reptiles, amphibiens, mammifères. Je conservais des organes, prélevés en chirurgien amateur, dans des bocaux qui trônaient sur les étagères de ma chambre. Mes parents croyaient que j'avais des troubles mentaux et m'ont emmené chez le psychologue. Celui-ci n'a décelé aucune pathologie ni aucun problème. J'en ai été le premier étonné !

Pour finir, j'ai toujours été un cancre à l'école, le dernier de la classe ! Forcément, quand on passe le plus clair de son temps à dessiner pendant les cours… J'ai longtemps pensé que je n'avais aucun avenir et cela me rendait méprisable aux yeux de ma famille et de mon entourage. Personne ne croyait en moi, et je faisais l'imbécile pour attirer l'attention sur moi. Mon père était complètement absent et se désintéressait de mon éducation. Jeune adulte, j'étais hanté par les mauvais souvenirs. Je traînais un passé lourd et compliqué. J'ai mis du temps à trouver ma voie, mais je suis bien content d'avoir tout de même fait ma place au soleil, sur les plans personnel et professionnel, d'avoir atteint un certain équilibre après une enfance trouble – jusqu'à ce que je me retrouve en prison, bien sûr. Je vois bien, aujourd'hui, que j'ai toujours manqué d'intelligence sociale.

Je repensais au livre de Gérard Neyrand, où il est dit que l'école maternelle est une bonne chose pour l'enfant. Or Patrick Kearney n'y est pas allé. J'ai alors demandé à Gérard Neyrand de me parler des avantages de la maternelle.

Un enfant peut parfaitement réussir une bonne scolarité et une bonne insertion sociale s'il n'a pas été en maternelle ou s'il y est allé tardivement (en France, pratiquement tous les enfants sont en maternelle à 4 ans), cela dépend de son environnement. Mais l'entrée précoce dans un lieu d'accueil de la petite enfance peut lui être utile pour apprendre à vivre en collectivité et à s'éloigner de ses parents. Pour les enfants vivant dans des milieux précarisés, en difficulté, la maternelle permet de compenser un certain nombre de manques que l'enfant peut ressentir dans sa famille. Elle est alors très utile.

Mais, selon Gérard Neyrand, le plus important à cet âge est « l'amour des personnes qui s'en occupent [de l'enfant]. Un amour attentif qui soit sécurisant, mais non étouffant. Il faut laisser à l'enfant la capacité à construire son autonomie. Un enfant devient antisocial lorsqu'il n'a pas bénéficié de bonnes conditions de socialisation, d'attachements à ses proches et de la transmission des règles de la vie en société. Plus les perturbations affectives liées à un environnement déficient sont précoces, plus l'enfant encourt des troubles par la suite, dont certains peuvent déboucher sur des comportements antisociaux. Pour autant, on ne peut pas inférer de comportements agressifs précoces des difficultés sociales, car tout dépend de la façon dont ces comportements sont pris en charge et de ce que l'enfant va connaître dans sa vie future. Une amélioration de l'environnement peut suffire à le resocialiser adéquatement. Il faut beaucoup se méfier des tendances à la prédiction car, d'une part, le devenir des individus dépend de nombreux paramètres ; et, d'autre part, ce n'est pas parce que l'on trouve chez les adultes ou les adolescents « problématiques » des enfances perturbées que tous les enfants perturbés deviennent dangereux, loin de là, et heureusement !

Kearney a aujourd'hui plus de 70 ans. Ses parents sont décédés et son entourage d'autrefois est difficile à retracer, néanmoins je désirais en savoir plus sur son enfance. C'est alors que, un soir, j'ai reçu un courrier électronique d'un Français qui correspondait avec plusieurs tueurs en série, dont Patrick Kearney. Cet homme m'a dit que Kearney lui avait parlé de moi, et, après de nombreux échanges, il a évoqué l'enfance de Kearney : « Un père policier, tyrannique, la cave de la maison familiale, une enfance sans stimulations affectives ni intellectuelles, c'est ça ? » C'était exactement ça. Il m'a ensuite fait part de sa correspondance avec un tueur en série français, Francis Heaulme, correspondance qu'il a dû interrompre après que les policiers l'ont interrogé durant quatre heures pour connaître ses motivations. Tout comme beaucoup de gens en Amérique, ce jeune homme était tout simplement curieux, mais, en France, de telles correspondances sont considérées comme louches. D'ailleurs, beaucoup de Français m'ont écrit pour me dire qu'ils ignoraient que les tueurs en série existaient réellement, croyant qu'ils avaient été créés par la télévision. Par ailleurs, Kearney m'avait déjà dit un mot au sujet de Heaulme. Son écriture, disait-il, était difficile à déchiffrer.

Le lendemain matin, quelle ne fut pas ma surprise de recevoir une lettre de... Francis Heaulme ! Kearney lui aurait dit que je voulais lui écrire (mais je ne me souviens pas de lui avoir écrit cela), alors il prenait les devants.

Francis Heaulme a été reconnu coupable de 9 meurtres et mis en examen pour 12 homicides, mais en aurait peut-être commis plus de 49. Son itinéraire sur une période de 10 années a été retracé sur le territoire français, ainsi qu'en Belgique et en Espagne. Contrairement à Bobby Joe Long, le syndrome de Klinefelter (l'anomalie chromosomique) a rendu Heaulme impuissant. Au moins deux fois, il se serait associé à des agresseurs sexuels qui violaient les victimes avant qu'il les tue. Comme me l'avait expliqué le Dr Pinard, il n'est pas nécessaire d'agresser sexuellement quelqu'un pour en retirer une gratification sexuelle. Le tueur peut ressentir la jouissance juste avant le meurtre, pendant ou après. Avant le meurtre, il peut sentir monter la tension qui s'épanchera au moment du passage à l'acte. Cela dit, l'acte lui-même peut être excitant, selon le degré de sadisme de l'assassin. Après le meurtre, les narcissiques prendront plaisir à jouer avec les enquêteurs comme un chat avec des souris.

J'ai contacté Jean-François Abgrall, l'officier de police français qui a interpellé Francis Heaulme pour meurtre et a mis fin à son parcours criminel. L'enquête a duré cinq ans et Jean-François Abgrall en a tiré un livre. Je me demandais si les complices de Heaulme étaient en liberté et, effectivement, certains d'entre eux auraient été libérés.

Francis Heaulme adorait sa mère et sa sœur. Quant au père, un homme violent et alcoolique, il battait tout le monde à la maison, mais s'acharnait sur son fils, le traitant de « bâtard » et de « retardé » à cause de son aspect quelque peu efféminé (dû à son chromosome X supplémentaire). La situation n'était guère meilleure à l'école, où le jeune Heaulme, incompris, cumulaient les problèmes. Adolescent, il s'isolait et s'automutilait. Après le décès de sa mère, morte d'un cancer, Heaulme a perpétré une série de meurtres. Il avait 23 ans. Comme son père, il serait ensuite devenu alcoolique et violent.

Selon Jean-François Abgrall, la mère de Heaulme était au courant du premier meurtre de son fils. Il n'avait alors que 17 ans et la victime était un voisin de sa grand-mère. Psychopathe qui ne supportait pas l'autorité, « Félix le chat[40] » se fâchait dès qu'on lui refusait quelque chose. Incapable de garder un emploi, il s'est un jour lancé sur les routes, se déplaçant à pied, en stop, en train, allant de foyer en foyer. Il tuait sur son chemin, enfants et adultes des deux sexes. Parfois, il était accompagné d'un complice.

---

40. Heaulme avait été surnommé ainsi autrefois, car il mangeait ce qu'il trouvait.

Patrick Kearney aimait aussi les enfants et en aurait attaqué plusieurs, dont un d'à peine 5 ans. Chez les tueurs en série comme chez d'autres types d'agresseurs, la pédophilie est constante. Les enfants, bien évidemment, sont des proies faciles. Mais comment un adulte peut-il être attiré sexuellement par un enfant ?

Les pédophiles partageraient plusieurs caractéristiques avec les tueurs en série[41] : faible estime de soi, difficulté à s'insérer dans la société, problèmes familiaux, absence de sentiment de culpabilité, dossier criminel. De plus, ils auraient du mal à retenir leurs impulsions et auraient été victimes d'abus sexuels. Leurs relations avec des personnes du sexe opposé pourraient être difficiles et empreintes d'anxiété sexuelle. Et ils fantasmeraient sur des enfants. Cela dit, les pédophiles n'ont pas toujours besoin d'employer la force pour abuser d'eux, car beaucoup d'enfants ont du mal à dire non. Bien que les pédophiles puissent parfois se sentir coupables, ils recommenceront.

Il y a quelques années, j'ai interviewé le Dr Pierre Gagné, expert en pédophilie. Selon lui : « Il n'y a pas de type particulier de pédophile : il y a des prêtres, des gens mariés, des célibataires. Certains ont des troubles sévères de personnalité, d'autres non. Il y a des riches, des vieux, des jeunes. C'est très varié. Ça peut commencer à l'adolescence, mais on ne peut évidemment pas diagnostiquer la pédophilie chez des enfants. Il y a les pédophiles intrafamiliaux, c'est-à-dire les cas d'inceste. Ce sont des pédophiles, eux aussi, pas vraiment différents de ceux qui s'intéressent à la petite voisine. Certains auront des activités sexuelles avec leur fille, une nièce, des étrangères. D'autres trouvent horrible qu'on leur pose des questions sur une sexualité possible avec leurs enfants, mais vont admettre leur attirance pour des enfants du même âge que les leurs. »

Cela dit, les parents devraient toujours être attentifs à certains signes. Un enfant abusé sexuellement aura souvent de brusques changements de comportement. Selon le Dr Gagné : « Un signe assez classique est celui de l'enfant qui n'a jamais parlé de sexe et qui se met à en parler constamment, ou celui qui se met à se rapprocher physiquement des adultes en adoptant des comportements d'allure sexuelle. Et un enfant abusé a de fortes chances de devenir un jour un abuseur. On dirait que c'est imprimé dans les circuits du cerveau. » Si la pédophilie se contrôle, elle ne se guérit pas. « C'est comme un alcoolique, dit encore le Dr Gagné. On peut l'aider à cesser de boire, il peut même ne plus en avoir envie, mais il sera toujours à risque. »

---

41. Source : http://www.victimsofviolence.on.ca/rev2/index.php?option=com_conte
    nt&task=view&id=355&Itemid=45

J'ai un jour interviewé des enquêteurs spécialisés dans ce domaine. Comme ils tenaient à garder l'anonymat, je les appellerai John et Phil. Selon eux, les agressions sexuelles sont les crimes les plus haineux, et encore plus lorsque les pédophiles diffusent les photographies sur le Web. Cela dit, certains pédophiles, qui n'ont pas recours aux menaces physiques, ne seraient pas conscients des conséquences de leurs gestes. Selon Phil : « Ils pensent donner une éducation sexuelle à l'enfant, partager des plaisirs avec lui, s'assurer de son bien-être. Il y a des hommes qui aiment les femmes, des hommes qui aiment les hommes, et d'autres qui aiment les enfants. » John avait ajouté : « Des pédophiles sont excités par des bébés agressés, d'autres aiment les jeunes de 2 à 10 ans, d'autres préfèrent les adolescents. Les pédophiles n'ont pas d'âge. Il y a quelques années, un jeune homme de 22 ans a agressé sexuellement 3 adolescentes âgées de 13 et 14 ans. Il les avait rencontrées dans Internet en se faisant passer pour un garçon de 17 ans. »

Il y a aussi le pédophile qui jette son dévolu sur les enfants par goût du changement. Par exemple, Phil et John m'ont parlé d'un agresseur qui, jusqu'à l'âge de 20 ans, aimait les filles de son âge. Après un certain temps, voyant qu'elles ne l'excitaient plus, il s'est mis à avoir des relations sexuelles avec deux filles en même temps, puis il s'est lassé. Il est ensuite passé à la zoophilie, puis, de degré en degré, en est venu aux photos d'enfants abusés. Rien d'autre ne l'excitait plus.

Le plus tragique est que les victimes sont perturbées pour le reste de leurs jours. Même après des années de thérapie, beaucoup n'auront jamais de relations stables. On leur a volé leur intimité. Des pédophiles s'imaginent qu'il y a de l'amour derrière tout cela, mais le point de vue des victimes est radicalement différent.

Selon Phil : « Un adulte victime d'abus sexuels, c'est très grave. Cependant, un adulte a déjà une base sexuelle et comprend donc la norme, même si l'événement peut lui causer les mêmes troubles psychologiques que pour un enfant. Par contre, un enfant n'a aucune base sexuelle. Des jeunes de 7 ans croient normal d'avoir des relations sexuelles avec leur père ou leur grand-père, et leur développement en tant qu'être humain s'en trouve compromis. Cela a aussi une influence sur la société. Souvent, les gens se demandent : "Comment une fille peut-elle être escorte ? Avoir des relations sexuelles avec des étrangers et donner la moitié de son argent à son proxénète ?" C'est difficile à comprendre pour le commun des mortels, mais un enfant qui a été abusé, qui a déjà eu 150 relations sexuelles forcées, n'a pas la même barrière psychologique et peut envisager plus facilement le sexe avec des inconnus. »

Phil m'a parlé des photographies qu'il avait vues, dont une montrant un père sodomisant sa fille de 3 ans dans la baignoire. Il a vu des bébés se faire introduire des carottes et toutes sortes d'objets par les orifices pendant qu'ils crient et pleurent. Un bébé de 6 mois avec du sperme sur le ventre et le pénis d'un homme appuyé sur la bouche. Un enfant avec un manche à balai dans le rectum (tout comme Shawcross).

La location d'enfants existe aussi. Des pédophiles proposent 10 000 $ aux parents pour prendre leurs enfants pour le week-end. Des parents louent leur petite fille de 4 ans pour 150 $/heure. Ces horreurs ont lieu dans ma propre province, tous les jours.

CHAPITRE 10

Le tueur en série, en bref

J e repense aux victimes et aux supplices qu'elles ont vécus. Je réentends les aveux des prédateurs qui savent bien que ces victimes n'y étaient pour rien : elles ont simplement eu la malchance de les croiser. Je repense aux familles détruites.

Tomas Guillen, professeur de communications à l'Université de Seattle, étudie les *serial killers* depuis plus de 25 ans. Il a publié trois livres sur le sujet. Un jour, il m'a écrit ceci dans un courriel :

> La catégorie des tueurs en série potentiels devrait comprendre les violeurs et les hommes qui battent leur femme pour assouvir leurs obsessions sexuelles. Pourquoi était-il si difficile de résoudre les meurtres du Green River Killer ? Parce qu'il y avait trop de suspects, trop d'hommes haineux, stimulés par le sexe. C'est ce qui me fait peur : non pas le nombre de tueurs en série, mais les milliers de tueurs en série potentiels.

Pendant mes recherches, j'ai lu à maintes reprises que l'enfance et l'adolescence des tueurs en série ont eu une influence prépondérante sur leurs choix et leurs décisions. Et puis, vers la fin de mes travaux, je suis tombée sur le livre *Sexual Murderers : A Comparative Analysis and New Perspectives*[42], qui résume bien cette réalité : « Plus le développement d'un individu est perturbé, plus il sera sujet à commettre des crimes graves[43]. »

Par ailleurs, comme la D[re] Dorothy Lewis l'a écrit dans son livre *Guilty by Reason of Insanity* : « Les tueurs en série ne naissent pas ainsi, ils sont créés. » Certaines personnes peuvent avoir des anomalies chromosomiques, d'autres peuvent subir des traumatismes crâniens ou avoir d'autres caractéristiques susceptibles de les rendre plus agressifs ou plus sensibles,

---

42. Seule la version anglaise comprend un treizième chapitre.
43. "[…] the more disturbed an individual's developmental trajectory the more serious crimes he will be prone to commit."

mais seulement un ensemble d'éléments peut engendrer le tueur en série. Cela signifie donc que ceux qui souhaitent passer pour des tueurs énigmatiques mentent, par exemple Richard Cottingham, Ted Bundy et Keith Jesperson qui, à un moment donné, ont tous soutenu qu'ils avaient vécu une vie normale et qu'ils n'avaient aucune raison d'être devenus ce qu'ils sont. La Dre Lewis explique dans son ouvrage que ce déni des traumatismes et des abus sexuels leur sert parfois à protéger leur famille. Ils peuvent aussi avoir oublié les événements traumatiques (état de stress post-traumatique) ou penser qu'ils l'ont mérité.

Comme Gérard Neyrand l'explique :

Le traumatisme n'est pas le seul facteur qui intervient dans la détermination psychique d'une attitude, il y a aussi beaucoup d'autres facteurs liés au « terrain » individuel, qui est conditionné par l'environnement social et matériel, par l'entourage et les expériences antérieures de l'enfant. La difficulté est de trouver le bon type d'intervention qui permette de sortir le sujet de sa structuration défensive qui l'enferme dans son mode de défense et qui le coupe des autres. Si un jeune enfant est agressif, c'est lié à son environnement et à un problème relationnel, qu'on peut en général régler avec un psy qui a un peu de savoir-faire. Et cela n'annonce en rien une délinquance future. Par contre, si ses problèmes comportementaux sont liés à des carences dues à un environnement précarisé et à des problèmes relationnels liés à la structure psychique de ses parents, l'enfant a toutes les chances d'avoir des difficultés par la suite, si son environnement ne s'améliore pas. Mais les problèmes comportementaux sont liés aux relations avec l'entourage et sont donc susceptibles d'être corrigés, surtout s'ils sont pris en charge précocement.

Quant à Stéphane Leclerc, il m'a un jour dit :

Une seule action ne transforme pas un jeune : ce qui le transforme, c'est un ensemble de facteurs environnementaux et psychodynamiques. Les tueurs en série sont des êtres humains aussi, ils sont faits exactement comme nous. Et, quand on prétend qu'ils ont fait des choix, ce n'est pas si sûr que ça, à cause des facteurs psychodynamiques : ce qui est de l'ordre de la pulsion devient complètement incontrôlable.

On sait que certaines anomalies peuvent augmenter l'agressivité d'un individu, comme le trouble impulsif intermittent (un problème de gestion de la colère) attribué à John Eric Armstrong, un désordre de la personnalité, des anomalies chromosomiques, et beaucoup d'autres facteurs. Pourtant, ces problèmes n'engendreront pas nécessairement un tueur en série, pas plus que l'inceste, les agressions sexuelles, la maltraitance, la violence, la discrimination, le rejet ou tout autre événement horrible. Cependant, ces individus pourraient tout de même sombrer dans la délinquance.

Peu après la naissance, les enfants expriment leur colère avec violence. Vers 2 ou 3 ans, la colère s'estompe, puisque l'enfant apprend à verbaliser ses pensées. Les parents doivent alors lui inculquer qu'il est possible de régler des différends sans recourir à la violence. Les enfants qui n'acquièrent pas ces aptitudes pourraient avoir plus tard des problèmes sérieux, alcoolisme, toxicomanie, maladie mentale, activités criminelles, etc.[44]

Il n'est certes pas facile d'élever un enfant, mais les parents ne devraient pas ignorer que :

- punir avec excès, verbalement ou physiquement, nuira au développement de l'enfant ;
- jouer à se battre à un jeune âge est normal et encouragé, puisque l'enfant y acquiert la maîtrise de soi et la faculté de distinguer les comportements acceptables des comportements inacceptables ;
- l'enfant devrait grandir entouré d'autres enfants, pour qu'il développe des relations sociales et qu'il se sensibilise aux émotions des autres ;
- les enfants ont besoin qu'on les prenne au sérieux et qu'on les aide à résoudre leurs problèmes.

Le FBI a aussi établi que l'apparition des meurtriers sexuels peut être favorisée « par l'absence de soins et d'affection durant la petite enfance, qui se traduit par le détachement et l'hostilité ; par les expériences de victimisation sexuelle, physique ou psychologique durant la petite enfance et l'adolescence, qui provoquent l'isolement social et l'émergence de fantasmes sexuels violents à cause de l'absence de balises dans la vie réelle ». Toujours selon le FBI, la solitude, comme l'ont vécue Grant, Cottingham, Jesperson, Armstrong, Kearney et tous les tueurs en série que j'ai interviewés, « constitue une source de souffrance psychologique et peut engendrer la violence ». On doit aussi tenir compte de la rébellion, de l'agressivité et du désir de vengeance.

---

44. Voir *Prévenir la violence par l'apprentissage à la petite enfance* de Richard E. Tremblay, Jean Gervais et Amélie Petitclerc. http://www.excellence-earlychildhood.ca/documents/Tremblay_RapportAgression_FR.pdf.

Aujourd'hui, dans Internet, beaucoup d'informations sont disponibles pour les parents. Par exemple enfant-encyclopedie.com, où l'on trouve de nombreux conseils et des documents tels que *Prévenir la violence par l'apprentissage à la petite enfance*. Ou bullying.org, dont j'ai moi-même suivi la formation proposée, qui m'a été fort utile lorsque ma voisine de 14 ans a été victime de harcèlement scolaire. Et des sites comme mieuxcomprendre.gouv.qc.ca peuvent aider les parents à comprendre et à surmonter les problèmes de drogue et de jeu.

Beaucoup d'adultes se comportent négativement à la suite de leurs expériences juvéniles traumatisantes, par exemple les agresseurs sexuels, les hommes violents, les délinquants, les alcooliques, etc. Les tueurs en série ne sont que ceux qui réagissent avec le plus d'excès. Donc, comprendre la psychologie de l'enfant pourrait certainement nous aider à bâtir un monde meilleur pour les générations à venir.

Un jour, un article au sujet de mes entrevues avec les tueurs en série a paru dans *The Gazette* et sur le site kelowna.com. Une internaute a commenté cet article en reproduisant un poème de la D^{re} Dorothy Law Nolte :

> *Si les enfants vivent dans la critique, ils apprennent à condamner.*
> *Si les enfants vivent dans l'hostilité, ils apprennent à se bagarrer.*
> *Si les enfants vivent dans la peur, ils apprennent l'appréhension.*
> *Si les enfants vivent dans la pitié, ils apprennent à s'apitoyer sur leur sort.*
> *Si les enfants vivent dans le ridicule, ils apprennent l'embarras.*
> *Si les enfants vivent dans la jalousie, ils apprennent l'envie.*
> *Si les enfants vivent dans la honte, ils apprennent la culpabilité.*
> *Si les enfants vivent dans l'encouragement, ils apprennent la confiance.*
> *Si les enfants vivent dans l'éloge, ils apprennent la patience.*
> *Si les enfants vivent dans l'acceptation, ils apprennent à aimer.*
> *Si les enfants vivent dans l'approbation, ils apprennent à s'apprécier.*
> *Si les enfants vivent dans la reconnaissance, ils apprennent à avoir des buts.*
> *Si les enfants vivent dans le partage, ils apprennent la générosité.*
> *Si les enfants vivent dans l'honnêteté, ils apprennent la droiture.*
> *Si les enfants vivent dans l'équité, ils apprennent la justice.*
> *Si les enfants vivent dans la gentillesse, ils apprennent le respect.*
> *Si les enfants vivent dans la sécurité, ils apprennent à avoir foi en eux-mêmes et en autrui.*

Si les enfants vivent dans l'amitié, ils apprennent que le monde est un bel endroit où vivre.

Comme le dit le Dr Pinard: «Les gens qui ont été maltraités dans l'enfance ne deviennent pas tous des agresseurs, mais des mauvais traitements en bas âge, violence ou abus sexuels, les prédisposent au risque de reproduire plus tard les mêmes comportements.» En cela, le Dr Pinard rejoint le Dr Jonathan H. Pincus qui a écrit: «L'abus a un effet psychologique dévastateur sur les enfants et sur les adultes qu'ils deviendront[45].»

Un tueur en série restera un tueur en série. Mais un enfant délinquant pourrait, si l'on est présent pour lui, retrouver le droit chemin. D'où l'importance de la prévention.

Et, comme le dit si bien Robert I. Simon, psychiatre américain qui a étudié les meurtriers sexuels, mais aussi féru de baseball: «Le receveur d'hier est le lanceur de demain[46].»

---

45. Voir *Base Instincts: What Makes Killers Kill?*.
46. *"Yesterday's catcher is tomorrow's pitcher."*

Conclusion

Quand je repense aux quatre années que j'ai passées dans le monde des tueurs en série, je revois toutes les lettres que j'ai reçues et les expériences qu'elles relatent : la souffrance, la peine, la rage, la honte. Je ne peux résumer toutes les explications que j'ai lues et écoutées, les moments troublants et marquants que ces hommes m'ont fait vivre. Cela dit, je devais passer par toutes ces émotions pour descendre au tréfonds de l'âme des tueurs, comme pour une thérapie, en quête de réponses, et pour faire toute la lumière sur un phénomène qui m'avait toujours semblé inconcevable.

Les échanges n'ont pas toujours été faciles. Keith Jesperson était prompt à la colère si je ne justifiais pas certaines de mes questions. Un autre se croyait abandonné si je ne lui répondais pas rapidement. J'ai dû travailler longuement Richard Cottingham et Patrick Kearney pour les faire passer aux aveux. Frank « Frances » Spisak – exécuté en février 2011 –, un travesti qui remplissait ses lettres de petits cœurs, répondait à mes questions par des phrases désespérément courtes, et je devais sans cesse revenir à la charge pour l'inciter à expliciter sa pensée. Heureusement, nous finissions toujours par nous comprendre et, malgré quelques sautes d'humeur, ces hommes m'ont toujours témoigné du respect. Pourtant, ils n'ont pas toujours été tendres envers d'autres journalistes et correspondants.

Le plus difficile a été de me plonger quotidiennement dans tous ces livres sur les tueurs en série et de participer au documentaire. Le tournage a duré sept jours et nous ne dormions que quatre ou cinq heures par nuit. Le manque de sommeil, la cadence des recherches, les déplacements, les conversations et les entrevues toujours liées aux meurtres, et les séjours dans des hôtels où avaient eu lieu des assassinats, ne nous laissaient aucun répit. Nous étions constamment assaillis par des images d'agressions sexuelles, de décapitations et de carnages. J'ai mis des semaines à m'en remettre – mais je referais ce tournage, car j'y ai acquis beaucoup de connaissances.

Malgré mon dégoût, mes larmes et mon aversion pour le sujet, ces années de recherches m'ont permis de comprendre d'où provient la haine des agresseurs et m'ont aidée *quelque peu* à composer avec le traumatisme de mon enfance.

Le goût des défis à relever me pousse à mener de longues enquêtes. J'ai longtemps voulu interviewer les derniers cannibales de l'Amazonie, montrer la misère quotidienne des victimes de guerres civiles, rencontrer des terroristes pour comprendre leurs motivations. En fait, la psychologie des profondeurs me fascine, spécialement les zones de la conscience où se déploient les phénomènes les plus troublants, *a priori* incompréhensibles.

*   *   *

Au moment où je m'apprêtais à mettre un point final à ce livre, quelqu'un m'a posé la question suivante sur mon groupe Facebook : « Patrick Kearney pourrait-il être le Zodiac ? » J'en suis restée interloquée un moment : je n'avais pourtant jamais divulgué cette hypothèse ! J'ai lu entièrement le commentaire de l'internaute et j'ai appris que Tony Stewart, dans *The Trash Bag Murderer*, avait relié Kearney et le Zodiac. J'avais pourtant interrogé Stewart au sujet de Kearney, mais il ne m'avait rien dit sur sa théorie. Je me suis donc empressée de me procurer ce livre et de le lire. L'auteur précise que Patrick Kearney voyageait beaucoup en Californie et il compare, comme je l'ai fait, les photos de Kearney et les portraits-robots du Zodiac. Selon Tony Stewart, Kearney avait hâte d'avouer ses meurtres aux enquêteurs lors de son arrestation en 1977, peut-être justement pour éviter qu'on l'accuse des crimes commis par le soi-disant Zodiac. Kearney aurait refusé de passer le test du polygraphe. Par ailleurs, le graphologue Mario Briggs, qui a examiné l'écriture des deux hommes, conclut que Kearney n'est pas le Zodiac. Cependant, plusieurs caractères seraient formés pareillement et Stewart croit que Kearney aurait pu maquiller son écriture pour produire les lettres du Zodiac.

Tony Stewart nous apprend aussi que les autorités ont suspecté plus de 2 500 personnes d'être le Zodiac. Le suspect numéro un, Arthur Leigh Allen, aurait été identifié par une victime qui avait survécu à une attaque attribuée au Zodiac. Chez lui, les enquêteurs auraient trouvé des cassettes vidéo marquées d'un « Z ». Pourtant, l'ADN d'Allen et celui prélevé sur les lettres du Zodiac ne coïncideraient pas. Selon d'autres sources, Allen aurait d'abord été exclu des suspects à cause de sa grandeur et de sa calvitie. De plus, ni les empreintes digitales trouvées sur les lieux d'un meurtre du Zodiac ni son écriture ne correspondraient avec celles d'Allen qui, lui, aurait passé le test du polygraphe.

Ce dernier est décédé de mort naturelle en 1992. On ne connaîtra peut-être jamais le fin mot de l'affaire.

Entre-temps, Patrick Kearney m'avait écrit pour me dire que Tony Stewart devrait être accusé de complicité : « Il prétend avoir été "presque" une victime à plusieurs reprises. Cela implique qu'il en savait long sur la situation. Si c'est vrai et qu'il n'a rien dit, il doit donc être considéré comme un complice. Il semble aussi prétendre que je suis le Zodiac, mais n'aurait jamais prévenu la police. Encore une fois, il serait un complice au regard de la loi. » En outre, certaines personnes remettent en question la crédibilité de Stewart à cause de quelques prétendues erreurs qui se seraient glissées dans son texte et parce qu'il a lui-même édité son livre. Pourtant, selon Kearney, Stewart en saurait encore plus qu'il ne le prétend.

Je me suis donc lancée dans de nouvelles recherches et quelqu'un m'a fait part de contradictions dans le comportement de Kearney : « Patrick est ambivalent au sujet des théories qui circulent à son sujet. Il semble à la fois vexé et flatté. » Effectivement, bien que le meurtrier paraisse vouloir garder l'anonymat, parfois il semble vouloir attirer l'attention des gens. Par exemple, depuis que la rumeur court au sujet du Zodiac, il écrit des lettres à un homme qui les publie sur un site Internet consacré aux tueurs en série. Kearney le sait ; il y a même mentionné le Zodiac.

Un autre fait intéressant est que Kearney aurait déjà déclaré s'être souvent déplacé en Californie et en Arizona avant son incarcération. Jadis, il aurait piloté un petit avion et pouvait partir le matin de Californie pour aller se promener dans le désert et faire la fête à Las Vegas jusqu'au lendemain, avant de rentrer chez lui.

D'autres personnes m'ont révélé que Kearney en voudrait à Stewart d'avoir publié *The Trash Bag Murderer*. « Manifestement, les autorités n'ont aucune preuve sur le cas du Zodiac, a un jour écrit Kearney, autrement ils m'auraient déjà accusé. »

*   *   *

Il y a tant de crimes gratuits, chaque jour. Et les signes de la délinquance se manifestent souvent en bas âge. D'où l'importance, comme le répètent sans cesse les spécialistes de la question, de surveiller les comportements des jeunes. Bien entendu, un enfant traumatisé ne deviendra pas nécessairement un tueur en série, mais nous devons l'aider à surmonter sa peur et sa souffrance pour lui préparer la voie.

Les enfants sont notre futur. Nous devons les encourager, les pousser, les préparer à affronter la vie. Certes, il y aura toujours des délinquants, mais il y en aurait moins si nous pouvions atténuer les souffrances des jeunes. La communication n'est-elle pas la base de toute bonne relation ?

De nos jours, heureusement, nous prenons davantage au sérieux certaines situations, certains comportements, certains signes. Par exemple, les personnels des écoles, enseignants et intervenants, sont sensibilisés aux abus sexuels, au harcèlement scolaire, à la violence domestique, aux indices révélateurs de troubles psychologiques, etc. Si Rifkin, Grant, Kearney et bien d'autres criminels avec qui j'ai correspondu avaient pu fréquenter nos écoles, nous aurions peut-être pu dépister leurs tourments. Et peut-être aujourd'hui seraient-ils sur un meilleur chemin. Qui sait ?

Dans l'espoir d'un monde meilleur.

ANNEXE

Conseils de survie des tueurs en série

Verrouillez les portes et ayez un chien de garde.

Fiez-vous à votre instinct.

Installez des serrures renforcées.

Le soir, ne coiffez pas vos cheveux en queue de cheval par laquelle un inconnu pourrait vous agripper.

N'essayez jamais de raisonner un agresseur en lui parlant de Dieu : cela pourrait le rendre furieux.

Informez votre entourage de vos allées et venues, des personnes qui vous accompagnent et de l'heure à laquelle vous serez de retour.

Emmenez toujours un ami ou une amie à un premier rendez-vous avec un individu dont vous avez fait la connaissance par Internet. Au restaurant, par exemple, votre ami(e) peut s'installer à une table voisine, incognito.

Si vous devez vous défendre, frappez l'adversaire dans les parties génitales ou dans l'estomac d'un bon coup de pied.

Si un individu veut s'en prendre à vous, hurlez et débattez-vous énergiquement. Craignant d'être repéré, il pourrait s'enfuir.

Ne vous laissez jamais convaincre de monter en voiture avec un inconnu. Seule avec un agresseur dans un espace clos, vous aurez moins de chances de vous en tirer.

Ne vous garez jamais près d'une camionnette sans fenêtres : les kidnappeurs utilisent souvent ces véhicules. Si vous n'avez pas le choix, entrez et sortez de votre auto par la portière qui s'ouvre du côté opposé à la camionnette.

Si vous vous faites attaquer, jetez-vous par terre, donnez des coups de pied et criez à tue-tête. Il est difficile de déplacer une personne qui s'agite ainsi au sol.

Si un agresseur vous aborde, c'est peut-être parce qu'il n'est pas encore convaincu que vous êtes une victime idéale et qu'il veut d'abord tâter le terrain. Montrez-vous déterminée !

N'ayez pas peur de vous blesser en vous défendant : c'est un moindre mal. De plus, le prédateur s'attend à ce que sa victime se laisse faire pour éviter à tout prix les blessures. Surprenez-le !

Ne faites jamais d'auto-stop ! Si vous devez absolument en faire, et si le conducteur vous demande des faveurs sexuelles, répondez par un « non ! » sans équivoque et exigez qu'il vous laisse descendre immédiatement. S'il vous agresse physiquement, débattez-vous énergiquement sans attendre que la voiture s'immobilise, et même si le conducteur accélère. Plantez vos ongles dans son visage et écorchez-lui les yeux. Si vous portez des talons hauts, essayez de l'éborgner. Surtout, ne vous sentez pas coupable de sauver votre peau ! Frappez-le même s'il roule vite : lui non plus ne veut pas mourir et il fera tout pour immobiliser sa voiture. S'il ralentit considérablement, vous pourrez peut-être sauter du véhicule. Cependant, soyez prudente, car la vitesse d'une auto en marche est trompeuse. On roule souvent plus rapidement qu'il n'y paraît. Une fois sortie de l'auto, courez ! Il se peut que votre agresseur se mette à votre recherche. Ne vous cachez donc pas à proximité, mais distancez-le.

Prenez des leçons d'autodéfense. Vous apprendrez à fracturer le nez de votre agresseur, ce qui pourrait vous permettre de vous enfuir.

Lorsque vous vous baladez, tenez-vous loin des arbres, des fossés et autres lieux abrités. Évitez les ruelles et les rues mal éclairées. Une personne qui n'avait pas l'intention de vous attaquer pourrait passer à l'acte si le lieu lui semble opportun.

Si vous habitez dans un immeuble, laissez au moins une lumière allumée à l'intérieur quand vous sortez. Si vous rentrez tard, un observateur embusqué dehors ne pourra pas savoir dans quel appartement vous habitez.

Surtout, restez calme. Soyez gentille avec votre agresseur, montrez-lui de la sympathie et de la compassion. Même pour un tueur en série, il est plus difficile de tuer une personne gentille et obéissante.

Soyez honnête avec votre agresseur. Il doit vous croire quand vous lui dites que vous n'irez pas le dénoncer à la police. Il pourrait aussi vous mettre à l'épreuve en vous posant des questions pièges. S'il découvre que vous lui mentez, il ne vous fera pas confiance.

Évitez de regarder les gens dans les yeux quand vous marchez, pour ne pas les provoquer. Restez courtois et respectueux s'ils vous abordent.

À la maison, tirez les rideaux le soir.

Ne cachez pas vos clés dehors, sous un tapis, dans un pot de fleurs ou sous une roche. Laissez-les plutôt chez un voisin digne de confiance.

Si un agresseur appuie son revolver dans votre dos dans une foule, retournez-vous et dites-lui que vous allez vous mettre à hurler. L'une de mes amies a vécu cette expérience et a réagi ainsi. L'homme s'est enfui.

Si votre voiture tombe en panne, ne montez pas dans le véhicule d'un « bon Samaritain ». Demandez-lui plutôt d'appeler une dépanneuse.

Si vous êtes à bord d'un véhicule conduit par un inconnu, évitez certains sujets qui pourraient l'irriter, comme la religion ou la politique.

Bibliographie

ABGRALL, Jean-Francois. *Dans la tête du tueur. Sur les traces de Francis Heaulme*, Albin Michel, 2002, 250 p.

ALBERNHE, Thierry *et al. Criminologie et psychiatrie*, Ellipses Marketing, 1998, 752 p.

American Psychiatric Association. *Diagnostic and Statistical Manual of Mental Disorders DSM-IV-TR*, Fourth Edition (Text Revision), Amer. Psychiatric Pub., 2000, 943 p.

American Psychiatric Association. *Manuel diagnostique et statistique des troubles mentaux*, Texte révisé, *DSM-IV-TR*, 4ᵉ édition, Elsevier-Masson, 2003, 1064 p.

BARROCO, Michel. *Les tueurs en série*, Le Cavalier Bleu, 2006, 127 p.

BOURGOIN, Stéphane. *Le livre noir des serial killers*, Grasset & Fasquelle, 2005, 613 p.

——. *Les Serial Killers sont parmi nous*, Albin Michel, 2003, 257 p.

——. *Serial killers. Enquête sur les tueurs en série*, Grasset & Fasquelle, Édition revue et augmentée, 2004, 503 p.

BRADY, Ian. *The Gates of Janus: An Analysis of Serial Murder by England's Most Hated Criminal*, Feral House, 2001, 311 p.

CAPOTE, Truman. *In Cold Blood*, Random House, 2002, 343 p.

CARLO, Philip. *The Night Stalker*, Pinnacle, 2006, 576 p.

DAVIS, Carol Anne. *Couples Who Kill*, Allison & Busby, 2006, 288 p.

DAVIS-BARRON, Sherri. «Psychopathic patients pose dilemma for physicians and Society», *Can. Med. Assoc. J.*, April 15, 1995; 152 (8); p. 1314-1317.

DOUGLAS, John et Mark OLSHAKER. *The Anatomy of Motive: The FBI's Legendary Mindhunter Explores the Key to Understanding and Catching Violent Criminals*, Pocket, 2000, 432 p.

——. *The Cases That Haunt Us*, Pocket, 2001, 512 p.

FBI Freedom of Information Privacy Acts. *Serial Killers in the United States / 1960 to Present: True FBI files*.

FIDO, Martin et David SOUTHWELL. *True Crime: The Infamous Villains of Modern History and Their Hideous Crimes*, Carlton Books, 2010, 384 p.

FURIO, Jennifer. *The Serial Killer Letters: A Penetrating Look Inside the Minds of Murderers*, The Charles Press, 1998, 307 p.

GRAYSMITH, Robert. *Zodiac*, Berkley, 2007, 400 p.

HARE, Robert D. *PCL-R 2nd Edition Technical Manual*, Toronto, Multi-Health Systems, 2003, 222 p.

HICKEY, Eric W. *Serial Murderers and Their Victims*, Fifth Edition, Wadsworth Publishing, 2009, 448 p.

INNES, Brian. *Serial Killers*, Quercus, 2006, 208 p.

JAKUBOWSKI, Maxim. *The Mammoth Book of Jack the Ripper*, Running Press, 2008, 512 p.

KEPPEL, Robert D. et William J. BIRNES. *Serial Violence: Analysis of Modus Operandi and Signature Characteristics of Killers (Practical Aspects of Criminal & Forensic Investigations)*, CRC Press, 2008, 216 p.

KING, Brian. *Lustmord: The Writings and Artifacts of Murderers*, Bloat Books, 1997, 328 p.

KIRSCHNER, David. *Adoption Forensics: The Connection Between Adoption and Murder.* http://www.crimemagazine.com/adoption-forensics-connection-between-adoption-and-murder

LANE, Brian. *Encyclopedia of Serial Killers*, Berkley, 1995, 432 p.

LEITH, Rod. *The Prostitute Murders: The People vs. Richard Cottingham*, St. Martin's Press, 1983, 187 p.

LEWIS, Dorothy Otnow. *Guilty by Reason of Insanity: A Psychiatrist Explores the Minds of Killers*, Ivy Books, 1999, 352 p.

MARLOWE, John. *World's Most Evil Psychopaths: Horrifying True-Life Cases*, Chartwell Books, 2008, 208 p.

MARTINGALE, Moira. *Cannibal Killers: The History of Impossible Murders*, Robert Hale, 2009, 192 p.

MOORE, Melissa G. et M. BRIDGET COOK. *Shattered Silence: The Untold Story of a Serial Killer's Daughter*, Cedar Fort, Inc., 2009, 250 p.

MORRISON, Helen et Harold GOLDBERG. *Ma vie avec les serial killers. Secrets de profileuse*, Payot, 2008, 301 p.

NEWTON, Michael. *The Encyclopedia of Serial Killers*, Checkmark Books, 2000, 391 p.

NEYRAND, Gérard (dir.) *et al. Faut-il avoir peur de nos enfants? Politiques sécuritaires et enfance*, La Découverte, 2007, 121 p.

NORTON, Carla. *Disturbed Ground: The True Story of a Diabolical Female Serial Killer*, William Morrow & Co, 1994, 415 p.

——. *«I» The Creation of a Serial Killer*, St. Martin's Paperbacks; 1st edition, 2003, 320 p.

OLSEN, Jack. *The Misbegotten Son: The True Story of Arthur J. Shawcross*, Island Books, 1993, 592 p.

PIGEON, Marc. *William Fyfe, tueur en série. Autopsie d'une enquête policière*, Lanctôt, 2003, 259 p.

PINCUS, Jonathan H. *Base Instincts: What Makes Killers Kill?*, W. W. Norton & Company, 2002, 240 p.

PROULX, Jean (dir.), Éric BEAUREGARD, Maurice CUSSON et Alexandre NICOLE. *Les meurtriers sexuels. Analyse comparative et nouvelles perspectives*, Les Presses de l'Université de Montréal, 2004, 342 p.

PROULX, Jean (dir.), Éric BEAUREGARD, Maurice CUSSON et Alexandre NICOLE. *Sexual Murderers: A Comparative Analysis and New Perspectives*, Wiley, 2007, 274 p.

PROULX, Jean. (2008). *Sexual Murderers: Theories, Assessment and Treatment*. In A.J.R. HARRIS et C.A. PAGÉ (Eds.), *Sexual Homicide and Paraphilias: The Correctional Service of Canada's Expert Forum 2007* (pp. 213-237). Ottawa, Canada: Correctional Service of Canada. http://www.csc-scc.gc.ca/text/rsrch/special_reports/ shp2007/paraphil12-eng.shtml

RAMSLAND, Katherine. *Serial Killers Groupies*. http://www.trutv.com/ library/crime/criminal_mind/psychology/s_k_groupies/index.html

RULE, Ann. *A Rage To Kill: And Other True Cases*, Pocket, 1999, 400 p.

——. *But I Trusted You*, Pocket, 2009, 464 p.

——. *Empty Promises: And Other True Cases*, Pocket, 2000, 544 p.

——. *Kiss Me, Kill Me*, Pocket Star, 2004, 416 p.

——. *Mortal Danger*, Pocket, 2008, 480 p.

——. *Smoke, Mirrors, and Murder: And Other True Cases*, Pocket, 2007, 480 p.

——. *The Stranger Beside Me*, Pocket, 2008, 672 p.

RULE, Ann et Andy STACK. *Lust Killer*, Signet, 1983, 304 p.

——. *The I-5 Killer: Revised Edition*, Signet, 1984, 304 p.

SCHECHTER, Harold. *The A to Z Encyclopedia of Serial Killers*, Pocket, Revised Updated Edition, 2006, 352 p.

SHEPARD, Judy. *The Meaning of Matthew: My Son's Murder in Laramie, and a World Transformed*, Plume, 2010, 288 p.

STAMPF, Gunter et Pat BROWN. *Interview with a Cannibal: The Secret Life of the Monster of Rotenburg*, Phoenix Books, 2008, 362 p.

STEWART, Tony. *The Trash Bag Murderer*, lulu.com, 2010, 208 p.

ST-YVES, Michel (dir.) et Jacques LANDRY (dir.). *Psychologie des entrevues d'enquête. De la recherche à la pratique*, Cowansville, Yvon Blais, 2004, 508 p.

TREMBLAY, R. E., J. GERVAIS et A. PETITCLERC. *Prévenir la violence par l'apprentissage à la petite enfance*, Montréal, Centre d'excellence pour le développement des jeunes enfants, 2008, 32 p.

YANG, Yaling, Adrian RAINE, Katherine L. NARR, Patrick COLLETTI et Arthur W. TOGA. «Localization of Deformations Within the Amygdala in Individuals With Psychopathy», 2009, *Arch. Gen. Psychiatry*, Vol. 66, No. 9, pp. 986-994.

ZAGURY, Daniel et Florence ASSOULINE. *L'énigme des tueurs en série*, Pocket, 2010, 190 p.

Sites Internet

Bullying.org et Bullyingcourse.com

Centre jeunesse de Québec:
  http://www.centrejeunessedequebec.qc.ca/institut/documents/ SVQ_09_mineurs_agresseurs.pdf

Chosen Children:
  http://www.amfor.net/chosenchildren/ diagnose-me.com

Encyclopédie sur le développement des jeunes enfants:
  enfant-encyclopedie.com

Recherches de l'Université de Radford:
  http://maamodt.asp.radford.edu

Tru TV:
  http://www.trutv.com/library/crime/serial_killers/index.html

Tueurs en série:
  www.tueursenserie.org

Victims of violence:
  http://www.victimsofviolence.on.ca/rev2/index. php?option=com_content&task=view&id=355&Itemid=45

Remerciements

Tout d'abord, je tiens à remercier ma mère qui vole parmi les anges, qui m'a toujours encouragée et soutenue avec son amour éternel, et qui m'a montré que tous les rêves sont possibles, à la condition d'y œuvrer avec acharnement.

Un immense merci à Manuel Vallelunga pour son soutien inconditionnel ; à mon père et à Françoise Jacob pour leurs encouragements ; à Christie Nelson pour la retranscription des lettres et pour son travail acharné ; à mon bon ami Mike King, aujourd'hui décédé, qui m'a toujours aidée et encouragée ; à Étienne Gadbois pour ses précieux conseils juridiques ; aux téléspectateurs européens qui m'ont suivie de près à la suite du documentaire et qui ont été de fidèles adeptes ; à Christian Jacques pour son aide à la traduction des termes militaires ; à François Lambert ; à David, de France ; au Dr Louis V. Napolitano, médecin légiste.

Aux Éditions de l'Homme et à mon éditeur Erwan Leseul. Et à Sylvain Trudel, mon réviseur, qui a fait un travail extraordinaire.

Au Presse Café ÉTS à Montréal, le plus beau café que j'aie pu trouver et l'endroit où j'aimais le plus écrire ; et à ses propriétaires qui m'ont laissée y travailler chaque jour, pendant des mois, et qui m'ont offert le café à volonté pour bien me tenir éveillée.

Au Dr Eric Hickey, directeur du programme de criminologie de California State University et auteur de *Serial Murderers and Their Victims*, et au Dr Georges-Frank Pinard, psychiatre à l'hôpital Maisonneuve-Rosemont et professeur agrégé de clinique au Département de psychiatrie de l'Université de Montréal, qui ont consacré beaucoup de temps à mon apprentissage et à ce livre. Je ne pouvais me passer de votre dévouement et de votre expertise.

À Nathalie Vandevelde et à Caroline Crevier qui ont passé des jours et des nuits à traduire des documents pour moi. À Benoît Lessard, Geneviève Tellier, Clarisse Hountondji, Gilles Fortier et Jenny Gonzalez pour leur aide à la traduction des lettres. Je vous remercie infiniment de votre superbe travail et, surtout, de votre aide inestimable et de votre grand cœur.

Au Dr Benoît Dassylva, psychiatre à l'institut Philippe-Pinel de Montréal et professeur adjoint de clinique au Département de psychiatrie de l'Université de Montréal. Au Dr Sylvain Palardy, pédopsychiatre à l'hôpital Sainte-Justine. Au Dr Jean-Roch Laurence, professeur agrégé de psychologie à l'université Concordia. À Gérard Neyrand, sociologue et professeur à l'Université de Toulouse, qui travaille sur l'impact des mutations sociales sur les relations privées, et auteur de plusieurs ouvrages sur le sujet. À Ronald Hinch, professeur de criminologie à la University of Ontario Institute of Technology. À la D^{re} Dorothy Otnow Lewis, professeur de psychiatrie et expert en tueurs en série près des tribunaux. Au Dr Michael G. Aamodt, professeur émérite du Département de psychologie de l'université Radford. Au Dr Pierre Gagné, chef du service de psychiatrie légale du Centre hospitalier universitaire de Sherbrooke. À la D^{re} Katherine Ramsland, professeure de psychologie criminelle. Au Dr David Kirschner, psychologue et psychoanalyste. À Daniel Saumier, docteur en psychologie et professeur associé au Département de neurologie et neurochirurgie de l'université McGill. Au détective en chef Alan Grieco et au chef de police adjoint des détectives Edward Denning (tous les deux maintenant à la retraite). À Tomas Guillen, auteur de trois livres sur Gary Ridgway, le Green River Killer. À Stéphane Bourgoin, spécialiste des tueurs en série. À Bill Bersey, de bullying.com. Au sergent Claude Denis et au lieutenant Éric Latour de la Sûreté du Québec. À Jean-François Abgrall, enquêteur. Au Dr Jean-Jacques Marier, psychiatre. Au Dr Jocelyn Aubut, directeur général de l'institut Philippe-Pinel de Montréal. À Stéphane Leclerc, chargé d'enseignement à l'UQAM. À Marc Pigeon, journaliste et auteur de *William Fyfe, tueur en série*. Au Dr Joel Watts, psychiatre à l'institut Philippe-Pinel. Et à Christine Gagnon, synergologue.

TABLE DES MATIÈRES